图书在版编目（CIP）数据

谁来伺候妈 / 王志军著. — 北京：北京出版社，2011.1

ISBN 978-7-200-08581-5

I. ① 谁… II. ① 王… III. ① 长篇小说—中国—当代 IV. ① I247.5

中国版本图书馆CIP数据核字(2011)第003351号

谁来伺候妈
SHUI LAI CIHOU MA
王志军 著
*
北京出版集团公司
北京出版社 出版
（北京北三环中路6号）
邮政编码：100120
网 址：www. bph. com. cn
北京出版集团公司总发行
新华书店经销
北京同文印刷有限责任公司印刷
*
787×1092 16开本 17印张 305千字
2011年6月第1版 2011年6月第1次印刷
ISBN 978-7-200-08581-5
I · 1167 定价：32.00元
质量监督电话：010-58572393

目录

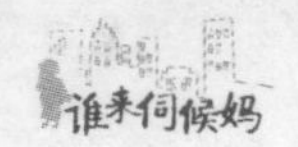

楔子　有这样一家人

1

她今年六十八岁了。

大凡人到了她这个年纪，名字就换成了×母、×阿姨、×奶奶。于是，她成了林母。一个这么大年纪的母亲，可以不知道儿女在外面是一个什么样的大人物，可以不管儿子的梦想是什么、心里念念在想着什么，但她第一个知道的，肯定是儿子最喜欢吃什么，儿子皱眉是哪里不舒服了，儿子有女朋友了，孙女的病怎么样了，孙子为什么不高兴了，儿媳妇看上自己的什么想拿走了，等等。虽然没有人教她，虽然她也许不聪明，没有多少智慧，更谈不上成功，但是，一辈子的沧桑，给她一颗母亲的心。这颗心中有一本账，儿女的事，记得清清楚楚，哪个轻哪个重，哪个缓哪个急。这本账说出来，就是一个家。

但是，儿女都是债，母亲对儿子，那是操不完的心、管不完的事、说不完的话。当然，大多数时候，操的这些心、管的这些事、说的这些话，也都不会落个好。

2

林母的账，全是关于她三个儿子的。丈夫死得早，她没有再嫁，拉扯大三个孩子。如今，最小的儿子也已经快四十了，林母好像该享清福了，可三个儿子就像三个炮仗，仿佛她一个不留神，就会把她的生活炸一个稀里哗啦。

老大林国栋打小听话，学习成绩好，不仅知道照顾两个弟弟，还有一门好手艺，找了一份好工作，现在已经成为一名美国人。但是这些，一般人也可以做到，林母不得意。最让她得意的是，老大给她娶了一个最称心的媳妇儿——刘雅娟。

老大工作忙，大部分时间都是雅娟在照顾她。雅娟出身书香门第，自己是一个小学老师，有文化，有耐心，用林母的话来说，雅娟有大家的范儿。刘雅娟跟老太太也很投缘，人前不言不语，和老太太却有说不完的话。林母听她的，有什么事，都爱跟她商量。那些年，林母总是偷着乐，她感觉老天补偿了自己这辈子没有女儿的缺陷。别的不说，这个媳妇儿难得的是，跟她一条心。这人呀，都有一个毛病，如果看人顺眼了，看她做什么都顺眼，说什么都能接受。林母怎么看，都觉得自己这个媳妇是自己的亲人。

也难怪林母这样疼大儿媳，刘雅娟对林家那是立下了汗马功劳。不仅生下了林家的大孙子林超，还利用自己父亲的关系，把林国栋送出了国。林国栋在国外，为了照顾婆婆，她把自己的一室一厅的房产和老人的一室一厅，换了一个两室一厅的大房。这对于大多数千方百计过二人世界的现代媳妇来说，简直是傻到了极点。据说现在大部分女同志的择偶目标是"有车有房，父母双亡"，像刘雅娟这样上赶着跟婆婆搅过子的，就是用激光找，也找不到了。

婆媳能处到这个份儿上，不容易，所以，当林国栋要跟刘雅娟离婚时，反对最激烈、最接受不了的，就是林母。为这个，林母几年都没有见大儿子的面，即使她做胃癌切除手术时，也没有让大儿子回来。不见面，并不代表不挂记。林母想大儿子，那是地球人都知道的事。用老三林国强的话说，无论大哥做过什么，在老娘眼中，他都是最争气的一个。想儿子想得狠了，就看看照片，而且非看他们一家子的照片不可。不开玩笑地说，照片上林国栋脸那一块儿，因为林母的手总在那里摩挲，玻璃都被磨薄了。

孔子说过，不患寡而患不均。国家大事如此，平头老百姓的小家也是如此。古往今来，为了多得一份家产反目成仇的兄弟，恐怕用电脑都计算不过来。反过来说，就是神仙，也不能做到绝对的公平。中国父母的劫富济贫心态、爱护幼小的手段，让人哭笑不得，而由此引发的家庭斗争，更是每天都在上演着。

林家老二林国梁属于那种藏得很深的异类。他一直生活在大哥的光环之下，无论学习还是工作，甚至找老婆，都不如大哥。这个他无法逃避必须面对的现实，让他养成了一种习惯，那就是以他人为坐标系，通过和他人对比，来确定自己的价值以及得失。算计成为他思考的主导方式，从好的方面来讲，这很适合他的工作——他在一家超市的粮油组工作，每天就是计数，算计着买入和卖出；不好的方面呢，则是给了他一个不完整的人格，让他什么事都从自己的角度考虑，永远欠缺满足的感觉。说难听一点，就是满口仁义道德其实一肚子稀狗屎。

但是，他也有难言之隐，他女儿患有先天性心脏病。这种病，平常吃的药就不用说了，要想根治，必须换心脏。可是，即使找到匹配的心脏，手术费也是穷他们这样的工薪家庭一辈子的财力、物力才能积攒的。女儿的病必须治，再不是人也不能对女儿不是人。基于这个原因，他干的一切都是在以给女儿攒钱为原则，其他的事，包括他妈的事只能退居二线。不过，话说回来，林国梁虽然非常自私，但是表面上，还是一个说得过去的儿子。一切都按部就班地走着，上学、找工作、分房、结婚、生女，没有让林母为他特别操心。这一点，就比老三强。

林家老三名叫林国强，是一名光荣的北京“的哥”。虽然他的名字是“强”，可是除了嘴比别人好用一些之外，别无长处。地无一垄、房无一间，银行还没有他老哥儿的户头，都是现金交易，用他的话说，就是不让那些开银行的赚他的钱。银行是不能赚他的钱，因为他没有钱。没有钱只靠一张嘴，是没有女人喜欢的。所以，马上要四十的他，还是光棍一个。没有老婆，还有老娘，四十的他，跟老娘住在一起，做着现下比较流行的一件事，啃老。一个男人，这样过日子，好说不好听，他虽然一向脸皮比较厚，内心比较强大，但是，眼看要过四十了，他也沉不住气了。

可是娶媳妇这件事，可不像买几斤萝卜、一把菜那样简单，买了觉得不称心，扔了就算了；即便是不扔，放到嘴里，觉得不好吃，嚼嚼往下一咽，过了嗓子眼，也都一样了。娶媳妇可不一样，她是你眼中看着、手中摸着、床上躺着的另一个你，你躲不开，扔不掉，跑不了。所以，要找，就一定要找一个合适的。

合适不合适，不是一个人说了算。当林国强同学的春天终于到来，找到他认为的那个人时，林母却死看不上眼。两个人成为今世的冤家、前世的仇人，林母因此旧病复发。而林家围绕谁伺候妈的纠缠和争斗，也从此开始。

第一章　我要看看你的妊娠纹

王八对绿豆，四十年来等的就是这个对眼。可王八和绿豆是水，结婚是那渠，七十岁的老娘呢，却成了那水坝。于是，这日子，就被生生拐了一个弯儿……

1

要说林国强对结婚这件事不上心，那是冤枉他。现下存在的各种形式的相亲，他都实践过了。可是也不知道怎么回事，一到女的尤其是漂亮女人面前，他那张嘴，就给他“罢工”。两个人干坐着，半天憋不出一句话，他只能不停地傻傻地吃饭喝茶，因为他是男人，他要买单，对明显没戏的事，当然要最大程度上减少损失。这样反复几次之后，婚介所的那个中年妇女特征很明显却非自称是他妹妹的介绍人，对他也放弃了希望。在他以砸招牌的威胁之下，才答应给他介绍最后一个，那个大嗓门的妹妹这样说：“我们的服务也是要挑对象的，如果都像您这样，交二百块钱，见一个加强排都不成，那我们的招牌不用您砸，早就关张大吉了。”话是这么说，可人家交钱，就要办事，无论成不成，人都是要带来的。

也许生活能够继续下去，就是因为，当你以为没有路可走时，就会看到一棵大柳树在向你招手。林国强遇到东北娘儿们陈金巧时，终于知道了什么叫天无绝人之路，什么叫王八对绿豆。

2

遇到陈金巧之后，林国强这个初中毕业生明白了他一直没有弄懂的一个词：心有灵犀。和这个到北京打工的来自农村还离过婚的东北娘儿们在一起，他的嘴更利落了，笑话一个接一个，口才那叫一个好！他刚想吃什么，她就点了；他想做什么，她已经做了。两个人在一起，没有别的，就是舒服！都这样舒服

了，第一次见面牵手，第二次见面亲嘴，第三次见面上床也就水到渠成了。

有了第一次，就有后面的第N次。陈金巧简陋的出租屋，成了两个人的爱巢。猴急的总是男人，在男人迫不及待之时，什么要求都会答应。陈金巧是离过婚的女人，就是再傻，也知道她不能这样稀里糊涂地跟这个男人混下去。所以，当林国强又一次进门就钻进她的被窝中跟她腻乎时，她推开了他。

任何一个男人在这时候被推开，都不会高兴。林国强眯起眼睛看着陈金巧，等着她的解释，好像她不说清楚，他就要把她吃掉一样。陈金巧捧住林国强的脸，用一种不符合她年纪的语气撒娇："急啥啊你，连活都不拉了？"林国强还是冷着脸，今天他们说好要去他家，见他老娘。他不拉活来接她，她还不高兴了？陈金巧当然不是不高兴，她要把话说清楚，他林国强不能光想着跟她睡觉，而是要跟她好好过日子。至于为什么选在这个节骨眼说，她倒是想等完事再说，可是他事情一干完，呼噜声就起来了，她能怎么办呢？

这个问题，林国强根本不屑回答，他躺在她身边，而不是在其他任何女子身边，不就说明问题了吗？这东北女的，怎么这么二虎吧唧的？林国强不知道的是，不是东北女的这样二，是所有女的都这样二。爱情对女人来说，永远都是一个奢侈品，尤其像陈金巧这样已经没有多少资本的女人。凭着女人的直觉，她知道林国强是老天给她的新机会，她非常珍惜。于是，得到林国强的保证之后，她主动抱住他——她也想他。她的主动换来了林国强的强烈攻势，林国强搂着陈金巧猛亲一通，两只手也没有闲着。陈金巧咯咯笑着，半推半就，躲闪着，就是不让他进来。林国强边亲边问，还想干什么？陈金巧想知道自己是他碰的第几个女人。这个问题是个男人都不能说实话，林国强虽然傻，也明白这个道理，他用行动告诉怀中的这个女人，不要去管他碰过几个女人，现在怀中的这个，是他最在意的。

3

林国强之所以选择今天带陈金巧见母亲，是有他的打算的。今天是周末，是林家吃团圆饭的日子，二哥国梁一家要到林母家里去吃饭。国强认为，当着这么多人，林母总不至于当场发作，给陈金巧脸色看。

林母没有见过陈金巧，并不知道她是什么样的人，她之所以不喜欢、不接受她，在国强看来，完全是老太太的老思想。陈金巧是农村人，离过婚，嫁给他林国强，先图他是一个北京人，为了他的房子、他的北京户口。为了这件事，母子俩闹腾了一个礼拜了。林国强要跟陈金巧结婚，就要到民政局登记，登记必须要户口本。他的户口本在户主林母手中。林母不同意，拿不到户口本，他就不能去登记。所以，这一个礼拜，他都在磨老娘。林母也在磨他，她也有她的道理，结婚能儿戏吗，能什么主儿都往家里领吗？一女的，三十多岁，离过婚，家是农村的，咱们不知根不知底，张嘴就娶人家，这合适吗？怎么也得到她们家看一眼，摸摸底细不是？才认识几个月就催着结婚，女方家门朝哪儿开还不知道。要想结婚，她就是不同意！这两天才消停了，她以为老三知难而退了，却不知道，这个没有多少心眼的儿子，因为这个女人，做了一件让她的晚年岁月完全失控的大事。

4

新媳妇见未来的婆婆，见面礼很重要。如果能够投其所好，买了让婆婆心花怒放的东西送给她，就能为以后的婆媳关系打下一个比较好的基础。所以，林国强和陈金巧亲热完毕，就直奔超市。陈金巧给人做过媳妇，知道第一印象的重要，礼物就可着劲儿地买——蜂蜜、保暖裤、核桃、大枣，等等，凡是能补的，适合老人的，买了一大堆。钱嘛，当然是男人付。

陈金巧总觉得不够，还要买衣服，被林国强拦住了。不就是见他老娘吗？不用这么兴师动众的。嫁给他没什么油水，犯不上行贿。再说了，他早把她的底细交代给老太太了，买多少东西，她也知道儿子没傍上富婆。

陈金巧真是担心，认识几个月，生米煮成熟饭都这么长时间了，一直没有到林国强家里去，她就知道，林母对她，最起码不是十分满意。林母这城里的老太太，瞧不上她这农村离婚的，她有心理准备。但是，毕竟还是想给老太太留一个好印象，所以，除了买东西之外，她非常担心自己穿得不好，露了怯。她一再问林国强，自己这样行吗？是不是特砢碜啊？林国强一再肯定地回答她还不停地问，林国强突然站住，大声说："怎么有点不太对劲啊？人家纪大烟袋的杜小月倒不砢碜，那能嫁给我吗？"他故意上下打量自己看上的女人，之后他说："挺好，你跟澳门郊区的贵妇人比都不掉价。"林国强完全不明白陈金巧为什么不怕他，而这样怕他妈。他觉得他妈这人好对付，只要嘴甜点就能拿下。陈金巧看他这样不配合，干脆转身往回走，她不要去了。林国强没跟他妈说她要去，到时候出什么事，谁也预料不了，她真的不敢去了。

林国强当然不能让她关键时刻掉链子，丑媳妇早晚得见公婆，况且，他又不想瞒他妈什么，老太太不就是想知道她的底细吗？那就全须全尾（尾：读蚂蚁的蚁）儿地往她跟前一站——这就是他要娶的老婆，长得不缺斤短两，也没生着六指儿，就这么一个人。只要老太太一点头，他们就从地下转为地上啦！为了给陈金巧打气，他拿出自己全套嘴上的功夫劝陈金巧："农村的怎么了，老革命哪个不是农村的，世界的希望在中国，中国的希望在农村，你就是我的希望和未来。"林国强把双手搭在陈金巧的肩膀上，大声鼓励她，什么事，有他在，就不怕，他能拿下他家老太太；而她陈金巧，能拿下他林国强。他这人有自知之明，知道自己只能跟陈金巧这农村离婚的老娘儿们配上。也许在老太太心中，自己的儿子就是那黄花梨的桌子，越老越升值。可是，他要真是块宝，能混到这把岁数没人要？

林国强一番自嘲的话，让陈金巧的自信噌噌地往上长，她高兴地拿起东西，不害臊地搂着这个心中真有她的男人的腰，去迎接未来婆婆的洗礼。

5

就在国强哼着《今天是个好日子》，搂着陈金巧往家里走去时，林国梁已经用自己的钥匙打开了林家的门，进到母亲屋里。

看到林母拿着那张大哥一家的照片，手在大哥脸上摸了又摸，他一点都不惊讶。但他还是有些吃味，在妈妈心中，大哥永远是排在第一位的，就是谁都不让提那个人，老太太心里最惦记的还是他！这是每个人都知道的事实，老太太还藏着掖着，这样掩着耳朵偷铃铛，有意思吗？

其实，老太太还真不是做样子给大家看，想儿子吗？是真想，醒着睡着都想到心疼。可是，让儿子回来，首先过不了的就是她自己这一关。事情虽然都过去这么多年了，别人都能忘记，唯有她，不能忘记！因为她的好儿媳雅娟过不去，她就过不去。她知道，抛弃了雅娟的是自己生的亲儿子，他在美国享福；把儿子送到美国的儿媳雅娟，却在这儿受罪！每天街里街坊地住着，她亲眼看见雅娟在受罪，心里总堵得慌！比她长得还高的大孙子，也变成别人孙子了，这叫她怎么原谅这个忘恩负义的儿子？

林国梁知道，大哥是母亲心中的一根刺，提起来，对谁都没有好处。所以，他转移了话题，告诉母亲，他老婆吴玉华要去接女儿彤彤，晚一点儿来。林母又记挂起孙女的病，林国梁告诉母亲，彤彤的病没有起色，还是时常发作，前两天犯过一次，小脸都憋紫了。林母心疼，这孩子遭罪了，问起了手术的事。林国梁不愿跟母亲多谈，他们心里一点底都没有，跟老太太讲了，还不如不说。

因为女儿有病，林国梁和吴玉华对女儿就有些娇惯。上小学五年级的林月彤，被宠得骄蛮任性。她对成天抠门的妈妈，那叫一个看不顺眼。从她家到奶奶家，三站地，吴玉华为了省钱，带着她坐公交车，她抱怨；吴玉华贪便宜，买了

劣质虾带到奶奶家，她更抱怨。吴玉华只能哄她，剔了虾线就不难吃了。林月彤一撇嘴，她又不是小孩子，哪回吃虾也没剔过虾线，怎么就这次的有沙子！她知道妈妈绝对不能扔了，就下定决心，绝对不吃这牙碜的虾子。谁让咱摊上一个病孩子呢？孩子不高兴，她的心都疼，吴玉华只能忍着、哄着。

自己的孩子要哄着，小叔子可就哄不着了，当然，更不能惯着了。在厨房里做饭时，听丈夫告诉自己老三的事，吴玉华不关心林国强看上的媳妇靠不靠谱，她只关心，老三要是结婚，他住哪儿？他可能就是要憋着在这间房里结婚，这个老三看着傻乎乎的，没想到还挺鬼。在这儿结婚，那房子肯定归他了，老儿子，没地儿住，娶个农村女人，和老娘挤在一个屋子，算盘打得够精的！想到这里，吴玉华把菜撂到案板上，老大垫钱买房子，老三在这儿结婚，这俩兄弟挺鸡贼啊。林国梁倒真没有想到这个，他看老太太那意思，老三不一定能如了愿。吴玉华高高抬起刀，狠狠落下，一刀切掉菜根，嘴里说着，这样最好，要不然，她也不是吃素的。

6

墙上的钟打响八点。

晚餐上桌了，还挺丰盛。吴玉华摆好了碗筷，林国强还没有回来。林母看着表，神色有些不满，抱怨着老三不懂事，跟他说早点回来，却这个时候还不到家。吴玉华会说话，说国强肯定不是故意的，这会儿马路上哪有谱啊，遇见堵车谁也没脾气。林母对老儿子有气，觉得他不懂事，就不该等到堵车才往家走！不等他了，老太太招呼大家吃饭，老三这是跟谁闹别扭呢？林母夹起一筷子虾，递给孙女，让她尝尝她妈买的虾。真是哪壶不开提哪壶，吴玉华有些紧张地看着女儿，林月彤若无其事地告诉奶奶，她不爱吃虾。林母有些奇怪，历来过来吃饭，这个儿媳买的都是孙女爱吃的菜，这次怎么转性了？不过，她没有深想，把筷子上夹的虾放到自己碗中，正准备吃，门忽然开了，林国强进屋。

林母看到他，立即开训："都让你早回来早回来，你……"话没有说完，她就看到随着林国强进屋的陈金巧。陈金巧拎着大包小包的礼物出现在大家的视线里，所有人都一愣。

林国强没有敢看他妈的脸，忙不迭地把陈金巧介绍给大家，同时也把自己的家人介绍给陈金巧。陈金巧表现得非常乖巧，跟众人打招呼，奉上礼物。林母没有理陈金巧送上来的那些东西，上下打量了陈金巧一分钟，就是不说话。林国强的冷汗都下来了，陈金巧没有躲避，也看着林母。房间里，只有林月彤吃饭的声音，她觉得，既然没有人给她介绍，她也没有必要同这个不相干的人打招呼。

终于，林母发话了，让陈金巧洗洗手，吃饭。吴玉华这才迎上去，带着陈金巧去洗手间。林国强把他们带来的东西拿给老娘，强调这是陈金巧买的，林母不信，看都不看，只是让他洗手吃饭。

7

这顿饭吃得每个人都很难受。

林母不动声色，活到这一大把年纪，她还不至于这点忍性都没有，一下子就发作。她说怎么老三这几天消停了呢？原来在这里等着她呢！这人给你带回来了，你承认也好，不认也罢，反正就是她了。哼哼，她偏不让他们如愿。第一眼，她就不喜欢这个女人。虽然她现在还说不出来，为什么不喜欢她，但是，她相信，自己会知道原因的。今天，她就让这个上门欺负她的女人，知道她的厉害！

对于林母的态度，吴玉华当然很幸灾乐祸。她巴不得林母把这个威胁到她的利益——将来能得到的利益也算她的利益——的女人赶出去，可是，这话轮不到她说。她说了，效果反而不好。所以，她聪明地选择了旁观。她挑一些安全的话题，跟陈金巧说着话，一方面，让陈金巧对她有一个好印象；另一方面，她在等着林母的出击。

陈金巧果然觉得这个二嫂人很好，对她的问话积极回答。她说自己老家贼冷！最冷时候零下四十多摄氏度，头场雪一下，就能没了膝盖，不过他们冬天都生火炕，屋子里比北京还暖和，就是不能出去。她说自己爸妈岁数都还不大，在那边也过惯了，一般倒也没什么大事，不过她每年春节都得回家。她说自己千里迢迢到这儿来，是为了打工、挣钱。她们那儿农活也不多，她在这儿，挣得比在乡下多。每月往家寄点钱，贴补贴补也挺好。不过她也寄不了多少，家里吃的都是自己种的，爹妈花费都不大……

林母还是没有反应。吴玉华到底比不上林母的段数，终于问出一个实质的问题，问她和国强怎么认识的。林国强听吴玉华说自己嘴还挺严，扑哧一声笑了，他的嘴还严？装上把儿都能当漏勺了，他们夫妇俩也没打听过啊。他大咧咧地告诉吴玉华，他们俩大俗人，是婚介所认识的之后，就转移了话题，直接说这虾怎么吃着有点牙碜。这又说到吴玉华的痛处，她连忙解释，是自己上当了，上次在同一个摊买的虾，好着呢。林母却在这个时候，慢悠悠地张口了，现在这世道，坑人的多了，晚报上写着，看病有医托，买药有药托，买房有房托，结婚有婚托，一不留神就上当了。

林母话里有话，她的意思，傻子都能听出来，陈金巧不由得放下筷子。林国强听着话头不对，赶紧抹乎，让他妈也别瞎操心，眼睛擦亮点，别想占小便宜，那就吃不了亏。要非找一个有车有房、父母双亡的，那肯定挨坑，坑死都活该。像他们这个，最多黑你二百报名费……

林母好像没有听到他说什么，直接问陈金巧离婚的原因。陈金巧的脸色一下子变了，当着这么多人，被揭开伤疤，她脸上有点挂不住，但这个问题，是她必须要说清楚的。所以，她只是说，她之前嫁的那个人，是个浑蛋。林母不依不饶，浑蛋不浑蛋的先不说，她也算吃过结婚的亏了，人得吃一堑长一智，再要是谈婚论嫁，总得谨慎着点。

这话说得，好像说林国强也是一个浑蛋，林国强当然不爱听。他把碗一放，就要瞪眼，林母根本不理他，只是对陈金巧说，离婚的多了，绝大多数都不是浑蛋，家务事能说清楚吗？都是好人，就是过不下去，就像他大哥和他大嫂子！“你们年纪轻，脑子热，我也是瞎操心。”林国强虽然气咻咻，但他说不出话了。

第一回合，林母完胜。

林母再接再厉，问陈金巧结婚多长时间，听到陈金巧回答八年之后，她真的有些惊讶，心中对这个女人的印象，更不好了。即使陈金巧说，最后三年是她自己过的，也没那么长，她们那儿人，结婚早，也没有能挡住林母的继续追问，结婚这么长时间，有没有孩子？

当林母终于问出这个问题时，陈金巧仿佛被重重一击，她张开嘴想说话，却只是摇了摇头，一开始幅度很小，后来摇得很用力。虽然她坚决地说，自己没有孩子，但她刚才的表情，不仅吴玉华准确地捕捉到了，林母更是看得清清楚楚。林母当然不相信，她不顾林国强的阻挠，打破沙锅问到底，陈金巧为什么没有孩子。陈金巧说她不想生，林母当然不会这样简单地放过她，等林国梁带着彤彤出去之后，问她到底是什么原因，是不是身体上的问题。

陈金巧的耐心告罄，慢慢激动起来，她告诉林母，她以前嫁的那个男人，是村里的媒人介绍的，他家条件在村子里算不错，她爸妈就应了，可是他每天除了打牌就没干过一件正事，结婚三年了，她都想不起来他脸长什么样。她劝了他多少次，跟他打了多少次，第七年的年三十，他不在家过，跑到村口张寡妇家打牌，过了十二点还不回，她过去找他，结果这两个王八蛋让她堵在被窝里了。她遇到这样的浑蛋男人，还能过下去吗？离婚能怨她吗？

陈金巧抓住这个机会，把自己的委屈说出来，她本来一句都不想说，想把这些事儿都烂在肚子里，更不想说出来给国强添堵，她知道男人心里都膈应这个。

可是话说到这份儿上，她只能说出来。她虽然和国强认识的时间不长，但她觉得国强不是这路人，她真的喜欢国强，也想踏踏实实地跟他过日子，好好伺候老太太。

这一番话，把离婚的原因归到前夫身上，还对林国强真情表白。林母半信半疑，没有反应。林国强却大受感动，他攥住陈金巧的手，用他自己都不相信自己会作出来的含情脉脉的眼睛，看着陈金巧，陈金巧含泪低下头。

第二回合，陈金巧真情胜出。

林母当然不能就这样缴械。她先谢过陈金巧，还是想通过贬低儿子，让陈金巧知难而退。她说日子长了，就会知道，国强还不光是老实，他是傻。干出租又苦又累挣不到钱，他们在一块儿的时间还是太短，不适合立马就结婚，再接触一段时间吧。不是大妈心硬，或者信不过她，大妈这是护着她。她在男人身上栽过跟头，两个月，正是那无可无不可的时候，连架还没吵过一回呢，说白了，谁还都不认识谁呢。与其将来日子鸡飞狗跳，还是把工作做在前头，户口本儿就在家，民政局就在那儿开着，什么都跑不了，这些都不是问题，最关键的还是要找对人！

陈金巧蓦地把手从桌子上林国强的手中抽出来，她知道，林母这是完全不接受自己。林国强恼羞成怒，面对自己“油盐不进”的固执老妈，他郁闷了——他结婚这件事，是没有戏了。他们俩是那水，结婚是那渠，他老妈就是那水坝！有这座大水坝挡着，他还结什么婚？

林母不后悔，她坚信，儿子不听她的，早晚后悔。她不怕他现在恨她，她要坚持到底。林国强一推碗筷，拉起陈金巧，甩门出去了。

第三个回合，林国强自动加入，双方平局。

8

晚上的大街宽了很多，没有白日的喧嚣，华灯齐放的都市夜景让人沉静。

车上的林国强和陈金巧却没有心情欣赏夜景，两个人的心情都很差，谁都没有说话。林国强漫无目的地调着车上的收音机，把一腔怒火全部发到这破玩意儿上，全是他妈卖假药的，也没人管管！林国强关了收音机，刚要说什么。陈金巧忽然发作，她受够了，是她要去的吗？是她非逼着林国强结婚的吗？害怕结婚以后出事儿的应该是女人，现在她不怕，他妈倒担心上自己的儿子了，这叫什么事呀？以后她还怎么去他家？都四十了才要结婚的男人林国强，当然是站在女人这边的。况且，他也有些瞧不上他妈这个穷家小户毛病还不少的样子。对付这样的老太太，躲着是不行的，要天天在她面前晃，好歹混个脸熟才行。而且，他觉得他老娘并不是在意陈金巧的出身和工作，她今天一句她家的事儿也没评价，就是让他们俩分手，也是因为陈金巧自己自卑。林国强这句话，正说到陈金巧的痛处，她爆发了，人有这样的痛苦过往就怕人说，她愿意有以前那些事儿是怎么的？好不容易把那些都忘了，她都躲到这儿来了，还不行吗？她做错什么事了吗？面对陈金巧带泪的哭诉，林国强无语。

林母也不好受，儿子相中的这个女人粗粗拉拉的，长得不怎么太细致也就罢了，她在意的是，她为什么要说谎。

本着把这门婚事搅黄的原则，在和林母收拾碗筷时，吴玉华装作不经意地说出了自己的不解，陈金巧为什么不生孩子呢？要说结婚打架，头两年也不会闹成什么样，农村人还有这么多老理儿。问她孩子时她不对劲儿，难道她在说谎？林母一听她这话，就知道二儿媳也看出来了。看出来没有用，要让她自己说出来，可是谁会愿意承认自己说谎呢？吴玉华又不经意地提醒了，生没生过孩子，隔着皮隔着肉的，看不出来，但是肚子上、胳膊上、大腿上的妊娠纹，可是消除不了的，那是一辈子的记号。听到妊娠纹，林母的眼睛一亮。

送完陈金巧，林国强回来已经很晚。林母还没有睡，在客厅里看着电视。林国强心中还是有气，跟母亲打了一声招呼就要进自己的屋子。林母当然不能让他这样登鼻子上脸，喊住了他，问他给谁甩脸子呢。林国强对母亲的事儿多，很不耐烦，又惹来林母一顿数落，说他没大没小，这都是谁在给他仗的腰眼子？那么大个人，好赖都分不清楚。林国强忍了一晚上的话冲口而出，埋怨老娘今天架子端得太大，人家好心来看看她，却落了一个浑身不是，礼数不周，动机不纯，还被查了一通户口。人家以前的事情和您有什么关系？非得揭人家伤疤，这也太不厚道了。

林母啐了他一口，这话就是放屁！她陈金巧要不跟她儿子结婚，她以前的事跟她嘛儿关系没有；她要结婚，那绝对有关系。她能怎么对她前夫，她就能怎么对他林国强。现在那是个新鲜劲儿，新鲜劲儿过了，该怎么过还得怎么过。她前夫没出息，你林国强就有出息？为了个女人能跟你妈顶嘴，你多大的出息？你老妈戒心太强，是因为被骗多了；你老妈同情心太差，是因为将来没有人来同情你！这一把岁数了，能经得起多少折腾？你喜欢她，你乐意娶她，你知道她是不是喜欢你，是为什么嫁给你？你根本不知道该怎么活着。

林国强被数落得恼羞成怒，开始口不择言，他亲妈看不上的是自己，他什么都不行，现在好容易有个喜欢他、愿意照顾他的女人，还非要赶跑。可是，大哥强，大哥听话，最后也不是离婚了吗？这句话一出口，林母所有的动作一下子停了，她愤怒地瞪着林国强。林国强自知失言，往回找补，却被林母一句话骂回了屋子。

就是怕老三走老大的老路，才这样为他操心，可是这个傻儿子，是一点都不懂母亲的心。林母一夜没睡，抚摸着林国栋的照片，翻来覆去，眼泪打湿了枕巾。

9

第二天林国强早饭都没有吃，就出车了。晚上回来给老妈的大缸子里续水。他们这个小区很老了，晚上水压不够，需要储下一些水。弄好之后，他还得走，机场有人定了他的车，要晚点回来。看着儿子累了一天，还关心问自己今天有没有不舒服的样子，林母的心一阵酸。

林国强提满水，转身离开，又突然回头，略带有一丝不好意思地向母亲道歉，昨晚不应该提大哥的事，并保证以后再也不提大哥了。林母的心又是一阵欣慰，她身上掉下来的肉，不会差到哪里去的。林母不由放软了语调，问自己的儿子是否真心喜欢陈金巧。

林国强给自己的母亲打了一个比方，好比他是一筐橘子，从早市放到中午了，没人要，卖相不好，本来以为自己要不就甩卖，要不就扔，这时候忽然来个人，瞅着觉得挺好，卖还是不卖，是个人都能想清楚。林母听着儿子把自己比成烂橘子，很不舒服，她的儿子，有那么差吗？林国强苦笑，谁的儿子，老沤着也长毛。林母的眼泪差点掉下来，走回屋子，拿出两张温泉游乐场的票和一件女人的泳衣，递给林国强，要他带着金巧出去玩一玩。林国强以为老妈被自己打动，改变了主意，受宠若惊，连忙说好。

前一天还冷着脸反对结婚，这一天不仅给买了票让他们去泡温泉，还送给自己泳衣，林母这猫一天狗一天的行为，让陈金巧不知道林母葫芦里到底卖的什么药。林国强比她乐观，他妈不卖药，他妈提供药浴。他就说陈金巧想多了，再怎么着，她也是他的亲妈，当妈的怎么着也是为儿子好。可怜天下父母心，陈金巧懂，让儿子带着女朋友去泡温泉，很容易理解，可是，老太太还要跟着，就有些杀风景了。

不管陈金巧愿不愿意，林母是一定要跟着。即使白天，她已经感到身体不舒服，一阵干呕；即使当她坐上国强的出租车，车窗外已经下起了雨。为了儿子，她也一定要看看，这个女人是否在撒谎。

这场雨不小，雨点噼里啪啦打在车窗上。林国强心情很好，一边开车，一边用他的破锣嗓子唱歌："雨一直下，气氛不算融洽，在同一个屋檐下。"张宇的这首歌，倒也应景，只是由林国强唱出来，差点意思。陈金巧被他故意耍宝逗笑，打了他一下。林国强板起脸警告她小心，这可是以危险方法危害公共安全。

坐在后座上的林母，看着两个人打情骂俏，下意识地搂紧了自己的包，面色凝重，一点儿笑模样都没有。

10

这年头，泡温泉很火。在温热的水中泡一泡，即使是人造出来的温泉，也可以祛除某些疾病，让人通体舒畅，最起码心里感到舒畅了。只有想不到，没有做不到，人造自然栩栩如生地和真正的自然媲美，让人感慨人类不愧为万物之灵长。

今天是工作日，又下着雨，温泉中人不是很多。到造浪池中去冲浪，需要穿上泳衣。林母不去，坐在旁边的椅子上休息。林国强很快换好衣服出来，等着女更衣室里换衣服的陈金巧。

陈金巧穿着林母送给她的泳衣，抱着胸，有些不好意思地走向林国强。林国强上下打量陈金巧，不说话。陈金巧笑得很羞赧，林母给她买的是一件分体的泳衣，上下不挨着，露那么大块肚皮，是时下流行的比基尼泳装。五大三粗的陈金巧穿上，有点小，有点不伦不类。对正处于热恋中的林国强，陈金巧自然是穿什么衣服都好看，他笑着调侃，找张大白纸把陈金巧贴上面就成挂历了。又说他妈，怎么那么时髦，不怕把金巧带坏了？林母还是没有笑，她淡淡地说，怕他们觉得她挑的老，故意买了一个显少兴的。

林国强觉得自己老妈真可爱，自己的幽默细胞准是遗传自老妈，到温泉来玩，还戴一老花镜，这里这么大雾气，就是戴上显微镜，也什么都看不清，他让老娘把眼镜摘了。林母是怕看不清楚陈金巧身上是否有妊娠纹，特意戴上她做针线活用的老花镜前来，自然不肯摘，只告诉儿子，一会儿没雾了，她怕看不清，滑个跟头。林国强笑得没心没肺，要把车上那雨刮器给老妈卸下来，装上给老妈驱赶雾气。林母刚要说什么，造浪池开始造浪，人群发出欢呼。这个温泉浴场，最值钱、最好玩的就是这个造浪池，林国强不再跟老妈磨叽，拉着陈金巧跳进造浪池里蹿高伏低。

人群发出欢快的笑声，浪花飞溅中，林母透过老花镜，目光久久定格在儿子的笑脸上。不，雾气太大，也许她根本没有看到，而是自己想象出来的儿子的笑脸。儿子都多少年没有这样开心了？

造浪池里的浪落下去了，林国强领着陈金巧走到林母坐的躺椅上休息。两个人兴致勃勃，意犹未尽，坐在一起拉拉扯扯，打打闹闹。陈金巧抱怨林国强不靠谱，把她拉到最前面，答应她不撒手，到时候还是撒手了，让她这口水喝的！林国强哈哈大笑，说喝一口没什么，那都是矿泉水，都含在票价里头了，那广告怎么说的，吃好，喝好，玩好！

林母并没有听他们在说什么，她的眼睛始终不离开陈金巧的肚子，但是陈金巧一直在动，她看不清楚。林母缓缓伸过手，抓过陈金巧的手，佯装无事地看她指甲上的画儿。陈金巧做了一个美甲，有些不好意思。林母不置可否，眼睛一个劲儿地往下看。眼看就要看到陈金巧的肚子，林国强却捅了陈金巧一下。陈金巧翻身坐起来，喊着痒死了，直说林国强讨厌，当着大妈就这样闹。林国强毫不在意，他就是没个正形儿，再大也是他妈的儿子，当妈的不会在意。他的手又抓陈金巧的胳膊，林母的手被甩开。林母愣了一会儿，抓过陈金巧的手，要接着看陈金巧的指甲。陈金巧怕林母以为自己是那种追求打扮的女人，连忙解释，也不用多少钱，闲着也是闲着，她也是头一回做这个。林母根本不在意她说什么，只是抓牢陈金巧的手，眼睛牢牢盯住陈金巧的肚子——陈金巧的肚子上面，细细密密地布满了妊娠纹。

林母气得发抖，她一把甩开陈金巧的手，大声喊着陈金巧的名字，问她到底想干什么？她明明生过孩子，为什么骗她儿子国强？正高兴着的林国强，一点都不知道母亲在说什么，林母一把把林国强的头按在陈金巧的肚子上，让他自己看。这是没生过孩子的人吗？这个女人是个骗子，她说瞎话都不带打草稿的！

陈金巧忽然哇地哭了，一半是因为被揭穿谎言的尴尬，一半是因为在众人面前出丑的委屈。她拨开人群哭着往外跑，跑出去几步，却忽然脚下一崴摔倒了。依然处在茫然之中的林国强，不知道该不该追，下意识地喊着陈金巧的名字，跟着往前走了几步。林母大声让他站住！这个骗子，赶紧离她儿子远远的！陈金巧爬起来，没命似的跑掉了。

第二章　形式没走好，日子还得过

> 我妈这个人，好在要强，坏在太要强。我妈一生气，后果很严重。

1

回到家中，林国强越想越不是味，越想越窝囊，不能就这样算了，有些事要当面问清楚。她陈金巧要敢当着他的面，再说谎，他就当这些天被一只麻雀给自己身上拉了一坨屎，他是男人，也没有损失什么。他不相信这个二虎吧唧的女人会骗他，一个骗子被人家戳穿了站在雨里号啕大哭？又不是演戏给别人看！

林母当然不这样想，她用力按住要走的儿子，不让他去找那个女人。那个女人不知根知底，她怕自己的儿子被这个女人骗光光："一个大活人她都敢藏着掖着，这个人到底还有什么事，敢想吗？你能担保她不会根本就没离婚，你能担保她不会前脚进家门，后脚把咱们家卷包跑了？"

被陈金巧雨中满是泪水的脸所揪心的林国强，当然听不进他妈的话，他不顾老妈的威胁，甩门而去，没有看到林母颓然倒在沙发上剧烈地呕吐。

2

已经是深夜了，林国强一路飙车到陈金巧的宿舍时，陈金巧确实还没有睡。她就穿着那湿湿的衣服，躺在自己的床铺上，没有抽泣，没有抖动，只有眼泪，就这样无声无息地咆哮着往下流，仿佛把自己这一辈子所受的委屈，都能流出来似的。一种绝望攫住了她，她知道，老天在惩罚她，一向命苦的她，怎么能够骗人呢？看到她自食其果，老天一定在偷笑吧？

林国强进到屋里，看到的就是这样一个伤心欲绝的女人。和陈金巧同屋的两个女人知趣地出去了，把这简陋出租屋被错综而放的上下铺割离得狭仄的空间留给了他们。

看到这样的陈金巧，林国强说不难受是假的，他的心一下子软了，他无法控制地告诉陈金巧自己回去的路上看见她，想停车，他妈不让停。陈金巧不说话，两人陷入短暂的沉默。

林国强咽了口吐沫，给自己打了打气，从口袋中掏出两本结婚证，甩到陈金巧面前："我今天来，就是找你问个明白，问明白了，我就知道怎么处理这个了！是让大家知道，你已经是我老婆了，还是回到民政局，怎么办的，怎么把它撤了！"陈金巧停止了哭泣，难以置信地看着面前红彤彤的结婚证。林国强也瞪着陈金巧，用一种非常严肃的、带着几分恳切的语气，告诉她，自己问一句，她答一句，说了假话，他扭头就走！被巨大幸福砸中的陈金巧，找回了自己的思想，再也不敢隐瞒，含着泪告诉林国强，自己的孩子叫罗虎，今年八岁了，现在在他爸爸家，他们抢去了，说这是罗家的种，不能留给她。

如果不是母亲，林国强现在还被蒙在鼓里，要说不在意，那是假的。他不明白，这个女人的脑袋里装的是脑花还是果冻呢？怎么能这么蠢？这么大的事，能瞒得住吗？陈金巧冲上去拽住国强的手，号啕大哭，这次，她是真的意识到自己错了。她是真心实意地想和这个男人过日子。她一个女人，又没有工作，当然要不来孩子，她连孩子家都进不去。她之所以骗他，一半是害怕他看不上她；另一半，她也是没有办法，孩子不跟自己，连见都见不着，这和没有儿子有什么区别？她这个自欺欺人的大傻瓜，并不是存心要骗他的！

林国强知道，陈金巧这次说的是实话，可是，他现在信她，对不住他妈；不信她既对不住他自己，也对不住她，这个傻女人真是搬起石头砸自己的脚。陈金巧看到了一线希望，她发自内心地哀求这个真心对待自己的男人："我用我这一辈子还你的情意，你妈就是再不相信，到我死的那天，她总信了吧？"林国强皱起了眉看着结婚证。

3

林国强相信了陈金巧，就相当于背叛了老妈。老儿子公然忤逆，林母当然很生气；林母一生气，后果很严重。无论林国强怎么试图说服老妈，都被老太太顶了回来。她还就认上这个死理了，骗了她一次，就是一百次，这个不清不楚的女人要是再进她的家门，她就报警。林国强一急，就把实话说了出来，现在说什么都晚了，他们两个已经登记了，陈金巧已经是他老婆了，生米早都做成熟饭了！林母恼羞成怒，重重一耳光打在老三脸上："你这个畜生啊！我告诉你，她陈金巧一辈子别想进我家的门！我认准了她是个骗子！”

林国强对母亲的这种愤怒非常不理解，第二天，他出车之前，对着枯坐了一夜、犹自生气的母亲，做最后的努力：“妈，这句话我说不太合适，不过儿大不由娘，我现在也算是成了家的人，有些事儿您该放手就放手吧。牛不喝水不能强按头，您也该让我自己拿主意了。要不这样，我的钱归您管，您不就是怕我上当么，我除了那几个工作挣的死钱，也实在是没什么可让人骗的。结婚这件事，您就这么认了吧。我本来计划得好好的，您身体不好，我和金巧结婚，让金巧照顾您，虽然出了这么多乱子，我还是希望能按我的计划来。我盼结婚盼了多少年，现在总算是找了个老婆，中间的事不说了，结果我觉得还不错，我想把婚礼办了。陈金巧已经是我的人了，总得给人一个说法。”

林国强自以为很真诚的这番话，听到林母耳朵里，是宣战，更是挑衅。她强压怒气，没有再跟儿子废话，只是让他办婚礼，把亲戚、好朋友都请来，让他们坐在一块儿。

头脑有些简单的林国强虽然觉得母亲的表情不对，也没有往深处想。已经领证了，就是合法夫妻，母亲也不会反对吧？但他不知道的是，以母亲的拧脾气，他人生第一次也许是唯一的一次婚礼，演变成一场悲剧。

4

老妈反对，当然不出钱。林国强第一次结婚，按照他给陈金巧的说法，只结这一次婚，当然不想将就。可是，没有钱的婚礼，还必须将就，所以，他认真做了一下婚礼选择题。

蜜月当然算了，他要拉活，这些虚头巴脑的形式就算了，以他朴素的脑子看来，男人和女人办事，在哪里都一样，蓝天大海和陈金巧的出租屋并没有本质区别。结婚照他不想省，人生还有几个四十？好不容易做一次新郎，如果连照片都没有一张，他会后悔一辈子。酒席他画了叉，费那个劲儿干吗呀？那么多人大吃一顿，这年头谁没有吃过饭呀，非要大家凑份子到一起吃？总之，林国强这个实惠人对婚礼的选择是，凡是对自己有用的形式，咱就用；没用的还用，那是傻子。

可是，陈金巧就是那个傻子。和林国强正相反，她认为结婚照可以不拍，婚宴是一定要摆的。这是整个婚礼的重头戏，不摆婚宴，不请宾朋，谁知道他们结婚了？因为没有钱摆酒席，她给父亲打了电话。陈父非常高兴，觉得自己闺女还挺命好的，找到这样一个愿意娶二婚女人的城里人。老头把自己准备的养老钱拿出来，给女儿办婚礼。陈金巧的意思是，反正能收回来，又撑足了面子，让父亲来帮自己一把，也没有什么。因为闺女嫁了北京人，陈父好好在左邻右舍跟前风光一把。

想起母亲的那个表情，林国强心中就没有底。他可不敢折腾，告诉陈金巧，请的人越少越好，凑个五六桌，一帮至亲好友，够了。这些天来，他都没有回家，老太太那脾气上来，他可惹不起。惹不起，就躲出来了。可是，儿子结婚，哪有当妈的不在场的理儿？所以，林国强四处搬救兵，以保证他的婚礼不出什么大乱子。

他第一个请的，当然是他老妈的心头肉，他大哥林国栋。

5

林国栋远在美国，就是知会一声，成本也比较高。鉴于上次只说了五分钟就花了八九十块钱，林国强拨通了之后，就叫林国栋给他打过来。

林国栋对老弟弟，多了几分忍让和一丝纵容，听到他要结婚了，打心眼里为他高兴；但听说他是先斩后奏，不经老妈的允许就领了证，就觉得弟弟这样做，欠妥。但以他的立场，还真不能说什么，他自己不是也忤逆了老妈，到现在老人家还不见他吗？至于弟弟要他帮忙说服老妈，那简直是请修锁的来补锅——找错了对象，他帮弟弟说话，只能更糟糕。林国强不这样认为，在老妈眼里，大哥总是最争气的那个。如果他能回来，他相信老妈嘴上虽然还是小刀子一下一下割他，但是心里肯定乐开了花，他的这点“小事”，也不会放在心上了。林国强的小算盘打得虽然很精，奈何他不了解他哥现在的情况。

林国栋虽然已经拿到绿卡，且从事的是薪酬比较高的技术工作，都说中国人聪明，说的就是林国栋这样的人，但是，再聪明的人，也不能左右经济大势。所谓覆巢之下岂有完卵，席卷美国的经济危机，让林国栋不幸成为待业一族。失业已经好几个月的林国栋，只能靠妻子王茜“养活”，他们又买了房子，要还房贷。即使成为美国人，房贷一分一毫都不能少，电话费、电费以及所有的费用，都要从腰包往外掏。虽然王茜上班，但是，林国栋一个大男人，让老婆养着，看着存折上的存款一点点消失，心中也不是滋味。

林国栋心急如焚，几乎每日都找工作、投简历，可如此经济形势之下，找工作那就一个字：难。投出去的简历大都如泥牛入海，杳无音信；偶尔能有面试的，也如找临时工一样，被欺压克扣如三孙子似的，但凡有点血性的人，都不会去干。林国栋这边的困境，当然不会跟弟弟说，但是，即使妻子王茜不暗示，他也不会回去。回去了怎么跟家人说？说他失业在家，他的机票是老婆给买的，来回够他们两个月的生活费？

不过，弟弟大喜，他还是要表示一下的，他问林国强要Visa的户头，要给他打一点钱过去，作为他这个当哥哥的心意。林国栋的这个决定，王茜举双手赞成。她虽然觉得自己这个非常顾家传统的老公，对家人的感情，远远超过对这个家包括对她的感情，心中不痛快，可是，泰山能移本性难改，她只能徐而图之。林国栋没有头脑一热答应回去，她很高兴，安慰他："这次算你做出了牺牲，多给你弟弟寄点钱，全当是从机票里省出来的！你去一趟也不能解决什么实际困难。多给他点钱，没准倒能帮上忙。"

也只能如此，林国栋倒不担心弟弟挑自己不回去的眼，他更多担心老妈拐不过这个弯来。他妈的优点是要强，缺点是太要强，到现在，他妈还把王茜当成第三者，拆散了他和他前妻呢！王茜对这件事，一直耿耿于怀，她倒没有批评老太太一个人，她怕林国栋接受不了。她以面带点，总结的是国民性："中国人的优点是聪明，老于世故，缺点是太世故，太自以为是，搞得彼此之间全无信任！"虽然不失偏颇，但也有几分道理，林国栋只好苦笑。看他不说话了，王茜停止了这个话题，她不想两口子为对她来讲不相干的人斗气拌嘴，而是提醒林国栋记得明天把账单交了，要不然家里说不定什么时候就黑了。

王茜不知道的是，中国的婚姻，从来都不止是两个人的事，而是涉及方方面面的人，他们虽然生活在美国，但是因为她有婆婆，婆婆以及小叔子还有小叔子的老婆和她就有了千丝万缕的关系。日后，他们之间错综复杂的关系，就此展开。

6

前面说了，林国强对这些银行卡什么的，是一窍不通，他当然没有这么高深的小卡片。况且，他现在着急的不是这点钱，哥哥这点杯水车薪，解决不了问题，他现在烦的是，怎么让老妈消了这口气，认了这个媳妇，让他的婚礼顺顺当当办成。

大哥远水不能解近渴，他只能另想办法。二哥林国梁是指望不上的，他早看出来了，二哥是站在他妈那一边的，虽然嘴上没有明说反对他结婚，可是听话听音，他们两口子都是向着老太太说的，在他家，他真叫一个人单势孤。这几天，他跑里跑外准备婚礼，发请柬，打电话，贴喜字，找婚车……忙得脚不沾地。同在一个屋檐下的林母当然看得见，听得到，她却不闻不问——一句话，这些天来，她就是不理这个儿子。

眼看婚期越来越近了，陈金巧的父亲也来到北京了。带着乡下质朴和粗放的老头，一来了就要见亲家母，被林国强和陈金巧拦下了——林母连这个媳妇都不见，这个老头去了，她还不真的要打 110？林国强一口一个“爹”把老人哄高兴了，骗他说算命的先生给算了，他今年命犯太岁，婚前双方家长不能见面，见面不吉利。陈父虽然老，人并不糊涂。这婚礼都是两个人在张罗，男方家里一点都不上前，就知道这里面有事，可是，看着这个准女婿对自己对闺女好，就不想挑什么理儿了。谁让他是农村人，他家闺女是二婚呢？婚前不见，可结婚的那天总要见吧？林国强看着老妈那张越来越黑的脸，心中的不安越来越大。无奈之下，他请出了老妈的知心人，他的前大嫂，林国栋的前妻——刘雅娟。

7

善良的刘雅娟当然不可能不答应。

她和林国强相处的时间，比和林国栋还多。她了解这个小叔子，除了嘴有些臭、人有些懒、干什么没有长性之外，人却是十分实诚和仗义的。听到林国强求她务必来参加他的婚礼，就是为了让她劝劝林母，给他压住场子之后，刘雅娟皱起了眉头，她觉得这个婚礼太冒失了，她觉得“怎么也得等妈，等大妈这口气顺了再说啊”。这个理，林国强也清楚，可是他妈那脾气，她顺的了吗？“说句不该说的，我哥，她到现在都不让回家。我这叫以毒攻毒，也是没办法，才弄出这么个既成事实，全体亲朋好友都在，她总不能不给我这个面子。可是我对她去不去现在真是没谱。”刘雅娟也知道，林国强虽然确实在为自己开脱，他倒没有说假话，她前婆婆，要较起真来，真是不到黄河心不死，八头牛也拉不回来。所以，她答应去劝劝。

8

刘雅娟走向林家。她走得很慢，每一步走得都很艰难。

这条熟悉的楼道，她走了十几年，三千多个日出日落，她的鬓发一点点变白，心一点点坚硬，孩子一点点长大，变得比她还高。以前每天从这条路上走来走去，她没有觉得有什么不同，但是，五年之后的现在，她再一次走向这所房子，她才惊觉，原来真的是物是人非事事休！

再长的路，也有尽头。刘雅娟终于站到了林家门口，她看着这个她曾经亲手贴过无数次春联的门框，犹豫了再三，还是敲响了门。

看到站在门口的刘雅娟，林母是打心眼里高兴。她拉住雅娟的手，跟她说了心里话："那是我心里的一道关，我不是不知道老三急，我能跟我儿子作对吗？只要她说的是真话，户口本就在包里放着，我是准备给他们的！谁想到她骗我。"说到伤心处，老人的眼泪忍不住又流了出来，不住地骂自己这几个小畜生，是想气死她！

刘雅娟仔细看着老泪纵横的林母：她的脸色极差，眼睛通红，在墙上喜字的映照下，倍显凄凉。和眼前的这个老人，朝夕相处了这么多年，她是真把她当成母亲来看待的，两个人的情分也胜似母女，可是，老天弄人，她们的缘分怎么就这样尽了呢？刘雅娟悄悄揩去眼角的泪，开口劝道："大妈，国强特别害怕您不去参加他的婚礼。他想在婚礼上好好表达对您的感激之情，还想带着金巧给您磕头认错，他就您这么一个妈，您无论如何都是他最亲的人！这些话都是他亲口和我说的。大妈，他一辈子就结这么一次婚，您不去，这让他怎么受得了？"对儿子，林母又恨又爱，她斩钉截铁地让雅娟转告国强，他的婚礼，她肯定去。为了他好，她什么都可以干。这不就是当妈的命吗？

刘雅娟的眼泪，流得更凶了。林母拿出自己的手绢给她擦眼泪，自己也哽咽着说："我们林家对不起你呀！"刘雅娟一句话都说不出来，说这些还有什么用呢？

9

从刘雅娟那里知道老妈的准信之后，林国强一颗悬着的心，终于落了地。他一心一意地张罗起自己的婚礼来。

历来所有的准备工作，都在事件举行的那一天结束。准备得好也好，不好也罢，事情都要进行。林家老幺结婚的吉日，终于来了。

的哥结婚，出租车当然是不能少的，林国强开了这么多年出租，结识的的哥自不在少数。他结婚，哥几个都来捧场。在林国强的刻意低调之下，这些车接完了亲就走，不吃饭，以减少林国强的负担。所以，林国强的婚车队伍，就颇为壮观：一列出租车披红挂绿的，沿着长安街绕了一大圈。接亲的头车是一辆吉利的英伦出租车，车头上装饰着两个鲜花簇拥的小人，后面是一色的伊兰特。到了酒店跟前，鞭炮齐鸣，众人欢呼，陈金巧和林国强在纸花飞舞、爆竹声声中走出花车。新郎、新娘虽然都已到四十，但人逢喜事，都红光满面，看起来还不错，两个人也显得很般配。

林国梁和吴玉华站在门口，跟着众人一起接新人。林国梁在人群中看不到老妈，就问老婆。吴玉华刚才是看到婆婆了，她独坐在餐桌的旁边，胸前别着新郎母亲的鲜花，对门外传来依稀的音乐声听而不闻，对三三两两走进宴会厅的宾客视而不见。就连走到她面前的吴玉华，她都没有答理。吴玉华被吓住了，她告诉老公："老太太今天来者不善，你弟弟要坏事。"林国梁脸上的笑容消失了，和吴玉华一起心不在焉地鼓掌。

10

宴会厅里已经坐满了人，婚礼司仪示意音乐停下来，宣布请新人入场！在婚礼进行曲的伴奏声中，陈金巧和林国强缓缓入场。两人经过的时候，陈金巧看到婆婆的眼光毫无善意，她慌乱地把脸转向一边，下意识地挽紧了林国强。林国强则目不斜视，在伴郎的引领下，直直地朝着主席台走去。

新人上台，司仪开始走结婚的流程："今天，在这个庄严肃穆的日子里，我们有幸见证了一对新人共同走入婚姻的殿堂，他们就是帅气的新郎林国强和美丽的新娘陈金巧。如果有谁有阻止两个人在一起的任何理由，请现在就讲，或者永远保持沉默。"

整个大厅，沉默下来。这本来是一个过场，类似于《简·爱》那种戏剧性的情节，只能出现在小说中，正常生活中，基本上不会出现。但是，就在主持人要接着进行下一个环节时，一直沉默的林母发话了，她有话要说。

这无疑给欢庆的气氛中扔下一枚"炸弹"，四座皆惊，人群中爆发出一阵惊呼。林国强知道要坏事，连忙要他哥林国梁阻止母亲。这样的场合，可不是处理家务事的时候，非常清楚老妈脾气的林国梁赶紧过来，抱着妈妈就要走，要她有什么话过了这段再说。林母一个耳刮子扇在他脸上，要他放手！林国梁当众出丑，气怒之下，一甩手不管了。

被一口气激着的林母，几步走上舞台，拿过主持人手里的话筒，不顾林国强的阻拦，朝着下面的宾客大声说："各位亲朋好友，我不同意国强和陈金巧的婚事！这个儿媳妇我们高攀不起，今天来到这儿，我就是想请诸位亲友做个见证，我不认这个儿媳妇，她是骗我儿子和她结婚的！她明明有孩子，说自己没孩子，唆使我儿子偷了我们家的户口本和她登记……"

林国强忍无可忍，上前一把扔掉话筒，会场里发出巨大的回响。他大声朝林母喊："妈，有你这么挤对人的吗？这是亲妈应该对儿子干的事吗？今天是我大喜的日子！"林母一点不为所动，她没有别的办法，儿子让鬼迷了心窍，她今天就算豁出这张老脸去，也不能看着儿子往火坑里跳！

听着林母刀子一般的话，陈金巧终于忍不住，大声哭了起来。台下的宾客

纷纷上来，陈金巧的朋友上来护住陈金巧，纷纷指责林母欺负人。陈金巧伤心欲绝，撩衣服要往下跑，被林母拦住。陈金巧想要上去厮打，被朋友拦住，陈金巧大喊："我恨你，我恨你！我干了什么？我骗了国强什么？"林母忽然双膝一软，跪在当地："陈小姐，我求你高抬贵手放过我儿子！"林国强疯了般冲上去想拽起母亲："妈，你，你要干什么！"林母跪得很坚决，竟然拉不起来。林国强恼羞成怒，失去理智之下，竟然狠狠一推母亲："你跪着干什么？你把老林家的脸都丢光了！"林母被推倒在地，她的意识开始涣散，依稀中，她看到儿子在冲自己大叫，围观人群指着自己说着什么，周围的声音朦胧成一片……

11

林母胃癌病发，被送到医院急救。林国强的婚礼没有办法继续，还穿着礼服的林国强和哥哥一起把母亲送到医院。癌症再次发作，非常危险，医生没有给老人再次做手术，只是做了一些物理上的急救，告诉两个儿子，老人的日子不多了，要他们好好照顾，给老人一个快乐和安静的人生最后阶段。

12

几乎同时，林国栋就知道了这件事。他忍不住就在电话中对弟弟国强发脾气："我多少次嘱咐你们，不要逆着妈的意思，能听她的尽量听她的，妈那性子你又不是不知道！她认准的事情，九头牛都拖不回来！你搞什么先斩后奏？"

林国强当然不服，这能怨他吗？他们老妈这一辈子就这么想不开，什么事儿都认死理儿，他自己找媳妇过日子跟妈扯不着，老太太就这么死乞白赖拦着，叫什么事啊！他觉得自己委屈，自己是受害者："我是给我自己过日子，还是跟妈过日子啊？我都多大岁数了？你跟二哥都结婚那么多年了，小日子一个赛一个滋润，大家想过我没有？我也不是木头！这银杏还分公母一起种哪，我还不如木头哪！"

林国栋长叹一口气，这笔账哪能算得清楚，一头是老妈，都多大岁数了，虽然做了切除，可那病还能撑多少年谁都不知道，他妈这辈子不容易；一头是快四十了才结婚娶老婆的弟弟，如果真的顺了老妈，这媳妇猴年马月才能娶上？好像哪一头都没错，可这样折腾，到底是图个什么？

不过，躺在床上的是老娘，给他带来麻烦的是弟弟，林国栋还是忍不住指责电话那端的弟弟不孝顺，好好的家，就这样毁了。林国强当然不能认这个，他比窦娥还冤。他一拳捣在医院的墙上，跳着脚指责大哥："这家你都多久没回来了？这么多年妈是谁伺候的？要讲孝顺，论起来还指不定谁不孝呢！你不是说顺者为孝吗？你顺着妈了吗？你干什么和嫂子离婚，闹得和妈都见不了面，你当时怎么想的？你跑到美国躲了，现在赶上妈病了，账全算我头上了。早年妈为了你饭也不吃觉也不睡，生生给弄出个胃癌来，我们说跟你算账了吗？要讲孝顺，父母在还不远游呢，你呢？”

林国栋大怒，却说不出话来，只是对着电话运气。林国强说得差不多了，要林国栋看着办。林国栋还能怎么办？当然是立即买了机票回来，照顾老妈。不，这还不够，还要多带点钱，他们老妈这次病得不轻。林国栋拿着已经挂掉的电话，呆滞良久。

下午的阳光照射进来，他一个激灵，从呆滞中醒来，连忙拨电话订机票。他告诉售票员，自己订一张从圣弗朗西斯科到北京的机票，越快越好。已经在分机中听到事情原委的王茜，却坚持要他四天之后再走。两个人在电话中吵了起来，林国栋无奈，只好放下电话，先跟她沟通。

王茜很坚持，老太太正在观察，并不是病危。她试图跟这个完全乱了分寸的男人讲理：“明天开始就是workshop了，你应该先去应聘，之后不管结果如何，你都可以走你的。这样，什么都不耽误。”林国栋心急如焚，他就这一妈！连小孩子都知道“首孝悌、次见闻”，他妈病重，他怎么有心情去面试，去应聘？他要回国，现在，马上。王茜没有动容，她没拦着他去尽孝，只不过要求他推迟几天行程，他失业已经两个月了，他们的房贷、车贷、水电、煤气费都要交呢！这些他都不管了？林国栋也急了，要是不了解的听这话还真以为他就是一个吃软饭的，被老婆养活呢。实际上，从他们俩在美国认识，就是他工作，她上学。学校毕业干了两年工作她又读MBA，还不是他撑着。这些付出，他什么都没说，现在他失业了，他妈又病了，她却说出这样的话，她就是对他妈有看法!

王茜还是不为所动，她说的是现实情况，就算他回去，能够就这样作为一个无业游民回国去尽孝吗？真到了要交医药费的时候，不还是得靠钱？早回去几天，根本于事无补。回去就要解决问题，不是带着他的弟弟们一起喝西北风去的！说到这里，王茜转身从抽屉里掏出一大堆票据，堆在林国栋面前——这就是她每天要干的事情，拆东墙补西墙，为了少花几个钱，她把塞在报箱里的优惠券都做成小本本了，还要去十公里外的沃尔玛买东西，就因为那里促销！因为对她们家来说，苍蝇肉也是肉！她也有她的难处。这是实情，林国栋只好妥协。

13

真让王茜说着了，林母的医药费，确实没有着落。

人送到急救室了，家属要办理住院手续。住院手续需要押金，老二国梁夫妇是一分钱都不想掏的，夫妇俩打起了国强婚礼收来的彩礼的主意。

吴玉华是医院的会计，心眼又多，把陈金巧哄得一愣一愣的。她告诉陈金巧："其实这个钱也不是叫你交，这只是个押金。交给医院，医院才好给咱妈用药。我跟你哥身上没带着钱，我们的存款也都是定期的，一时半会儿取不出来，只是让你救救急。"她告诉陈金巧，既然和国强领证了，就是受法律保护的夫妻，婆婆心里有疙瘩，二哥二嫂没有，他们早把她当成弟妹了。婆婆这个病，虽然不是好事，但对弟妹来说，也是一个机会，只要在婆婆病中好好表现，早点跟她把这一页揭过去，那往后的日子不就好过了？先垫钱的这件事，被老太太知道了，也算是大功一件。而且，这钱，是几个儿子平摊的，他们家老大这就从美国回来了，那是个财主，到时候恐怕他都还了呢！

陈金巧听得点头如捣蒜，觉得这个二嫂人真不错，真为她着想，这话都说到她心中去了，对拿彩礼钱给婆婆交押金的事，也接受了。对于老爹的埋怨，她用眼泪乞求父亲的原谅，陈父也没有办法，只能是抱怨。对女儿的婚礼陈父当然很不痛快，他觉得丧气。千里迢迢来到这里，高高兴兴地嫁女，没想到弄了一个这样的结果。临来，村里人还嘱咐他，要他带喜糖、带照片，隔壁那小六子还教给他刻盘！现在，刻啥盘？简直是克他这个亲爹！女儿快四十了，嫁一个一个不行，让他六十多岁的人，脸往哪里搁？他这辈子干了什么缺德事？

陈金巧只是哭，她的命怎么这么苦呢？陈父再抱怨，事情逼到这个份上了，他们不出钱也说不过去。父女两个把还没有在口袋里焐热的一张一张钞票，交给了抢钱不用刀的医院。吴玉华怕出差错，全程陪同，看到钱如数交上，她暗自出了一口气，笑着安慰陈氏父女，说这才到哪里了，后福在后面等着金巧呢！陈父一脸苦笑。

14

好好的一个婚礼弄成这个样子，陈父没有心思再待下去了。陈金巧和林国强把他送到火车站，林国强心里过意不去，想要表达一下歉意，刚叫了一声爸，就被陈父打断了，他现在真不知道自己应不应得起这一声爸。这自古哪儿有婆婆给儿媳妇下跪的，这个脸他们家可真是丢不起。要实在不行，他觉得两个人这婚，

还是不要结了。

林国强急了，形式没走好，日子还得过，好不容易找到一个媳妇，这折腾个一六八开，再跑了，他怎么承受得了？陈父叹气，他当然不希望刚结婚的女儿离婚，可是，这个日子，要怎么过下去呢？林国强还以为他担心钱，忙说等几个哥哥把钱平摊了，就还陈父钱。陈父心中没有那么多花花绕，这钱他掏出来，本来就没打算收回去，就当给女儿的嫁妆了。没有想到自己辛苦攒的这养老钱，成了亲家母的救命钱，而让他感觉特别窝囊的是，这个亲家母还不认自己的女儿。

陈父走了，陈金巧痛哭失声，一方面为让老父为自己操心伤心，觉得内疚；另一方面，自己的亲人走了，以后的事都要她自己面对，她觉得委屈。谁知道接下来的日子，还会发生什么？到时候，她哭又找谁去？

第三章 忙的忙死，闲的闲死

门里面的母亲，已经是风中之烛，再没有力气骂他、打他了。这样的结果，是他所希望的吗？当然不是。可这样的结果，却是一种谁也无法逆转的必然，也许越关心的人要求越高，离得越近的人彼此伤害越深，儿女，永远是母亲心中那根拔不掉的刺吧！

1

这次，林母是真的累了。她好像被关在地狱之中，被灼烤，被鞭笞，无尽的痛和心底巨大的失落，压迫着她，挤压着她，让她无处可逃。她想大喊，可是她张不开嘴；她想大哭，眼泪却已经流干了；她想就这样睡过去，永远不再醒来，可是心底有一根刺，让她不甘心，让她坚持着，不向疼痛服软。她这一生，从来没有向别人认过屎，疾病也是一样。

不知过了多久，仿佛过了好几个世纪，在烈火中煎熬、在苦海中挣扎的林母，终于找到自己，她张开嘴，发出一声痛苦的呻吟——昏迷一天的林母，醒了过来。

夜已经深了，病房的窗口孤零零地亮着一盏灯。她感觉到鼻子被什么东西吊住了，她用尽全身力气，扭动了一下身子，试图挣脱异物的入侵，却没有成功，更大的疼痛，让她再一次发出一声呻吟。

在床边打盹的林国梁被惊醒，他起身呼唤护士，要她帮母亲拿掉管子。这个管子当然不能拿掉，病人不舒服只能忍一忍。倔犟的林母自己把管子拔了出来，让护士和林国梁非常无语。护士感慨这个老太太真有个性之余，只能重新给她插一遍，并警告她拔掉这个的后果。林母只能忍住，不再挣扎。这个问题解决了，她又咳嗽起来，有痰咳不出来。护士又进来，麻利地装上吸痰器，林国梁开动吸痰器，把她的痰吸了出来……

像林母这样的重症病人，随时都要有人看护、照顾。国梁和国强兄弟只能倒换着到医院值班。国梁要上班，国强要出车，下了班就到医院，二十四小时连轴转，就是铁人也受不了。吴玉华要照顾女儿，还要上班，就是想帮丈夫也是心有余而力不足。国强呢，开出租本来就很辛苦，交了班还要到医院值班，他就差开车时睡觉了。陈金巧非常心疼，又担心出事，就想替换一下老公。可是，自己老妈的脾气，做儿子的非常清楚。用吴玉华的话就是，这个妈事儿多，全世界都知道。穷家小户的，就数她最喜欢给自己立规矩，都是穷毛病。就因为这个，国强不敢让金巧过来。可是，大哥林国栋要五天后才能回来，国梁和国强因为照顾老人，再有一个三长两短的，这日子还怎么过？吴玉华又打起了陈金巧的主意，结婚后，陈金巧辞了之前的临时工，没有找工作。他们又住在林母的家中，论情论理她照顾婆婆都是最应该的。

2

就在吴玉华打陈金巧的主意时，住在林家的林国强和陈金巧正在过他们的洞房花烛夜。不对，准确地说是洞房花烛日，林国强在医院里照顾了母亲一夜，等林国梁接了班之后，才领着陈金巧来到林家他们的新房中。也就是说，林母不仅搅了他们的婚礼，也霸占了他们的洞房花烛夜。

这是陈金巧第二次到林家，看到房间里摆放的林母和林国强等人的合影，看到他们第一次来吃饭的饭桌，看到林母用过的各种东西，她心中很难受，感觉自己像一个入侵者，不受欢迎的滋味很难受。她心中总是不踏实，不被父母祝福的婚姻，能够幸福吗？

已经累到极点的林国强，当然没有心情思考这样没影的事，他的头一沾枕头就睡着了。陈金巧推了推他，跟他商量，要搬出去住。他眼睛没睁地告诉媳妇，现在这个样子，他们搬出去，怎么说也不合适。林国强明白，过去的事情，还是趁早忘了；以后的日子，恐怕陈金巧还得照顾母亲。陈金巧真的被林母吓住了，她可不敢再去摸林母的逆鳞，她苦笑着说："我觉得我别在她眼前晃，就算是照顾她了，不但算照顾她，也算照顾我自己。你们就别再给我加码了。"

3

怕了林母的性格，对于让闲人陈金巧去照顾婆婆的事，吴玉华和林国梁也只能说一说。还是请个护工比较靠谱，林国梁是这样建议的，反正工钱哥儿仨平摊。林国强没有意见，一两天还好，时间长了，谁也受不了。具体办这件事，当然是由医院会计吴玉华出面。

代理护工的劳务公司，都是要从吴玉华这里拿钱的。吴玉华就相当于他们的财神爷，他们当然要给她几分面子。就是算准了这一点，吴玉华还想从这里面赚一笔。她直接找到劳务公司的负责人，要找一个照顾疑似残胃癌发作病人的有经验的护工。她这样找上门，明摆着就是靠自己的职位占便宜，不想出钱。这家劳务公司主要给他们医院派送护工，背靠着医院吃饭，为了几百块钱得罪医院的会计，不值得。但是，他们只是中介，要找人干活，也是要给护工劳务费的，吴玉华不出钱，还要让劳务公司给她搭钱？所以，劳务公司表面上答应得她好好的，实际上，对她这种把他们这里当福利院找便宜的行为非常反感，给她派了一个新手，既不得罪她，又能给她交差了。

但是，天下哪有白使唤人这样便宜的事，劳务公司给她派来一个刚从农村出来的，还不到二十岁的小姑娘，连到这里干什么都不懂。护士实在看不下去，给小姑娘讲了几句，告诉她怎么做。伺候病人这么大的事，可不是一两句话能够说清楚的，所以，当林国强来医院接班时，看到的就是这个小姑娘坐在椅子上昏睡，林母的液输完了，鲜血被抽回到点滴瓶子里，一条红红的胶管，十分吓人的一幅景象。林国强又气又急，连忙喊来护士，才没有出大事。

这样的护工当然不能再用了，本来就对花钱请护工这件事不大赞成的林国强，不让再找护工，而是要跟二哥、二嫂三班倒。吴玉华当然不愿意，可是这次的事，真的很危险，这是没出事，要是出了事她还不吃不了兜着走？所以，她不能再坚持找护工了。但是，她也参加倒班，为什么陈金巧不参加？她参加倒班，孩子怎么办？她丈夫参加倒班，奖金马上就没了。这些话，她当然不能拿到桌面上来说。只是，顺着老三的意思，她非常不愿意。

正在僵持之时，护士进来，通知他们，押金已经用完，明天之前把这阶段的医药费结了。吴玉华和林国强谁也不说话，林国强没钱，吴玉华有钱要给女儿看病，都拿不出钱，有什么可说的？

吴玉华看了看林国强，就要以工作忙为借口离开，让他先盯在这儿。又不是林国强的班儿，他来给老妈送一点汤，就这样被拉住，他当然不高兴。收起了平日的吊儿郎当，他以难得的恳求的语气说："我已经让人家替过几次班了，我也得拉活啊，这一睁眼就欠二百块。"吴玉华想了一下，趁机提出来："我那没法请假，你二哥顶着血压高在上班，都走不开啊。你看，金巧行吗？"林国强差点跳起来："她倒是想来，你不怕再把妈气过去一回？"吴玉华："反正嫂子是没办法了，那你看着办吧。再说，妈病成这样，金巧不露面合适吗？妈以后不更挑理了，解铃还需系铃人。金巧老躲着也不是回事啊。你就不想让金巧早点和妈讲和？她俩一天不好，你这夹板气还有完？你得给她们创造机会，这人心都是肉长的。”林国强看看吴玉华，终于点点头：“行，我把她叫来，不过您得帮忙看一眼，别弄出事来。”

4

大家都知道，陈金巧并不是故意推托，不去伺候婆婆。吴玉华特意点醒她的那句话“你把妈伺候好，说不定妈以后会把房子给三弟”，她更不敢想，还想什么房子，想起这个婆婆心里就哆嗦。她这几天都睡不着觉，脑子里跟过电影一样，全是老太太怎么在婚礼上臊她的画面。这种心态来伺候林母，就怕是火上浇油、冰上加霜，出大乱子！吴玉华不允许她现在打退堂鼓，她说得可怜兮兮：“全家人都指着你了！你就全当可怜可怜我跟你二哥吧！我们家还有一个长年的病号，彤彤又是一个随时犯病的孩子，我们这日子太难了。”陈金巧缄口不语，跟着吴玉华走进病房。

陈金巧的担心变成了现实，虽然她很小心很孝顺地伺候在一边，林母醒来看到她，唯一的要求就是要她跟自己儿子离婚。无论陈金巧怎么解释，林母油盐不进，什么都听不进去。陈金巧就想不明白，她已经跟林国强登记了，林母还这么挤对自己，倒是对谁有好处？林母不屑于跟她过招，挣扎着起来叫护士。陈金巧终于忍不住勃然大怒，她大声喊着：“您也别太过分了，您老担心我骗国强，婚礼的钱都是我爸拿他的养老钱给的，您的医药费都是我用结婚的份子钱垫的，我骗他什么了？”林母没有力气跟她喊，对闻声而来的护士求救，要她把陈金巧赶出去，说自己不认识她。陈金巧无地自容，她也是人，也要脸，说出来的话，变得很难听。林母又要犯病，护士急了，让陈金巧赶紧离开。

陈金巧一路抹着泪，闯进写着“患者免进”牌子的工作区，一把推开会计室的门，众目睽睽之下，找吴玉华。吴玉华一看她这样子，就明白了。吴玉华把陈金巧拉出了办公室，长叹一声，说她们仁至义尽，这个妈，谁该管谁管，她们不管了！

5

这个妈，谁该管呢？

当然是亲生的儿子该管，老二和老三都在管，不管的只是那个远在美国的老大。吴玉华现在也不拐弯抹角了，矛头直指大伯子林国栋。你不是不回来吗？老妈病危，看你回不回来。

林国梁还有些犹豫，吴玉华很坚持："妈有三个儿子，你就一个女儿，如果现在女儿犯病，你怎么办？"女儿是林国梁的软肋，他不敢赌，因此就硬着头皮，给大哥发送了那条短信。

6

也不知怎么那么寸，林国栋收到短信时，正在面试一份工作。看到短信，他只对面试官说了句"对不起，我家中出了事情"，就离开了。

人算不如天算，王茜再也不能阻止林国栋回国。林国栋心急如焚，如果连母亲最后一面都见不到，他这一辈子都不会原谅自己，还有王茜。王茜觉得这样想非常荒谬，按照老太太的想法，她就是造成她胃癌的罪魁祸首，是她拆散了他的家庭。实际上，老太太最该怪的，应该是签证官不给刘雅娟发签证。王茜很了解像林母这样的老太太，什么事情都是先入为主，凡是外人，都是坏人；凡是不听她话的，她变着法折磨她。王茜很委屈："我做了什么对不起林家的事？"

林国栋也知道自己情急之下，说话有些不分轻重，他不想跟妻子吵架，吵架只能让事情越来越糟。他只是心疼老妈，老妈活得不容易，他这个儿子当得太差劲，现在就想好好补偿她。王茜当然了解丈夫的心情，一个儿子，一个孝顺的儿子，一个传统的孝顺儿子，听到母亲病危的消息，怎么还能平静，还能找工作呢？再说，她也不是那种不讲理的人。于是，她向丈夫服软，并把家中所有的积蓄——一万多美金，让林国栋带走。

不过，这个已经是美国人的中国女人，喜欢把丑话说到前头。她告诫丈夫："你那几个弟弟，老以为你是个美国大款，肯定想让你大包大揽，你自己心里得明白你不是，你可以相对多出些，但是一定是三个人分摊。第二，遇到花钱的时候，和我商量，不许自作主张。咱们家现在很困难。第三，花在你妈身上，别花在你前妻身上！"林国栋觉得前两条还有参考价值，第三条就是扯淡。王茜表面上不信，男人的承诺都不值得信，因为男人靠得住，猪都会上树，但是，心底，还是相信自己这个并不是完美丈夫的男人。

7

林家两兄弟到机场接归来的大哥。林国梁怕大哥怪自己拿母亲的安危骗他，一早就跟弟弟串供，说病危是真的，不过现在又度过了危险期，还是大哥把喜气带回来了。林国强对二哥这个谎言，是打心眼里赞成，他们俩拿他妈那是一点辙也没有。

多年不见面的兄弟为了老妈再次重逢，真是喜忧参半。一见面，林国栋就问老妈的情况，听到两个弟弟一齐说情况好多了，现在已经撤销了病危通知，林国栋舒了一口气的同时，也有一丝怀疑。他把那丝怀疑压下去，先要去看看妈。

路上，林国强用他特有的语言风格把现在的状况给大哥讲述了一下，林国梁在一边补充。两个人总的主题就是老太太太古怪，他们两个现在根本应付不过来。林国栋没有搭腔，长子特有的责任感，让他对自己的晚归，有一种深深的愧疚。这还不是让他心情沉重的主要原因，他现在最担心的是，不知道他归来的母亲，是不是还生他的气，还要不要见他；他的前妻，刘雅娟，知道他回来，会是什么态度？

当他生活在几万里之外、独自打拼时，他对家的思念让他发疯发狂，但现在真的回家了，近乡情更怯，他现在的心情怎一个“怯”字能够说得清楚？

多长时间了？多长时间他没有见到过母亲了？多少次他被母亲拒之门外，他和母亲之间，横亘的可不是一扇门那样简单。阻挡他尽孝膝前的有他和刘雅娟青梅竹马的初恋、有刘雅娟和前岳父对他出国的支持，还有他这个陈世美的无奈。母亲看到的只是前妻对自己的奉献和牺牲，只知道是自己提出离婚的，母亲怎么知道一个人在异国他乡生活的艰难，以及寂寞如影随形的痛？雅娟的签证申请了五年都没有办下来，他不能回来，让雅娟在这里独守空房，还要替他抚养孩子、照顾老人，他情何以堪？离婚，更多的是为雅娟考虑。他不做陈世美，难道还要做薛平贵，要刘雅娟苦守寒窑十八载？可是这一点，年迈传统的林母怎么能够理解？

这么多年来，他知道母亲苦，他知道母亲想自己，可是他不敢回来，以母亲的倔犟和顽固，他就是跪在母亲面前，迎接他的还是一扇紧闭的门。不过，门里面的母亲，已经是风中之烛，再没有力气骂他、打他了。这样的结果，是他所希望的吗？当然不是。可这样的结果，却是一种谁也无法逆转的必然，也许越关心的人要求越高，离得越近的人彼此伤害越深，儿女，永远是母亲心中那根拔不掉的刺吧！

8

林国栋强压住自己内心的悲哀和酸楚，推开了那扇门，走进病房，走到母亲面前。母亲躺在病床上，曾经亲切丰盈的脸庞变得黑瘦，凌乱的花白的鬓发深陷

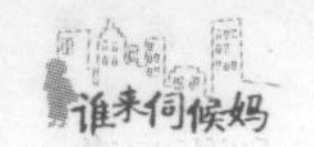

在枕头中，身子蜷缩着，像一只承受着巨大痛苦的虾子，仿佛生命随时要消失。

林国栋的眼泪夺眶而出，泪水滴落到母亲的脸上，林母缓缓睁开眼睛。林国栋弯下腰去，跪在母亲床头，哽咽着，那句憋在心中多少年的话终于说出口：他错了，父母在，不远游；他错了，他不该离开母亲远走美国，他不该不听母亲的劝阻自以为是地非要离婚；他错了，他不该明知道母亲一定会原谅他，还以母亲不见他为借口不回来尽孝！他这个浑蛋，仗着母亲无私的爱，他都做了些什么？

林母的眼泪也奔涌而出，儿子，让她恨得牙痒痒的儿子，让她就是到了鬼门关也放不下的儿子，终于回来了！是的，她想自己的儿子，白天也想晚上更想，好的时候想，现在病了，更是想得心都疼坏了。可是，自己就这样原谅了儿子，怎么对得起自己的好儿媳雅娟？

林母擦掉自己的眼泪，终于把自己这么多年的心结问了出来："不怨妈恨你，你走了那么多年，雅娟在家伺候妈这么多年，一句怨言都没有。比我的亲闺女还要好，这样的儿媳妇一辈子难找第二个了。她是好多年签证办不下来，你们俩心里都苦，可是雅娟都没提出离婚，你凭什么提出来？还不是因为在美国实在太闷，有了二心？"林国栋否认，他和王茜是在他和雅娟离婚后才好的。林母的天平始终在雅娟那一边，她不清楚两个人的具体情况，但是，她知道雅娟怎么回事！她带着他俩的孩子她的孙子，就这么出了林家门，那个滋味，让她怎么受？说着说着，林母的眼泪又流了出来："我又舍不得孩子，又舍不得儿媳妇，你说你造的这个孽！"自己这个逆子成了美国人，又结了婚，娶了一个她完全不认识的女人；给林家奉献了一辈子的雅娟，却只能带着一个拖油瓶，嫁给了那个不是人的东西！是她儿子害死了雅娟！

前妻现在的丈夫，林国栋从别人口中，也知道一点情况。雅娟现在的丈夫，他儿子林超的继父钱建功，屁本事没有，倒有一身的病，年轻轻的腰椎间盘突出，失业在家，吃劳保过日子，每日里喝得醉醺醺，光剩下点力气打老婆。雅娟生了林超，又得了输卵管阻塞，连个孩子都生不出来。一个女人，没法给男人生孩子，自己还带着个别人的孩子，她的苦日子可想而知。而雅娟从来没有说过林国栋乃至林家的不是，纵然林国栋有一千个一万个理由应该跟刘雅娟离婚，就靠这一点，他林国栋这辈子都欠刘雅娟的。

再说什么不见儿子的话都是矫情，自己这个样子，还有几天可以折腾？林母累了，她不想再违心做什么，她需要儿子的照顾，但前提是儿子必须得到雅娟的原谅，如果雅娟不原谅，那么她就是再难受，也不能原谅儿子。欠债就得还，儿子欠他们娘俩的！当然，还有雅娟的父亲，那个到死还不原谅林国栋的大学教授，那个她非常敬重却无脸再见的好人！老人活着的时候，她不敢去见他；他去世了，每逢他的忌日，她都要去扫墓。她要林国栋也去给老人扫个墓，在他陵前跪下，认个错，赔个罪，他泉下有灵，也会好过一些吧。

母亲也算原谅了自己，林国栋心中的不安稍微减轻了一些。可是，母亲的原谅只是开始，关于母亲的麻烦事，会接踵而来，压得他喘不过气来。

9

首先第一件事，就是林母的医药费。医院下通知要补交住院费和医药费已经三天了，林国梁和吴玉华一个子儿都不想掏；已经交了押金的林国强，把自己卖了，也凑不够这笔钱，他们的希望，都寄托在这个从最有钱的资本主义国家回来的美国人身上。

现在需要林家兄弟三人共同面对的，一共有两件事，一个当然就是医药费，另外一个是老大回来了，照顾老人就该重新排班了。

为了解决这两件关系到三个家庭这段时间安宁的大事，老二和老三把老大郑重地请到一个小饭馆，开起了家庭会议。照顾老妈的事，林国栋觉得很好处理，他拿出大哥+闲人的范儿，大方地承诺，白天他一个人在这里照顾，晚上一人来一天，三天轮一个班，这样就不影响两个弟弟的工作。这么安排，另外两个林当然没有意见，就这么定了。可是，钱的事，就没有这么好解决了。因为林国栋自己也有难言之隐，他没有条件像照顾老妈一样大包大揽。

国梁和国强两兄弟不知道大哥的情况，他是真拿不出这笔钱。现在的情况，他不说是不行了。按理说，他也是这样希望的，这笔钱他应该出："我不在家这么多年，是你们照顾着妈，我怎么都应该有所表示。可是现在，我失业了，在家待着已经两个多月了，是靠你们大嫂养活着，实在是没有钱。"这件事实在太丢人，不是怕弟弟们误会，他不会说出来。他提议他一个人出百分之六十，让两个弟弟出百分之四十。

这样的分配，两个弟弟再不同意，那真是没脸见人了。事情，就这样定下来了，林国栋又过了一关。

10

还有最难的一关，就是刘雅娟。

刘雅娟的出现，比林国栋料想得要早一些。刘雅娟来看林母，林国栋和她撞了一个正着。他大吃一惊，心跳加快，一时竟茫然了，不知道该说什么。刘雅娟也很尴尬，立即要走。林母让儿子向她道歉，刘雅娟觉得没有意思，林母坚持。刘雅娟建议出去说，当着林母的面，听林国栋的道歉，对她是一种活生生的煎熬。

沿着医院外面花园的小径，刘雅娟和林国栋默默向前走着，却都不说话。林国栋知道自己对这个女人的愧疚，不是一句“对不起”所能承载的。可是，如果连这句话都不对她说，他更不是东西了。他几次欲言又止，终于艰难地说出了：“对不起。”听了这句话，刘雅娟笑了，现在说这样的话，有意义吗？对这次失败的婚姻，对离自己越来越远的男人，强留没有任何意义。当年的事，固然是林国栋提出来的，但刘雅娟也是同意的。当年她告诉林国栋，他们都该往前走了，别老停在过去。现在她告诉林国栋，过去的就让它过去吧，人怎么样都还得活着，干吗老想那些想不开的事情呢？

她这样说，并不是故作超脱，现在他们之间什么都不是，林国栋要道歉，最应该对林超说，这么多年，孩子比大人更不容易。林国栋欠他的。林国栋心中的愧疚更浓了，他情不自禁地走向刘雅娟。雅娟摆了摆手，林国栋站住了。刘雅娟已经原谅了自己，他为什么一点轻松的感觉都没有？鼓了鼓勇气，他讷讷地说，要带着林超，和她一起给爸扫个墓，以表示自己的歉意。刘雅娟提醒他，叫伯伯吧，别叫爸了。她自己没有意见，林超去不去，那要问他。

话说到这里，好像该说的都说了，两个人也仿佛用尽了平生的力气。刘雅娟对他打了一个招呼，匆忙离开，好像逃离什么似的。林国栋一个人坐在小花园里，忽然哭起来。走过转角的雅娟忍不住回头望，看到正在拭泪的林国栋，两行热泪终于也夺眶而出。

11

老妈医药费的分配方案虽然已经敲定，可是哥儿仨都没有动。这种事，谁也不会主动第一个去交的，何况他们本来就都没有钱。医院不干了，没有钱，治什么病呀？虽然没有赶人，却威胁家属说要停药。

当查房的护士再一次催交欠款时，林国梁跟她吵了起来。林国栋也在，赶紧劝：“跟护士吵什么，她又不管事。况且，她和玉华还是同事呢！”护士走了，林国栋和林国梁都很尴尬，国梁借口自己白天上班，没有时间去银行取钱，到现在还没有把钱取出来。林国栋自己也没有交钱，没有立场说他，让他赶紧上班去了。

林母躺在病床上，眉头紧蹙，发出沉重的呼吸声，胳膊上的滴管滴滴答答输着药液。林国栋握住母亲的手，轻轻摩挲，那只手苍老、枯瘦、血管突出。林国栋心中酸楚，再看不下去，轻轻放下母亲的手，看看表走出病房。

林国栋来到银行，把卡上的一万美元取出来，换成人民币。这张卡是王茜的，林国栋取钱之后，王茜接到了短信通知。虽然把钱给了丈夫，但是，他不经自己允许就取走了这么一大笔钱，王茜还是有些吃不住。她立即拨通了丈夫的电话。

看到是王茜的电话，正在医院交费处的林国栋，有些心虚。林国栋不想接，电话却响个不停。收银员不耐烦地催，问他到底要不要交。林国栋只好赶忙送上自己的单子和钱，同时接通电话。从电话中听到林国栋把六万多块钱都交出去之时，王茜急了，连忙要他停下来，先给她说清楚干什么用。林国栋只好让收银员稍等，但不耐烦的收银员和后面排队交费的人群不答应，让他先打电话，回头再交钱。林国栋没有交成钱，没有好气，面对王茜不停的质问，林国栋狠狠挂断电话，走到一排座椅前面，一屁股坐在椅子上。

王茜也很生气，她了解丈夫，知道丈夫虽然传统，虽然有些懦弱，但却是一个君子，不会乱花钱，更不会乱花这么大一笔钱。所以，平息了一下之后，她又拨通了丈夫的电话。她知道林国栋是生气了，但是，是他先违背了自己的约法三章，她需要丈夫的尊重和信任！林国栋沉默一会儿才告诉她，情况不是她想的那样，他没违反那个什么三章！他告诉王茜自己对妈妈的那种愧疚："我妈现在用医生的话来说，治疗没有可能了，只能维持和延缓生命。当年我妈做胃癌手术，我没来，这已经是不孝了。这几年都是我两个弟弟照顾我妈。我妈这次好像是复发残胃癌，从昨天我到这儿，医生催了三次交费。我两个弟弟现在暂时拿不出那么多钱，所以要我帮忙垫付一下。如果我不付钱，今天医院可能停药，停药你知道什么意思吧？你说，该不该付？"

王茜不傻，相反还很精，她知道丈夫对婆婆的愧疚之情，也知道为了让婆婆好起来，让他做什么都可以的；她更了解那两个小叔子家的情况，垫付？谁都别揣着明白装糊涂了。她之所以把家里的存款都给他，就是因为她不会对他妈见死不救，她有同情心，也懂得孝顺。但是，作为一个男人，除了对母亲负责任，也要对这个家负责任！是她跟他过一辈子，而不是他妈。同样的话，同样的处理方式，她对婆婆这样，对自己的家人也是这样。既然已经有了分配方案，大家都同意是垫付，那就让他们说到做到，把钱补上，告诉他们现在是非常时期，他们没能力大包大揽。

这话当然合情合理，王茜也不是不同意，林国栋心里好受了一点。他相信自己的弟弟们能够说到做到，他才有心情给妻子解释，自己为什么不跟她商量。他不是不尊重她，更不是不相信她，而是觉得丢脸，觉得自己无能，他们老林家三个老爷们儿，救自己的妈，还要用她一个女人挣的钱，没脸和她说话。王茜相信这是丈夫的真心话，而不是为了让自己高兴的甜言蜜语。知道自己误会了丈夫，王茜心里也不好受，就安慰了丈夫两句，让他去交钱。林国栋"嗯"了一声，并没有立即挂断电话，而是说了一句肉麻的话："我爱你。"

请相信，对于林国栋这个快到五十岁的老男人来讲，当着妻子的面，他是说不出这句话的，此刻，隔着千山万水，在电话中，他却冲口而出，真的是真情流露。王茜非常感动，立即回了他一句。

挂了电话的夫妻俩，都愣了很久。

12

医药费的问题暂时得到解决，照顾老妈的班也排出来了，林家三兄弟的生活似乎应该走上正轨了。可是，世上的事，谁也说不准下一刻会发生什么。

这次是陈金巧出了幺蛾子。话说前两天老大没有回来之前，哥儿俩实在忙不过来，在吴玉华的大力鼓励下，陈金巧这个闲人到医院去照顾婆婆，却弄巧成拙，倔犟的林母死也不让她伺候，要死要活地又把她骂了一顿，陈金巧热脸贴上了冷屁股，她这个气呀，把老太太暴打一顿的心思都有。可是，给她气受、让她别扭的是一个没有多少天可以活的老人，你说你能跟她打、跟她闹吗？当然，陈金巧也没有客气，该说的也都说了，最终被护士赶了出来。

婚礼上的旧恨，加上病房里的新仇，陈金巧都发泄到林国强身上。林国强因为清楚老妈的脾气和那张嘴，知道自己媳妇儿受了气，不仅没有责怪陈金巧气倒了母亲，而且对于陈金巧发誓再也不管老太太的事情，只是安抚，保证不强迫她。

话是这样说，为了照顾生病的老妈，一家人忙得手脚朝天，作为新妇的陈金巧什么也不干，是非常说不过去的。所以，林国强让陈金巧给母亲做饭，送到医院。别的干不了，这后勤保障她应该干而且也能干得了。没有想到，一听说给林母做饭，陈金巧立刻翻脸。于是，结婚几天的林国强夫妻吵了第一场架。

陈金巧埋怨丈夫说话没一句算数，林国强劝她，看在她是老人的分儿上，又是病人，她不管是无论如何都说不过去的。陈金巧满心都是自己的委屈，当然听不进去。林国强买了很多菜，拿在手中，被陈金巧不小心碰散，掉在地上。林国强一急，就推了陈金巧一把。陈金巧的火大了，进这个门所受的气，比之前嫁那个王八蛋还多，她说话可不是放屁，说不管的事，就是不管！林国强好话说了半天，陈金巧还死倔，就有点不高兴了，话就收不住了，他指着陈金巧的鼻子："你这跟我绿豆蝇坐月子——抱蛆（屈）啊！你不做也得做，都是你自找的！你捅那么大娄子，我还没把你怎么着呢，你倒来劲了！"两个人越扯越多，声音也越来越高，眼看就要打起来。

事情都有凑巧，就在两个人吵得面红耳赤、谁也不让时，走过来一个管闲事的人。这个人上来劝架，说话还挺幽默，让林国强让着点，还要拉着林国强出去吃肉串，消消气。陈金巧其实并不是真想跟丈夫吵，对这个劝架的人，感觉挺好。几个月之后，她知道了这个人对他们林家尤其是对那个善良的前大嫂所做的事时，才知道自己的看法是多么幼稚。

这个人叫钱建功，是刘雅娟的现任丈夫。一天到晚无所事事的他，看到别人吵架就两眼露光，也不腰疼了，一心往前凑，唯恐天下不乱。他一味压国强，就知道这个小子在外人面前，绝对不会在女人面前服软。那时候，他就可以看一场好戏了。以他阴暗的心理，看到别人不高兴，他才高兴。国强虽然知道他没安什么好心，但现在他正在气头上，也真咽不下这口气，他今天真要给这个登鼻子上脸的老娘们立立规矩。有人帮腔，陈金巧有点来劲，嘴上一点都不服软："不做！你大哥、二哥不都在吗？你不也有两只手吗？你们老林家人多，谁爱做谁做！"

听到她这句话，钱建功脸色忽然变了，假笑着跟她确认，林家老大是不是真回来了。林国强马上意识到了什么，狠狠瞪了陈金巧一眼，陈金巧不敢说话了。钱建功也不管这两口子了，匆匆地走了。老婆的老情人回来了，他可有事干了。

林国强看着他匆匆而去的背景，知道坏了，雅娟姐有麻烦了，更加火大，指着陈金巧大骂："他妈的河边无青草，用你个多嘴驴，我大哥的事，你跟他说什么？"根本不知道里面错综复杂关系的陈金巧，虽然知道自己可能说漏嘴了，但是，她也强撑着，说了一句狠话，转身走进楼门。

13

陈金巧罢工，老妈那里饿着肚子。从来没有下过厨房的林家老幺国强，在厨房中看着一大堆菜，完全不知道如何下手。他偷眼往里面看了一眼，陈金巧一个人坐在卧室床上抹眼泪，眼神里透出倔犟，虽然在哭，但架子不倒，昂着头拧巴着身子，一种东北老娘们儿的英姿伫立在那。时间来不及了，再不做饭老妈要饿肚子了，他给吴玉华打了一个电话，请求支援。

吴玉华当然很不耐烦，都什么节骨眼了，这两人就只会添乱。可是，陈金巧这个闲人什么都不干，受罪的是她，所以，她跟同事抱怨着请了假，就直奔林家，一方面是给婆婆做饭，另一方面，顺便给老三家调解一下。

14

林国强叫吴玉华过来，不光让她来给自己调解，他是想让吴玉华给自家女人上上课。

时间紧迫，吴玉华到了之后，直奔厨房，让国强打个下手，给婆婆做饭。林国强按照她的要求，洗菜、切菜，还一边怄气，嘴里骂着陈金巧，说她闲得长毛，还找事儿！吴玉华心中当然也是这么想的，可是，说这样的话，除了痛快一下嘴、接着吵架之外，还有什么用呢？还是要说服陈金巧。于是，她和林国栋一个唱红脸，一个唱黑脸，半是吓唬半是劝，让陈金巧这做小辈的先打开心结，低头服软，改善与婆婆的关系。林国强的想法是，他们已经登记，都是一家人了，大家怎么都要朝夕相处，这样仇人似的，还不除了吵架就是掐，根本没有办法过日子。而以自己母亲的脾气，改变起来比较困难，所以，他觉得还是让陈金巧服软，好好伺候母亲，让母亲慢慢改变对陈金巧的看法，再慢慢接受她。

陈金巧刚和林国强吵完架，正别扭着，她装作不知道吴玉华来了，也没有出来招呼，就待在房间里，对着窗户生闷气。林国强和吴玉华的对话高一声低一声地传来，她支着耳朵仔细听着。

跟吴玉华沟通好之后，林国强故意大声地说："妈是不对，可是做小辈的哪儿有跟做长辈的较真儿的？有这个资格吗？咱们得换位思考，如果，我是说如果，她家老尖跟我闹别扭，咱们先不说谁对谁错，是我主动去哈（哈：北京土话，央求、巴结）她老尖（老尖：父母，"老家儿"读快了就成了"老尖"）还是她老尖来哈我啊？"说到这里，林国强故意顿了一下，好让陈金巧把他的话吸收了，然后他接着说："更别提她还是个病人。妈现在老糊涂了，她糊涂你也就跟着糊涂？比谁糊涂，比谁混？我不是歧视农村人，我是看不惯她的素质。"吴玉华帮着陈金巧说话，林国强认为陈金巧是拧巴，好日子不会过。

两个人正说着，吴玉华看到林国强把应该在开水中焯一下就捞起来的菜放在开水中煮，着急地朝他喊起来。林国强趁机抱怨："我哪儿会啊！您说，娶个这样的媳妇有什么用？本想找个人帮忙的，越帮越忙！要不是我跟她这么折腾，妈能给折腾病了吗？能折腾出这么多医药费，给大哥、给你们添乱吗？我这心里有愧！她怎么就不明白？接着耍性子，耍性子能把咱妈这病给耍好了？我急得跟什么似的，就盼着能把损失降低，让妈把这口气顺过来，她还跟我闹……"

陈金巧终于按捺不住，站起身来，走到厨房门口。吴玉华招呼她，林国强故意叹气："人家娶媳妇是过日子。我是找了个山寨还珠格格，娶回来就闹腾。"陈金巧也不看他，走上前夺过他手里的菜，开始收拾。吴玉华让林国强出去，开始劝陈金巧。陈金巧一扔菜盆子，一肚子苦水终于找到出口："我受不了了，太憋屈了。你说这可咋整，我是二婚，可是合理合法离婚，他是明媒正娶地跟我结婚。儿子都没嫌弃我，婆婆还嫌弃我。没有她这样糟蹋人的。这城里人歪心眼咋这多哪！嫂子你别多心，没说你，你老好了。说带我去温泉，我自个还想，这老太太不赖，咋想到她别有目的！再说你见过婚礼上婆婆给儿媳妇下跪的吗？我爸临走都掉眼泪了，好几千里地，他过来看闺女结婚。可他妈婚礼这么上那么做，我爸都忍了，我爸一辈子都没受过委屈。他是头倔驴，十里八村的有名，沾火就着。俺们村的人都不敢惹我爸。可为了我，他是哭着走的，我长这么大没见过。"

陈金巧说着抽泣起来，这所有的一切能怪她吗!?

第四章　谁是谁的劫

林家最鸡贼的是老二，最实在的是老大，最没出息的是老三。家里的事比外边的事复杂难说。在外边大不了闹翻车不往来了，可是，一家人，怎么说都会在一个锅里搅过子，谁知道遇到的哪个人，是自己的劫数呢？

1

吴玉华和陈金巧把给林母带去的饭菜做好，盛到饭盒里，走进客厅，林国强却已经坐在沙发上仰面朝天睡着了。林国强这段时间也挺累的，晚上盯班，白天干活。吴玉华趁机劝陈金巧多体谅他点，老太太来日无多，将来的日子还是得他们俩过。这句话说到陈金巧心里去了，林国强真心待她，她不是不知道，这样跟他别扭，实在是老太太对她的羞辱，让她受不了。看到丈夫睡着了，赶紧给他盖上一件衣服，谁心疼谁知道。吴玉华趁热打铁，“谆谆教导”这个大炮筒子女人：“不要在乎别人怎么说，自己觉得自己是什么样，就是什么样，别人说一句、看一眼，也不能掉块肉。自家过自己的日子，自己的日子过好了比什么都强。”这话在理，可是说起来容易、做起来难，陈金巧觉得要过老太太那一关，比登天还难。从来不做亏本买卖的吴玉华不会放过任何一个为自己争夺利益的机会，通过接触，她知道陈金巧这个东北女人，粗枝大叶，咋咋呼呼，没有什么心眼，正好当枪使。她装作不在意地给陈金巧讲起如何过日子，实际上全在讲老大的事。

当然，她还是注意火候和策略的，她的话虚实结合，做到了有人曾经总结的百分之九十的真话加上百分之十的假话，骗人的效果最好。吴玉华虽然没有受到过这样的培训，但她是生来就具备这一本领。刘雅娟的事，她丝毫没有加油加醋，还使劲夸了一下这个已经和她没有任何关系的大嫂；但是，说到婆婆时，就有些她的“看法”了：“老大为了在美国立住脚，连自己的亲娘都不要了！第一次老太太得胃癌，当时告诉老大，老大竟没有来。什么叫活给自己看，老大这样的人，就叫活给自己看。他对这个家的贡献，就只有当初买老太太这处房子时，掏了三万块钱。国强是没钱，可平时真舍得给老太太花钱。我和你二哥是个什么都不争的人，我们俩现在都是围着孩子转。可你和三弟这日子怎么过，还得多合计合计。老太太偏心，就这样还说老大孝顺。要我说，这笔钱国强连一个子儿都不应该出，三弟当的哥容易吗？他的钱那都是一个汗珠子摔八瓣挣来的。大哥呢，这些年光机票钱就该省出这么多了。”

这话说的，那叫一个贴心，陈金巧听得都热泪盈眶了，自然就说二哥家也不应该出这钱，这么多年，他们照顾老人更多！吴玉华以进为退，说自家的情况，老大是真看不见还是装看不见，就不说了。彤彤的事，总是走一步看一步，现在还没谱。但是，当媳妇的胳膊肘不能往外拐，只要是真心疼自己的爷们儿，将来才有好日子过。她要陈金巧怎么也得帮老三说几句，有用没用，得有个态度，这也算是心疼老公了。

陈金巧点头如小鸡啄米，直把这个二嫂当成最亲的人，对她当然就言听计从了。吴玉华眼看目的已经达到，也就不再浪费时间，带着饭菜直奔医院。

2

不说吴玉华把饭菜送到婆婆面前、把这做饭的功劳据为己有的事，先看看已经知道林国栋回国的钱建功是怎么没事找事的吧。

钱建功原来是一个小学体育老师，年轻时还算勤恳，工作也很稳定。因为积劳成疾，他的腰坏了，得了一个腰椎间盘突出，不能再工作，现在只能在家待着，靠病退金为生。不能说钱建功生来就是一个恶人，可是，一天没有事干只是到处看猫逗狗的人，心眼会小脾气会不好，看别人乐自己就要哭，想着法子要别人也跟着哭，也实在不能说是一个好人。再加上病痛的折磨，人难免就会有些心理问题，严重点儿就会变态。理儿是这个理儿，听起来也情有可原，可是如果这样的人自己必须朝夕相对，而且他还以折磨自己为乐，那这日子可就是人间地狱了。

刘雅娟就处身这地狱中，如果哪天钱建功没有找碴儿跟她吵架，她就会念佛了。但这样钱建功不找碴儿的平安日子很少，就像今天，钱建功就瞪着眼珠子，等着她回来跟她吵架呢！

刘雅娟吃力地提着从超市买来的东西推门进家，钱建功穿着皱皱巴巴的秋衣秋裤，正坐在桌子前喝酒。一瓶二锅头放在桌上，他端起小酒盅一扬脖子把酒喝了，看到雅娟进来，眼皮都没抬。雅娟把东西放下，要他把该洗的外衣扔洗衣机里，等她回来洗，就要回学校。钱建功发作，他把酒瓶子摔在地上，对着雅娟阴阳怪气："要想生活过得去就得头上有点绿，你看我像忍者神龟本人吗？"

雅娟根本不知道他在说什么，不想跟他吵，打开门要走。钱建功也不顾自己的腰了，抢先一步，挡在门前，不让她走。刘雅娟无奈，回到卧室，钱建功跟上去，不依不饶。见刘雅娟打死了不认账，钱建功更是像一头被烧着尾巴的驴一样，对她破口大骂："你还口口声声上课，教学生你配吗？你贱，你不要脸！我就没见过你这种水性杨花的女人，他把你连你儿子都扔了，到美国发大财去了，没你的份儿！人家娶年轻漂亮的去了，嫌弃你档次低了！你这忘性还真大，人家一回来，你就去贴，真恶心！我跟你说刘雅娟，你要恶心，你自己恶心去，别在这儿恶心我！"

雅娟再也没有办法听下去，要往屋外冲，钱建功继续挡着，雅娟发狠推了他一把，钱建功晃晃悠悠"摔"在地上，"哎呀"一声大叫，倒在地上不起来，直吵吵自己的腰。

雅娟一时不知如何是好，咬咬牙过去扶他，却被钱建功一耳光打在脸上。钱建功跌跌撞撞倒在床上，根本不理刘雅娟的着急和问候，直接给他妈刘金凤打了电话。刘雅娟脸上还有他的巴掌印，眼中含泪地看了这个"陌生"的男人半天，擦干了眼泪，强忍悲痛，走出了家门。

3

林母这个病，一发作起来，可能就要了命；要是不发作，跟正常人没有什么区别。这不，现在的林母，坐在病床上，让大儿子给她梳头。明媚的阳光照射在母子二人的身上，好一幅母慈子孝的和美图画。

这一辈子，林母利落惯了，最受不了的就是邋里邋遢。林国栋小心地打开母亲的发髻，看到母亲染过的黑头发下面，露出白色的发根，心里一酸。他刚走的那年，母亲的头发还都是黑的，这些年，母亲为他们操碎了心。光阴易逝，流年不再，林母的感慨也很多。她嘱咐大儿子，要多关照两个弟弟。

说起这三个儿子来，林母的话就把不住了，老大虽然伤自己的心，可是出门在外让她放心；而那两个儿子，一个心眼比一般的人多，另一个心眼比一般的人少，都不让人省心。自己孙女彤彤的病，她也不放心。她知道自己时日无多，担心他们哥儿仨好多年不见，兄弟之间走远了。而亲情和谐的关键，就要看大儿子了。他这一走十来年，她不想那是假的，说不恨他也是假的，两个弟弟也备不住对他有怨言，这些都要他多担待。

林国栋知道自己这个妈明白着呢，可是听她说的好像要交代后事似的，心中的酸楚自不待言，他故意逗母亲，说她跟电视剧里唱的一样，还能多活五百年。林母终于笑了，她成妖精了啊？她活不了那么大岁数，也不愿意活那么大岁数。儿女们都有各自的事，她不愿意碍事，她看得开，只希望儿子有时间，就回来看看；太贵，就别回来，勤着给她打电话。雅娟这一页，林母充满无奈地说，算揭过去了！林国栋承认，自己对不起雅娟，这个走到哪儿他也认。他们都已经是这样了，再说什么也晚了。可是，他劝母亲不要这样对老三媳妇了，她错了，可是她认了呀。老三喜欢陈金巧，金巧也不容易，理解万岁，就不要再这样僵着了，林母不置可否。

要送饭的吴玉华终于来了，林母为了她请假给自己做饭，有些过意不去，要她答应自己以后不要这样了。吴玉华好人做到底，说自己定的蛋白针到了，让大哥上家去一趟，她教教他怎么用，晚上国梁来接班。这一两个小时，林母要自己待着，她有些担心。林母当然说没有问题，林国栋问起蛋白针的钱时，吴玉华说自己先垫着。她这样的人，当然不会做亏本的买卖。至于她是如何算计的，我们以后再表。

4

钱建功吃了亏，心里是一百个一万个不痛快，当然不会这样善罢甘休。儿子是这样，母亲也好不到哪里去。在钱母刘金凤眼中，刘雅娟这带着一个拖油瓶的二婚，是怎么也配不上自己儿子的。她也气自己的儿子，跟气迷心似的，非要娶这女的。娶了有什么好？还帮她养儿子。就连雅娟说她身子有病不能生，她也根本不信。这次，听钱建功说刘雅娟这个不要脸的，上医院会老情人去了，刘金凤更是怒从心头起、恶从胆边生，给儿子简单处理一下之后，直奔刘雅娟的学校而去。她还就不信了，以她打遍这条胡同无敌手的本事，能让一个二婚媳妇给欺负了？这口气，要咽下去，会憋死她。

雅娟给在寄宿学校读书的儿子打了一个电话，问了一下儿子的情况，听听他说话，才把怎么也止不住的眼泪给逼回去。这是多年来，她能支撑着活下去而没有选择自杀的唯一办法。打完电话，她到学校去上课，她下午有课。站在三尺讲台上，带领着一群活泼可爱的孩子学习，是经历了这么多事她还能保持这样善良本性的另外一个法宝。

但是，她正上得起劲时，一个年轻老师敲门，校长要她去一下。她不知道发生了什么事，让学生们上自习，赶紧赶到校长办公室。

还没有进门，就听到刘金凤比破锣还响亮的嗓门，在数落着她的不是。听着她比刀子还要恶毒的语言，她恨不得挖了洞钻进去，再也不出来。

刘金凤把恶人告状的丑态发挥到一种极致，她不仅颠倒黑白，说刘雅娟欺负她儿子，导致他的腰再次受伤，而且专拣刘雅娟的痛处说，说她前夫甩她是她活该，因为她不是好人。说她儿子心眼太好，看不清这个女人的歹毒："别看刘雅娟不言不语，她那是哑巴吃扁食——心里有数着哪！"

校长刚开始还劝她，不要这样不文明；听她越说越不像话，就自己忙自己的不答理她了。刘金凤不甘心，拿出整人的泼劲儿，竟然说自己的儿媳是"破鞋"，有作风问题。校长不管，她就要去教育局评理。

刘雅娟再也听不下去了，往回走了几步，又停下。她咬了咬牙，带着一种视死如归的表情，朝办公室走去。她走到了门口，含着歉意叫了一声校长，刘金凤马上就挑理，因为没有跟她打招呼。刘雅娟想把婆婆劝回去，但是，以刘金凤的泼妇段数，她只剩下哭的份儿。刘金凤见她来了，更来劲了，叫嚣着："我告诉你刘雅娟，建功绝不能平白戴顶绿帽子。我今天找校长，这是给你面子，下次你要还不改，我去教育局贴大字报。让大家伙全知道这女人的德行，让全校人都知道你是怎么回事！"校长实在看不下去了，只能暂时服软，让雅娟给她认个错、表个态，然后，说了几句好话，才把这个瘟神送走。

刘金凤刚走出门口，校长立即拿起电话，让门卫记住，刚才出门的老太太要是再来，一定把她挡在外面。因为自己的家事，给学校和校长带来这样大的困扰，刘雅娟羞愧难当。钱建功过去也是这里的老师，他们俩的事，校长非常清楚。雅娟是一个什么样的人，他也清楚，所以，对雅娟，他只有同情。他知道，这些年可苦她了！作为一个旁观者，他好心劝告雅娟，遇到这样的婆婆，在生活中更要讲究策略，尽量和她保持距离，要学会保护自己。雅娟对校长非常感谢，长叹一声，无奈地回去继续上课。

5

同一时间，在医院的林母同样长叹一声，因为她看到一件让她无限心惊的事。这件事，给她的震动非常大，她了解了一下情况之后，作了一个惊人的决定。

前面说过，林母是一个非常要强的女人，就是现在病了，也不愿意服软，林国栋去洗水果时，她想上厕所，就自己挣扎着慢慢走出病房。她觉得自己再不走走，就真完蛋了。

她走出病房，就看到一个女孩子哭得跟泪人似的，在跟一个老板贷款。女孩父亲得了癌症，住院两个多月，就花了十万多元，把女孩来北京这些年挣的钱全都搭上了，还落了一屁股债。林母劝了女孩几句，立即想到自己也是癌症，这住院花费也不少吧？

林国栋怕她心疼，当然不会告诉她实话，只说花了一万多块钱，哥仨儿凑的，老二、老三都挺好，积极着呢，不要让她管这些事，现在最重要的是，母亲大人踏踏实实在医院里再住几天，医生说出院，利利索索出院，然后就什么事儿都好了。

林母是什么人？那是成了精的老狐狸转世，如果林国栋说两三万块，她也许会信，但是，跟她相比段数非常低的林国栋，为了让她放心，说一万多块，就弄巧成拙了。林母找了一借口，把儿子支走，拿出他外套中交款的单据，看到上面六万多块的字样，她捂住了嘴，吓得呆坐在床上，喃喃自语："这地方没法住了，这哪是治病，这是要命！"

于是，下午林国栋回去拿药的时候，她就自作主张，出了院。

6

按照吴玉华的要求，林国栋下午安顿好老妈之后，就回家去拿药了。他可一点儿都没有想到，这个精明的二弟妹，用了一招漂亮的三十六计——请君入瓮。

参加这次家庭会议的，除了主角林国栋和陈金巧之外，还有导演吴玉华，以及她带的客串演员，她女儿林月彤。吴玉华带上女儿，是为了保证演戏的效果。这个随时都会死亡的女儿，会给她挣来一大票同情分。她倒要看看，她的大款大伯子，怎么能看着这样可怜的孩子，还狠心让她掏钱。

林国强没有在，他要出车。今天的他，心情非常愉快。陈金巧表态："妈怎么对我，那是她的事，我是儿媳妇自己的位置能摆正！"她答应给老妈做饭，从懒羊羊变成灰太狼，让林国强唱着小曲出去拉活了。但是，当晚上他接到陈金巧哭诉的电话、飞车赶回的时候，他真后悔，自己真是粗心大意，陈金巧给他唠叨大哥的事，他为什么没有在意，进而管住他这个东北老娘们儿的嘴？不过，世上没有后悔药，事情发生了，就不可逆转，林国强只能接受。

而这件事的发生，对林国梁两口子来说，那叫一个心花怒放。林国梁先去接女儿，无论这两口子如何顺着宝贝女儿，林月彤因为有这个病，也没有快乐。很久以后，口糙心不糙的林国强总结出来，二哥、二嫂不光给女儿一颗生理有病的心，还给了她一个心理有病的心。而后者，才是他们一家子机关算尽却终不能如愿快乐的根本原因。

林月彤不能上体育课，非常不爽，对爸爸骑着自行车来接自己老大不高兴，直说活着没劲。林国梁没有别的招，只能哄，好话说尽，终于让女儿上了车子，把她带到林母家。

林国栋、吴玉华早就到了。林国梁和林月彤来了，直接入座。陈金巧做了几个菜，一家人围坐，吃了林国栋回来第一顿家宴。

吴玉华把药给了林国栋，告诉他用法，并极力说这个东西的好处，什么是高纯的蛋白质，对于提高免疫力和补充营养很好，尤其像林母这样吃不了东西的。她就知道林国栋会问钱，她就是不告诉他，说他一下子垫了那么多，他们还没给呢。然后，顺势一转话题，把话题转到自己女儿身上。一众人都看着林月彤，林月彤很瘦，有一种我见犹怜的感觉。吴玉华一边展示彤彤的病，一边故意说，自己想给女儿打这种针剂，却没钱打不起。彤彤被这几个人当成动物园的猴子看着，眼光里充满同情，很不高兴，警告喋喋不休的母亲不要再说自己了。吴玉华意犹未尽，准备抓住这个机会，给林国栋下一剂猛药，林月彤却不配合，摔下筷子，站起来就走。看着林国栋和陈金巧不忍的目光，吴玉华目的达到，就不再惹女儿不高兴，着急地追了出去，下面，就等着看陈金巧的表演了。

陈金巧果然没有辜负吴玉华的厚望和栽培，像一个大炮筒子一样，把吴玉华教给她的话，都说了出去。林国栋也是第一次跟这个弟妹说话，善良如他，本心觉得自己母亲这样偏见，对不起这个弟妹，因此，对她说话，就分外客气。他告诉她，自己已经跟母亲说了她的事，妈这边的态度已经有缓和，他说，“老太太就是这样的人。你也别太见怪，对她，咱只能细水长流，慢慢把她焐热了。你呢，一别生气，二别着急，总是会好的。”

林国栋的好脾气，鼓励了陈金巧，她虽然还是很紧张，但是，无知者无畏的勇气，让她把自己想说的话，一口气都说完了。她说大哥在美国，挣一个顶他们挣十个。在弄清楚美元和人民币的汇率之后，她用一种东北人的真诚说：“我们可跟您没法比，都生活在这地球上差距咋这么大哪！我是个外人，说句那啥过分的话，您可别往心里去啊！国强这几年也算帮您尽了不少孝……大哥，二嫂的情况你也看见了，我们两家这个样，于情于理，能帮帮我们就帮帮我们了。”林国栋对着面前这个三七二十八样的东北弟妹无语了。

就在他们沉默的时候，身后突然传来一声：“放屁！”

7

厨房里的陈金巧和林国栋吓了一大跳。

两个人连忙回头，却看见林母满面怒容地站在旁边。林母几乎和林国栋同时出的门，为什么这么晚才到家呢？原来，她换上自己的衣服出了医院之后，发现自己一分钱都没有带。节俭了一辈子的她，看了看站牌，发现从医院到她家，只有三站地，就拒绝了摩的和的哥的邀请，拖着大病未愈的身子，硬是一步一步走回了家。

见山跑死马，虽然只有三站地，但走起来，硬是让林母累到几乎虚脱。她剧烈喘息着，终于走进了楼门，走到了房门口。吴玉华走时，房门没有关严，她推门进屋，就听到厨房里陈金巧和林国栋的对话。

她的气一下子又来了，也顾不上累和疼，鼓着一肚子气就冲着陈金巧喊上了："你谁啊？在这张牙舞爪的……这没你说话的份儿。你走，离开这！我们家的事儿，用不着你在这儿嚼舌头！"

林国栋赶紧扶她坐下，笑着说没事，他只是在跟弟妹闲聊呢！林母强撑着身子，指责陈金巧这个搬弄是非、挑拨她几个儿子关系的，吃他们家的，住他们家的，还把她气得住院，现在还有脸说不拿钱！她今天敢挑唆儿子们算账，明天就敢挑唆分家，趁着她没死，她非得把这个祸害铲出去。林母是铁了心地轰陈金巧，陈金巧咬着嘴唇忍着眼泪，低头进房间关上门。林国栋把林母拽进另一间屋，问她怎么出院了。林母不理他，只是看着卧室门上贴着的"囍"字运气，愣了一会儿，积攒了一点儿力气之后，继续骂陈金巧，不把她赶出去，誓不罢休。

躲进卧室的陈金巧给林国强打了电话。电话中，林国强听到陈金巧的哭声，非常着急，活也不拉了，一路飞驰回了家。

刚进家，就听到了母亲对自己媳妇的谩骂声。其实，他不知道事情的原委，如果他知道陈金巧说的话、打的主意，也会拦着她不让她说的。他虽然没有什么文化，但是，不同于老二两口子的心术不正，他是一个实诚人，重的是亲情，挂在口头上的话是："我妈生了仨，可我只有一个妈！"老妈的住院费，他是一定会掏的，只是他没有钱，掏不出来罢了。

可是头脑简单的他，只听到了母亲对媳妇的骂声，就头脑一热，朝着他妈一顿喊，谁都是人，谁都要脸。林母当然不会就此原谅这个良心被狗吃了的女人，脸是别人给的吗？脸是自己给自己的！

林国强说不了母亲，只能招呼自己媳妇，他一脚踹开门，对着坐在床上的陈金巧，一巴掌甩上去，转身问母亲行了吗。林母态度比铁还硬，不用在她面前演这出苦肉计，横竖就是要把她轰出去！林国强看着挨了一巴掌、又惊又怒又羞愧又愤怒的陈金巧哇哇哭着，再看一眼脸上满是怒容却因为怒火中烧而身子忍不住颤抖的母亲，长叹一声，拉着陈金巧就往外走。林国栋赶紧拦下他们两个，然后要带母亲回医院。林母不动，她哭着骂自己的儿子娶了媳妇忘了娘，让他以后就听她的，管她叫妈吧！这句话很重，骨子里很孝顺的国强再也受不了，拉着陈金巧出了门。林国栋追出门，林国强抹着泪，告诉大哥，自己媳妇和母亲不能在一个房檐底下，他们走了，全当为了妈吧！看着儿子拉着陈金巧夺门而出，林母忽然重重捶打林国栋："我到底是哪儿对不起你们这群小畜生啊！"

8

气得三魂出窍七魄升天的林国强，怎么也想不到，母亲是故意这样做的。洞察世事的林母，不用想就知道，今天这件事，谁是导演，谁又是被人当枪使。她从开始就不认这个老三媳妇，为什么陈金巧现在敢跟老大说钱的事？她虽然烦老三媳妇，可她眼不揉沙子，就是借陈金巧俩胆儿这时候她也不敢自己跟大儿子说这个！林国栋觉得匪夷所思，自己这个小家里，还有心机这样深的人？她挑唆三弟妹跟自己说钱的事，有什么好处呢？

林母苦笑，她当然知道这件事对谁有好处，可是，他们都是她儿子，手心手背都是肉，有些话，她还不想说给最实在的大儿子听。这个家里，最鸡贼的是老二，最实在的是老大，最没出息的是老三。家里的事比外边的事复杂难说，在外边大不了闹翻车不往来了，可是一家人，却总有利益冲突，这怎么相处，就是一门大学问，她要一碗水端平，就必须要让一些人不痛快，这是避免不了的。她没有本事让每一个人都满意，可是这房子是她的，其中也有雅娟一部分。

林母一说起这事来，就要掉眼泪："你和雅娟离婚了，人家雅娟没提房子的事。人家不提那是孩子仁义，我这当老的不能装傻啊！将来我不在了，这房卖了，一半的钱给雅娟。雅娟这孩子却说，'妈，虽然我和国栋分了，可在我心里我还把您当婆婆和妈！'"林母叹口气，接着说："雅娟她男的，心眼小，老是提防着雅娟。雅娟日子不是特好过，她是好孩子，这几年也老多了，我让她把小超送过来，我看着，她怕我身子累，自己带着小超。"林母哽咽着，这么好的媳妇跟人家离了，现在老三死活娶了这么一个二愣子，她怎么能不伤心？那陈金巧想赖在这，现在有她老婆子镇着，她不敢怎么样。有朝一日，她不在了，这个女人敢立马就会把她的崽子带这屋来。"这会儿的人都不知道寒碜多少钱一斤了！我孙子小超还没住呢，陈金巧那小崽子不是林家的人，他住？门都没有。谁也别打这房子的主意！老二是个丫头早晚嫁人，老三那东北娘们儿自己有个崽子还能为林家生吗？她养着别人的儿子住在我这儿，她想什么哪？她不是爱跟老三过吗？

让他们出去过！这房，我要给我孙子林超！”

林母要把房子留给孙子，还有一个原因，林父去世，单位让林家买这房，算完林氏老两口的工龄，还要交三万元，这钱是林国栋出的，老二和老三没出钱。现在房子虽然是她住着，可是凡事要讲个理儿，做母亲的，要一碗水端平！

国栋被老妈镇住了，其实，如果母亲能高兴，这些他都可以不要。可是，一来母亲给的是他儿子，他最对不起的儿子；二来，他现在也比较困难，给母亲治病的钱，都是妻子的，更没有能力给两个弟弟出钱了。对于这一点，他非常无奈。这也是为什么林母总说他实在的原因。

既然解决不了，林国栋不说这件事了，坚持要母亲回医院。林母却要他给自己办理出院手续，她儿子和医院都糊弄她，她哪儿都不去。林国栋被母亲说愣了，这话从何说起？林母却语重心长地对他说，她知道花了多少钱了，三个儿子都要过日子，她不想走了以后招骂，只要他们几个好好过日子，比自己住一百年院都管用！

林国栋无语，他还能说什么呢？只能服侍着母亲先休息，之后，自己出去给三弟打电话。

9

林国强接到大哥的电话，忍不住委屈地哭出来。

他拉着陈金巧，什么都没拿，离家出走。这黑灯瞎火的，又是立马就要，到哪里去找房子？还是陈金巧提议，到她原来租房的那个地方，也只能如此。

林国强带着陈金巧到了那个位于城乡接合部的小区，里面全都是村民自家盖的平房。当陈金巧和林国强又回到她原来住的房子时，房东却坐地起价，说现在人家的房子都涨了二百了，她是老租户，给她涨一百。房东很精，看出他们是一定要租的，陈金巧刚想还价，房东做出要锁门的样子，要他们到别处看看。林国强连忙拦住，别说涨一百，就是涨两百，他们也要租呀，不租，今晚他们住哪里呀？租了，好，交钱吧，虽然正常是一号交钱，可是现在必须要交押金。林国强觉得可笑，他们又不能把这破房扛肩膀上背着跑了，要押金干什么？这房子里的家具只有一张大破床和一个七十年代的三开门大衣柜，这物件要放三环路边上城管都得罚乱扔垃圾！旧货市场五十块钱买这样四套，还管送货！房东连理都不理他，直接说不租走人。陈金巧他们只能妥协，拿出七百块钱，交给房东。房东拿着就走，连收据都不给。林国强问了一句，房东才答应明天给送过来。

两个人终于有一个落脚的地方，进了屋却发现连被子都没有。林国强很过意不去，这刚结婚，就让媳妇儿换地了。陈金巧“哇地”哭了出来，林国强自己的眼睛也发酸，控制着不让眼泪流出来，走出屋子，去买被褥。

林国栋在电话中要弟弟回来住，让金巧回来给妈认个错，还住回家里。林国强知道自己妈那脾气，他回去老妈绝对容不下金巧，她们俩在一起过日子的概率几乎为零，这俩人反相。他叫大哥不要为自己操心了，他们要回去，一天日子都过不了，妈过不好，他和金巧也过不好。老妈现在的意思和要求是让他和金巧离婚，这个要求他做不到，只能搬出来，先躲一时，等老妈病好一点，气小一点，再想办法。

林国栋觉得他说的也是实情，就无奈地带着被褥到酒仙桥红绿灯边上的“的哥之家”饭馆，跟他见面。

毕竟是自己的骨肉，又没有吃过苦，说不心疼，那是假的。国栋回家拿被褥时，林母犹豫着说要他给国强打个电话，她还是放心不下。

10

哥儿俩在小饭馆见了面，国栋不仅把被褥给了弟弟，还把国强用婚礼份子钱给林母垫的押金给了他。他说：“国强，咱家是娶媳妇。你岳父不错，但咱不能拿着人家的钱给妈治病，让人家笑话，这钱还给人家。”林国强看着钱，虽然很想要，但是，他实在不好意思，大哥现在也有难处。国栋却让他拿起钱，架子不倒地说，他再难也比弟弟好过，而且，这是他的私房钱。除了上帝谁都不知道。为这钱，金巧跟他掐了好几架了，国强也不再客气，把钱装起来。

国栋看着他把钱拿起来，告诉他自己心里的结，这些年，他对不住妈，也对不住两个弟弟。妈以前得过胃癌，虽然切除了，但这次犯病跟以前的病根有可能是连着的。大夫说妈现在的情况比较难办！看着像好人，但哪天也可能突然……他考虑过了，让国强先别管妈了，也劝劝金巧，妈脾气不好，让她别着急，等老人家气顺了大家一起做工作。既然妈坚持出院，那就出，要不顺着她，对她身体没好处。他来看着老太太，国强和国梁都忙自己的事。林国栋顿了一下，说出自己深思熟虑的决定：“这次妈住院所有的费用都由我出，你和你二哥都别管了。”

国强有些着急：“大哥，别，咱们还是按说的比例来吧。”

国栋按住他的肩膀：“别争了！你和你二哥都没有我条件好，让我也尽点孝。我是大哥，就算大哥求你们了。”

国强被感动，眼睛又湿润了。

第五章　机关算尽太聪明

虽然她心中特别想要那钱，但还是暗自吞了吞口水，把多出的一千块钱还给了林国栋。这并不是她觉得不好意思，而是，大鱼还要长线，这点钱换来林国栋的信任，她觉得值。

1

正所谓“龙生九子，九子各异”，林母生下的这三个儿子，那是一个人一个秉性，一个人一副心肠，既有像林国栋这样的以为全世界都是好人，自动把所有坏事、坏人变为好的，主动把一切责任都揽到自己身上的君子；也有像林家老二林国梁一样的，脑子里不干别的光想着怎么算计人，把所有人都当成傻子，什么事都想占便宜。比如，现在他们两口子就利用母亲生病，做了一笔好买卖。

作为一个医院中的会计，买个药住个院什么的，吴玉华还是有些关系的。当然，上次的护工事件，纯粹属于阴沟里翻船。这次，她亲自操作，绝对不能再出现类似的失误。她找关系按批发价一万二一盒把蛋白针拿下来，按市场价一万八给家人，三家平分，每家要报六千，而老大加上老三的一万二，就够药钱了，这样，他们家根本不用出钱。一分钱没花，还孝顺了老人，林国梁总结说这叫利人利己！吴玉华很得意，能让她垫钱的事，肯定要雁过拔毛。他们夫妻两个凑一起，拨拉着算盘，盘算自己的利益得失。

第一，是他们的房租还有三天就到期了，鉴于这年头杨白劳比黄世仁厉害，欠债的是爷爷，要钱的是孙子，夫妇俩决定，第二天就打电话催。第二，就是林母的治疗费了，就算他们拿小头，也要摊快两万了！这钱，他们不想出，吴玉华虽然没有说出来，但是，她心中已经有谱了。对金钱和利益的嗅觉堪比猎狗的她，已经感觉到，只要咬紧了老大，这笔钱就有可能不用出了。因为目前还没有把握，所以，她并没有说出来。

她说出来的是另外一个更诱人、更大的蛋糕，林母现在住的这套房子。这套两居室，虽然老了一些，但是在寸土寸金的北京，这样一套快一百平方米的房子，又在这样好的地段，那可值老钱了。一想到这一点，她就充满了危机感。比如现在，她就说老三的心眼还蛮多的，别看他整天嬉皮笑脸、没心没肺似的，可这小子还真会动心眼。老太太不同意他跟陈金巧结婚，他愣结了。这结就结呗，还带着媳妇儿住到家里来，这不是明摆着，是想等……打着房子的主意！这是老三的招儿，老大林国栋，更是未雨绸缪，当年用人家雅娟的平房和林母的一居换了两居，这是为以后占房做投入和铺垫！后来离婚了，他又自己出钱把这房买了，这叫吃着锅里的看着碗里的。老大在美国有大房子，回来了，这房子他还住着。雅娟那房子将来肯定给那个林超，等老太太没了，老大全套房顺手就占上了。

林国梁被老婆说得有些担心了，但他相信自己母亲还不至于病糊涂，她心里有数，老大和老三也不至于这样处心积虑。可是，现实是残酷的，电视上都演了，兄弟姐妹当年互相拉扯，等各自成家了，为了争房产都把彼此告上了法院了。吴玉华感觉，要是这样下去，林家也有这样一天的。

仿佛就像回应她这句话似的，电话铃响了。来电显示，是林国栋打来的。吴玉华不让丈夫接，她接，要是让丈夫去陪床，她就说他还没下班。而彤彤发烧，她要看着孩子，也去不了！反正一句话，他们就是不去。林国栋打来电话，并不是为了要他去陪床。母亲已经出院了，他劝不回去，想顺着妈的意思，自己在家里照顾她，他要告诉弟弟一声；母亲把三弟两口子赶出去了，他心里不是味儿，也想跟这个弟弟说说。最重要的是，他把自己刚作的决定，告诉弟弟，这六万元的医药费，不用他们管了，他自己一个人出了。林国梁一听，差点没有高兴地跳起来，但是，面子上还是要说两句推辞的话。林国栋这个实在人，是实心实意这样做，虽然听到彤彤的声音出现在弟弟加班的“工作单位”，心里有些怀疑，但是老实如他，还是没有往深处想，自动把弟弟撒谎甚至别有居心的这一点给过滤掉了。

吴玉华对这个结果非常满意，但是，吴氏对这件事的解释是：“老大为了不再掏钱了，故意跟妈说的医药费。老太太过日子抠，一听这六万多元不得傻了？她能待得下去吗？老三两口子被赶了出去，现在家里就老太太和他。老太太万一之后，这房子可就全落在他手里了。因为他有的是时间和老太太在一起，保不齐老太太一过世，他拿出张遗嘱来，这房子，就一定是他囊中之物了。”林国梁被老婆的聪明和智慧所镇住，虚心听从老婆的指挥了。

吴玉华的第一步计划，是投石问路，试探一下老大的水到底有多深。这石，就是那蛋白针的钱。在林国栋给母亲办完出院手续之后，吴玉华就“很巧”地出现在他面前。特意寒暄了一下之后，吴玉华就提起了蛋白针的事，问给林母打了吗？林国栋心眼实，立即想到人家还垫着钱呢！于是，他就要给钱，吴玉华的目的达到，嘴就甜起来了。在林国栋的“坚持下”，她也不客气了，装作一脸公平的样子，提出这次她主持公道，三家必须平分，大哥不能再多出了。她就怕大哥多出，才没敢让大哥管这事。都是兄弟，哪能让大哥总是多出啊！

林国栋被她哄得找不到北了，再给他一个脑子，他也不会去想这个热情、会办事、会说话的弟媳妇，这样算计他。于是，他乐呵呵地马上取了七千块钱，他是长子，又这么长时间没有回来，理应多出一点。吴玉华所图者大，不会这么短视，这点小便宜，她不屑于占。而且，演戏要全套，她要麻痹敌人，虽然她心中特别想要那钱，但还是暗自吞了吞口水，把多出的一千块钱还给了林国栋。请注意，这并不是她觉得不好意思，而是，大鱼还要长线，这点钱换来林国栋的信任，她觉得值。

2

老大的事情搞定了，吴玉华得意地到丈夫面前炫耀，并让他给老三打电话，把他那份也拿过来。但是，老三没钱，要一下子拿出六千块钱，没有那么容易。所以，老二两口子商定，由林国梁打电话，吴玉华上门要“债”，两面夹击，就不信老三不就范。

在老婆的督促下，林国梁立即给弟弟打电话。肚子里的阴谋诡计当然不能见人，嘴头上的说辞那可是冠冕堂皇。他假装问昨晚发生的事，听弟弟讲完，就端起兄长的架子开始说他：“真是的，老三，不是我说你，你们结婚我和你二嫂都支持，可咱要人穷志不短，别让人看不起。你要说说金巧，大哥有再多的钱那是他的，他爱给谁花就给谁花，只要对妈有孝心就行。咱哥儿仨现在虽然都是拉家带口，可孝顺妈的事谁都别落在后头。咱现在一切围着妈转，不管妈的病能不能治好，我也不管别人，就是把房卖了也要让妈治病。老太太活着咱们要孝，别给自己留遗憾。花多少钱我都出，咱就这一个妈，这就是我的态度！妈现在不住院了，大哥伺候妈，你有时间就要回去看妈！”

这话多义正词严，如果不了解林国梁本人的人，恐怕要感动得流泪吧。林国强虽然和林国梁一奶同胞，在一个锅里吃饭那么多年，他还真不了解他这个哥哥。这话说到他心里去了，好像二哥把他想说的话，都说出来了。对于林国梁提

出让二嫂去他家看看的事，国强除了觉得太麻烦人家之外，没有往别处想。

弟弟都住到村子里的平房去了，还这样急着要钱，林国梁心中有一丝不忍。吴玉华这样做，是因为她找了婆婆的主治大夫，详细了解了一下林母的病情。胃癌切除后，有的过不了几年就会复发残胃癌，林母就是残胃癌没跑。大夫私下跟她说，目前看，林母随时有走的可能，没什么救，就是维持。如果林母突然走了，这蛋白针钱，她还怎么找老三要啊？最好的时间，就是趁现在要。

林国梁再浑蛋，再不是人，听到母亲病得这样重，心中也不是滋味。吴玉华觉得也有点不合适，就没往下说。林国梁默默地抽出自己准备的给老三他们送过去的礼物——一箱快到期的牛奶，因为快到期了，不能卖了，厂家半价给了他两箱，给弟弟一箱，他们留一箱。他虽然情绪有些低落，但母亲年纪大了，早晚有这一天，而他的女儿才上小学，这么年轻的生命要也是就这样去了，他还怎么活下去？老婆这样精打细算的目的，都是为了女儿。想到这里，他又释然了。他搬起牛奶，送妻子到超市门口，他还要上班，只能让妻子自己过去。搬着这么重一箱牛奶，走那么远的路，他有些过意不去。

吴玉华倒是没有觉得有什么辛苦，只是跑一下腿，就可以赚钱，这笔买卖，作为赢家的她，十分乐意前往。不过，吴玉华这个人对钱财在意是百分之二百的在意，但作为一个整日和钱打交道的会计，她还是有原则的。哪些钱该拿，拿了还没有问题，她比一般的人都清楚。所以，当林国梁的客户老关提出送她时，她毫不犹豫地拒绝了这个人情。

老关是超市的大供应商，他的货几乎遍及本市各大小超市，生意做得很大。生意做大了，就想操纵游戏、制定游戏规则，对于像林国梁这样超市负责采购的中层人员来说，他就像是一只巨大的蜘蛛，用他有毒的汁液把这些人网罗到自己的掌握之中。林国梁，就是他目前想拿下的一个目标。

林国梁是这个大超市粮油组的负责人，手中的权力说大不大，说小不小，对于老关来说，是专项专管，正对口。但是，林国梁经商这么多年，一向遵规守矩，他可以自己买一些快到期的奶喝，对这些违反规定甚至可能犯法的事，他一向拒绝。但用老关的话来说，吃顿饭不算腐败，搭个顺风车更不算受贿，不用卖人情，更不必犯错误。于是，他就让吴玉华坐进了老关的大奔。

知道林经理竟然要喝快过期的牛奶，老关连忙说自己那里有进口的澳洲牛奶，马上派人给他们送两大箱。林国梁还要推辞，老关大手一挥，说：“这两箱破奶算什么，咱们这交情，也太不给我面子了。”说着就要打电话，林国梁赶忙拦住，他没事要他两箱破奶干什么？又不值几个钱。生意场上混了这么多年，对林国梁这种人，心思门儿清的老关，更明白这个道理，他要送两箱牛奶，那还不如不送，白白让人笑话，一点作用也起不了。既然出手，就要让对方满意，所以，老关殷勤地提起吴玉华的奶，殷勤地把她送到他们的出租房里收房租，殷勤地在她收房租之时，打电话叫手下送来两瓶茅台、两瓶五粮液和一点海参，给她送到家中。

车上，老关以一种邻家大哥的态度，跟吴玉华推心置腹，谁说来着，堡垒都是从敌人内部攻破，而一些官员落马也都是因为妻子或者子女的问题。这吴玉华是一个比猴子还精的女人，当着明白人不说假话，他苦口婆心地跟吴玉华交心："你家老林太傻太实在，供货商都替他那位置眼红，可他真是小葱拌豆腐——一清二白。这年头，没他这样的。他这前几任，可不像他这么正。哪个人在位少说不揣个百八万的，而且人家也没犯错，用谁的货不是用？你得劝劝他，别死心眼，别除了黑就是白。这生意场上有一条灰色之路，就是在不影响他的工作利益前提下，安全保险地增加收入。其实，我们都愿意跟林经理做朋友，他是个有原则的值得交的哥们儿。"

听话听音儿，吴玉华知道老关想干什么，所以，她回答得滴水不漏："关总，我们家老林胆小，我都不想让他当这粮油组的组长，是非太多，我正琢磨着不想让他干呢！升不升官靠老天，只要他平平安安熬到退休我就知足。"

老关看这个女人和林国梁一样，油盐不进，也就不再说什么，只是告诉吴玉华，以后有事说话。林经理的为人他非常佩服，他这就等着林经理和夫人的召唤了。

3

虽然话说得非常硬气，吴玉华看到关总随便拿出来的小意思，就几千块钱，也非常高兴。她把东西送回自己的家，小心地收好，给丈夫打了一电话，告诉他这件事。林国梁也没有在意，对老关来讲，这也不算什么。吴玉华提出把酒送烟酒店卖了，他就点头同意了。

处理好这件事之后，吴玉华推出自行车，把那两箱奶放在自行车后座上，推着到林国强家。

4

嫁给一个北京人的已婚人士陈金巧，打从准备婚礼起，就辞了工作，一直没有再找，成为一名光荣的居家妇女。婆婆不让伺候，她每天在家里，专门照顾丈夫。林国强虽然傻也明白，自己媳妇跟老妈，是前世的仇人、这世的冤家，根本不可能在一个屋檐下生活，他自己又没有房子，所以，这房子就要长期租下去了。既然要打持久战，把这间简陋的房子收拾得温馨一点，最起码能够住人，是林国强和陈金巧入住之后第一步要做的事。

他们要求不高，厨具能用就好，家具不坏就好，国强用自己不用值班的一上午，就从朝阳二手旧货市场里把家伙事儿都弄齐了。于是，这对新婚中年夫妇的新家里就多了以下物品：一张二十世纪七八十年代的巧克力颜色折叠圆饭桌，几把二手椅子，两张二手沙发以及一台同时代的木制酒柜，酒柜上还摆着台20多英寸的彩电，当然，这彩电也是二手的。置办这些，林老三总共花了不到五百元人民币，可谓物虽不美价却真廉。林国强觉得有些寒碜，要买新的，陈金巧拦下了，在这地儿买啥好的都显不出好。林国强觉得有理，也就不再坚持，反正他也没有多少钱。陈金巧对这些家具很满意，从家具送到之后，她就小心仔细地收拾、擦洗这些旧家具，弄得自己满身灰尘，她也毫不在意。林国强帮着卸下家具之后，就到胡同口擦洗自己的出租车，他晚上要出车。

看到吴玉华，林国强很高兴，看她还带来了牛奶，就有些过意不去。会说话的吴玉华说出来的话，总是让人听着舒服。看了看他们的小平房之后，她说："条件差点，不过亏金巧会拾掇，挺温馨的。"陈金巧被人夸奖，很是高兴，连忙给吴玉华找暖瓶倒水。吴玉华这当嫂子的，帮着陈金巧说话，总是没有错，她殷殷嘱咐小叔子，要对新媳妇好一点。陈金巧可找到一个向着自己说话的亲人了，赶紧倒苦水。虽然林国强也觉得自己老妈这样做有些不仗义，有些过分，但即使是自己媳妇儿说自己老妈的不好，他也不爱听。两个人又免不了戗戗几句，吴玉华又当了一回和事老。

掌控说话方向的吴玉华，把话题巧妙一转，开始夸老大，说咱家大哥真不错，本来说好了妈住院的钱大家都有份儿，可人家大哥都给交了。国强点头，大哥是好人。没有眼色的陈金巧还嘀咕："跟人家比，咱就不是人。人家有钱，拔根汗毛比国强腰还粗。"这话招来丈夫的一顿骂。吴玉华不管这两口子的争吵，按照自己原定计划往下说，自己本来以为陈金巧和林母住在一起，金巧利用这机会伺候伺候妈，时间长了这疙瘩不就解开了吗？可现在这个结果，也可不能怪咱妈。老人们有时候办事有她的理。自己女儿彤彤先天性心脏病，从生下来就是他们两口子管，老太太把心思都放在大哥家小超身上。自己丈夫有时候还埋怨，她就说他，没有老人的不是。老人乐意照看谁的孩子，就照看谁的孩子，不能说老人的闲话。

这一番话说的，真叫一个贤惠，真叫通情达理。林国强直叫金巧好好学学，不要总弄东北浑不吝那套，这一套，在这地儿不好使。陈金巧就是没有眼力见儿，嘴上一点也不服，两个人又逗了几句贫嘴。

吴玉华第二步就问小叔子，妈出院了你有什么打算。大哥把钱都结了，而且不让他们掏；如果咱们再说住院，是不是怕大哥误会啊？国强知道大哥不是那种人，可是，吴玉华说的更在理："大哥也不容易，咱们也得替他想想。我挺佩服大哥的，他有当大哥的样。上午他在医院碰见我，非拉我出医院，我还不知道怎么回事。他跑到ATM机那取了七千块钱给我，说是蛋白针的钱。按说他应该给六千块钱，我当时就跟他急了。人家当大哥的已经够意思了，我把多出那一千块钱给他了。"这几句话，陈金巧根本没有明白，林国强的脸色就变了，吴玉华看到林国强正确领会自己意思了，当下也不再待下去，起身告辞。

林国强这个直肠子，也不送二嫂，直接让陈金巧从给她爸那钱里抽出六千，给吴玉华送过去。陈金巧十分不情愿，这是大哥还她爸的钱。林国强没有时间给陈金巧磨叽，承诺她爸的钱以后他还两倍，不顾陈金巧满脸的委屈，把钱拿出来，给吴玉华送过去。

离开的吴玉华，骑得很慢，她在等老三追出来，如果骑得远了，出了胡同，老三追不上了，这钱还真不好要了。其实她是多虑了，林国强说要给，是一定会给的。他开着车，追上了吴玉华，硬把钱塞给她，还要送她回家。吴玉华心花怒放，表面上却不动声色，假意推辞着让林国强打开车后盖，把自行车放进后备厢，然后半推半就地坐进了他的出租车。

5

街里街坊地住着，更是应了那句话，不是冤家不聚头。当钱建功在大街上迎面遇到他的"仇人"林国栋时，他的眼睛变得比兔子还红。

钱建功买了一份报纸，坐在街心公园的长椅上，一边晒着太阳，一边专心致志地研究了一会儿彩票之后，他觉得自己的运气很好，去买彩票一定中奖。于是，当看到刘雅娟下班骑着自行车回来之后，就朝她要自行车，去办事情。他腰有毛病，骑车不好，雅娟关心丈夫，问他要去哪儿，要替他去。钱建功的发疯一阵一阵的，大部分都不正常，也有一些时候，能说些人话。比如现在，他心情不错，对于雅娟的关心，就没有特别反感，但是，话从他口中说出来，还是那样不中听。他说他这个腰，都是她气得："只要你不招，我这腰，比吃了肾宝还好！"雅娟哭笑不得，他这什么比喻啊？

钱建功推车要走，雅娟想拦，要替他去买。钱建功不干，一人一手法，他还指望着他的手气中五百万呢！五百万跑了，你刘雅娟赔得起吗？说完，他推起车就走。

还没有走出几步，迎面来了一个男人。他本来没有注意，但这个男人看到自己老婆一副吃惊的样子，让他停下了脚步。再看妻子，刘雅娟看到这个男人，迅速转过头去，不看他。两个人并没有说话，目光一对，都有点尴尬。男人朝雅娟点了下头，侧身走了。钱建功就明白了，这个人他不认识，刘雅娟认识，两个人明显认识，却不打招呼，好像在躲闪，实际都在互相看，除了刘雅娟的前夫林国栋之外，刘雅娟至于为一个男人这样“表演”吗？

钱建功走回来问这是谁，刘雅娟没说话。钱建功心中已经肯定了这就是林国栋，嘴上却故意说，这主不会是野鸡没名草鞋没号吧？刘雅娟说他就是林国栋，说完就要走。钱建功没有拦她，却看着国栋走的方向呸了一口：“你丫还欠我一间房哪，孙子唉！”刘雅娟看着他，一句话也说不出来。

6

林国栋这是给母亲办理出院手续刚回来。林母知道他办完之后，特意嘱咐他：“住院和医疗费，就按当初你们哥儿仨说得那样，你别一人出啊！”林国栋答应了一声，没有具体说什么。

林母问完了这件事，又问他找雅娟没有，要他们一起去拜祭雅娟的父母。林国栋知道于情于理自己都应该去，理智上，他也想去；可是，感情上，他很怵，以母亲的病为理由一直在往后拖。林母看他不说话，知道他还没去呢，也不愿意去，又禁不住唠叨：“当年你去美国都是人家帮的忙，人家一直对你很好，做人得讲良心。”林国栋当然说不出“不去”两个字，但想起刚才遇到的雅娟丈夫对自己审视而仇恨的眼神，他就不舒服。

答应了母亲去找雅娟，给两个老人上上香，把她的心思了了。他下楼，在小区里转悠了几圈，想来想去，手机掏出来又放下，咬了咬牙，朝雅娟家走去。

7

钱建功看见情敌，也不要那五百万了，转身回了家。刘雅娟正在收拾家，看在她并没有和前夫眉来眼去、还算守规矩的份儿上，钱建功没有再找兴她，而是拿起鱼食，给鱼缸里他那几只虽然普通但很宝贝的热带鱼喂食。

林国栋敲门，雅娟上前开门，看见是他，一愣。林国栋这样上门光明正大地来找刘雅娟，是表明自己和她是正常来往，问心无愧，让钱建功不要怀疑；但这样公然登堂入室来找自己的前妻，对前妻现在的丈夫来说，是一种蔑视，也是一种挑战。

钱建功吆喝一声，用一种很奇怪的语调，问妻子的前夫是不是来挑衅的。他把挑衅的衅，念错了，念成了挑“盼”，加上他奇怪的语调，具有非常强烈的讽刺效果，但三个人谁都没有笑 。雅娟白了一眼钱建功，作为小学老师的她，对错别字更敏感。丈夫这样说话，简直是在丢她的人。

林国栋走进客厅，他一点都没有在意钱建功的错别字，以他的身份，以他的立场，只要钱建功不跟他别扭，善待雅娟，他就非常感激了。因此，他拿出二百分的诚意，跟钱建功打招呼，然后表明自己上门的目的，他想找雅娟商量一下去她爸妈墓地看看。

如果就因为林国栋真诚、客气就放过他，那钱建功也就不是钱建功了。没事还想找事的他，现在有人找上门来了，他就像一只被剁了尾巴的猴子一样，每句话里面都恨不得飞出一把刀子来。林国栋称呼他一声“先生”，他挑眼：“别拽文啊，我们可是平民阶层，不兴小姐、先生这么叫。论岁数，我应比你大；可论辈分，你还排在我前头。”林国栋的请求被刘雅娟拒绝，他一脸讥讽地看笑话，还给林国栋倒了一杯茶，让他慢慢喝，真是气死人不偿命。林国栋还想劝服一下雅娟，刘雅娟却当他是病毒，拿起墩布就擦起地来，好像要把这两男人都擦到自己看不见才甘心。

林国栋看着干活的雅娟，觉得自己说什么都不合适，只能讪讪告辞。已经拿起鱼虫喂鱼的钱建功，嘴里哼着变了调的《纤夫的爱》，一边埋汰林国栋：“说咱俩回见不合适吧！”林国栋几乎落荒而逃，钱建功却也没有胜利者的喜悦，对着关上的房门大骂：“丫有病吧！还他妈的空着手来。这去美国的都是他妈的什么玩意儿啊！”刘雅娟擦着地，头都没有抬，但是，按住墩布的胳膊，却更用力了。

8

刘雅娟虽然拒绝林国栋非常坚决，但是，作为一个女人，心毕竟软。女人对自己真心爱过的男人，是永远狠不下心来的。何况，她还要考虑孩子。晚上，当钱建功又出去打麻将之后，刘雅娟就告诉儿子林超，他爸爸回来了。

林超已经上高一了。叛逆期孩子该有的毛病他有，单亲家庭孩子身上的毛病他也有，这些所有毛病的病因，都可以归结为一个，那就是他那个不配当爸爸的爸爸抛弃了他。对于自己的生身父亲，他有一种无法排解的恨，当然，这种恨之后的关心和爱，小小年纪的他，不会懂也不想去懂。

刘雅娟试图做儿子的工作，林超对爸爸的敌意，她很头疼，也很心疼。她和林国栋虽然已经没有什么关系，但林超和他有关系。她告诉儿子："你大了，有些事你应该明白。他是你的爸爸，一直关心你。当年他确实给你办了去美国，可美国规定 12 岁以下的孩子不能独自在家，他也没办法。"林超对母亲现在还相信那个人的话，非常气愤，他妈是成年人，他怎么没给办过去？这个人就是色迷瞪瞪的，还不如老钱好玩。老钱不管真的假的有时候还张罗着带他逛逛，而林国栋从来没有在他面前出现过，他爱是谁爸是谁爸！

刘雅娟听儿子越说越不像话，有点急了，觉得工作一时做不通，也许父子两个人接触了，会有所改善，当下也就不再说，只是要林超跟爸爸一起给姥姥、姥爷上坟时，别跟他闹。林超非常不愿意去见那个人，他站起身，一甩手，走向自己屋子，留下一句话："他还有脸去看姥爷、姥姥，看他那脸我就想吐。"刘雅娟站在屋子里，不知什么时候，眼泪已经悄悄滑下。

9

虽然林超十万个不情愿，但因为母亲，他还是跟他们来给姥姥、姥爷扫墓。这几乎是林超懂事之后，第一次见林国栋。他怎么看他都不顺眼，在他眼中，林国栋穿得人模狗样——身穿西服肩背名牌挎包，却是狼心狗肺；他给姥姥、姥爷献上的一大束白色菊花，就是装模作样故意显摆。恨林国栋入骨的林超，当然看不到他爸爸脸上的憔悴，甚至林国栋在二老面前流泪，都被他认为是演戏。

拜祭完二老，刘雅娟到墓地管理处去登记。林国栋想跟儿子说说话，却遭到林超的炮轰。北京高中生林超，在网络以及周边环境的影响之下，那张嘴不亚于他老叔林国强，本来就老实的林国栋，哪里是他的对手？林超对他的解释根本不听，一句话就把他堵回去了："可你还是爱我们的，但你又必须要和一个上海女的在美国结婚是吧？"林国栋很尴尬，他想不到儿子一句话，就让他无处遁形。林超的话，句句都恨不得把他爸爸捅出血："从血缘上，我们有关系，可说实话，我妈、你妈、你的两个弟弟，我都承认是我的亲人，而且他们确实是我的亲人。可你，别说你是我爸爸，就说你是我的亲人，我敢承认，你敢答应我吗？亲人，你为我做过什么，你站在我身边对我都是奢望！"

林国栋还想挽回："林超，不管你怎么说，你都是我儿子，到哪都变不了，谁也改变不了事实。父母之间的事，我不希望影响到你，你姓林是林家的人。"林超更绝，他说自己根本不想姓林。林国栋被他气得不知道说什么好，林超还在一脸玩世不恭地跟他叫板："你是不是特想抽我？当着姥爷、姥姥来吧！你想想我这样谁造成的，我说的有没有道理，你抽了我这事实是不是还存在！"林国栋极力控制着自己的情绪，胸口快速起伏着。

突然，林国栋蹲了下去，抱着头哭了，哭得非常伤心。办完手续走到父子俩跟前的刘雅娟气极，抬手打了儿子一个嘴巴，林超没有躲，结结实实地挨了母亲的一记耳光，一点都不服，他朝母亲喊着："他知道你这些年是怎么过的吗？他问过你吗？他还有脸在这儿哭！"刘雅娟抬手又打了林超一嘴巴，林超看着姥爷和姥姥的墓碑咬着牙不让自己的眼泪流下，却没有控制住，眼泪从林超的眼中奔涌而出。

林国栋站起来，拦住手又挥起来的前妻。透过眼泪，他看着刘雅娟。微风吹拂着她的脸庞，鬓角黑白参差的头发被风撩起，露出眼角那些被生活和情感折腾出的细微皱纹。

林国栋的眼泪再次流了下来，这次，是为了他的妻子。他这个浑蛋，竟然抛下了这么好的妻儿。

10

该发泄的发泄了，该面对的还要面对。林国栋知道，后悔没有任何意义，悲伤也改变不了什么，是他对不起妻儿，要想得到他们的原谅和接受，他必须从头开始，介入他们的生活，为他们付出。

在林国栋的坚持下，"一家三口"到餐厅吃饭。餐厅比较有品位，林国栋要了一桌子菜，自己却吃得很少，光顾着给儿子夹菜。林超是菜来不拒，夹来就吃，却连看也不看爸爸。

林国栋从包里拿出一个PSP游戏机，递给儿子。林超无动于衷地吃着饭，看都不看。刘雅娟让他拿着，林超被她逼急了，不好朝母亲说话，还是朝着林国栋开火："我和我妈需要钱，不需要游戏机。失去亲人和亲情只能拿钱来安慰自己了，来证明自己的存在，拿东西买不回来什么。"

林国栋一怔，儿子这样现实、世故，让他毫无招架之功。他正想说些什么，手机响了。他拿出手机看了一眼，是王茜的电话。不好当着前妻和儿子的面接，他起身走出包间，去接电话。

林国栋要出去接这个电话，不用说也知道是谁的。母子两个人的心都不好受，林超看了母亲一眼，刘雅娟低下了头。

11

王茜这个电话，是从上海机场打过来的。她刚下飞机，在机场给丈夫打电话告诉他自己回国了。林国栋没有像王茜想的那样有惊喜，只有惊讶。他这里一团糟，王茜再回来，那只能是火上浇油，绝不可能是雪中送炭。而王茜也不提前跟他商量，也不告诉他，直接行动，更让他措手不及。

王茜对此的解释是："我看你一时半会儿回不来。我们公司突然接了北京酒店的生意，没人过来，我就给应下来了。"不过，幸好，她还不是直接来北京，而是先回她上海爸妈那里待几天，还可以让林国栋喘息一下，有所准备。

12

虽然林国栋并不是十分希望妻子回来，但王茜的父母，对女儿的归来，那叫一个心花怒放。

王茜是独女，父母两人当成宝贝似的疼爱。王茜出国留学，她妈妈想女儿想得哭鼻子。如今女儿回家了，老两口就像过年一样，老早就准备了丰盛的菜肴，欢迎女儿归来。

王茜妈给王茜盘子里放大闸蟹，自己闺女都快八年没在家吃大闸蟹了，这次一定要她吃个够。虽然这个在美国也都有卖，但这是正宗阳澄湖的大闸蟹，茜妈一大早就派茜爸出去搞的。

老两口看着女儿，非常开心，但是他们不理解女儿为什么选择去北京工作。现在美国经济不景气，中国这边可风景独好，好多老美都在上海打工。他们要女儿干脆回来上海，老人年纪大了，想女儿。只要让林国栋来上海，夫妻两个就在上海守着爸爸、妈妈一起，多好。

对王家来说，这是好点子，可林国栋会答应吗？他这次回北京后，为他妈决定不走了，他准备要照顾他妈一段时间。这么做，也应该，他好多年没回北京，妈妈病了，守在床前照顾也是蛮孝顺的。可是，关键是，他要照顾到什么时候。

王父一直看不上这个女婿，嫌他没有学历，没有学问。听说他已经失业，更是觉得这个人没有本事。王茜不爱听这样的话，虽然这确实是事实。她岔开话题，不再说林国栋，跟他们说了自己的打算，要带父母到北京，好好看看首都。

去北京这件事，在王家还有一个典故。王爸和王妈结婚的时候，王妈想去首都度蜜月，但是王爸抠门捣糨糊，不舍得去，王茜这个提议，是想要弥补一下妈妈的遗憾。她要带着爸妈坐飞机去。茜爸茜妈都非常高兴，他们直说着要看鸟巢，吃那涮羊肉。

看着父母高兴的样子，王茜也高兴地纠正爸爸的口音，说那是涮羊肉。她还想说什么，电话响了，林国栋来电。

第六章　不该来的人来了

也许生活就是由一个个意外构成的，谁也不知道下一分钟，天上掉下一个什么，砸中了你的头。

1

作为一个高级知识分子，王茜对没有见过面的婆婆擅自出院，非常不理解，这样的病能出院吗？而丈夫林国栋竟然允许他妈这样做，她更不能理解。林国栋不愿意多谈母亲的事，只是问王茜为什么回国。王茜认为自己这样做合情合理，他短时间回不了美国，他俩这么分着也不行，只好她来北京了。然后，她告诉丈夫，自己打算带爸妈去北京，带他们去转转，要他到时候殷勤表现一下。

王茜的安排，只是考虑自己一方，她完全想象不到林家现在的状况，林母病成这样，林国栋要全天照顾，怎么能脱出身来对她父母表现？林国栋只能充满歉意地要求等他们安定一下，再请二老来北京玩。王茜听了，非常不痛快，她跟父母分开八年，自己出钱去北京，让老人高兴一下，散散心，不会打扰他和他家，怎么就不行了？她没有让他照顾她爸妈，他们甚至不会住到他们家，而是住快捷酒店，就这样，他还拦着，她怎么能不生气？

林国栋也是出于一片好心，他觉得，如果她父母等一段时间再来，等她到北京、他们把房子给解决了，稳定了再接二老来。

王茜嗤之以鼻："北京房子怎么解决？是住你妈那儿还是咱们租房或买房？咱们买房，钱呢？这次我从美国来上海什么都没敢给我妈买。你现在不工作，咱们家一切的开销都在我这儿。咱们的户头里几乎没钱了，我这些年为咱们买房子没有给我爸妈寄过一分钱。这次我想拿公司给我的安家费带老两口去北京，可你却告诉我，请他们不要来。"

王茜越说越来气，觉得自己万分委屈，一气之下，说了一句"先这样吧"，就挂断了电话，转身走出卧室。

听到女儿部分对话的茜妈和茜爸，装作什么都不知道的样子，招呼王茜喝鸡汤。王茜脸色非常不好，王茜爸爸越看越心疼，终于忍不住，数落这个不称心的女婿：“这国栋也真是的，自己心里没数，他以为他是百万富翁大款啊？什么事都拎不清，工作工作不行，家务也搞糨糊一团糟！”王茜眉头一皱，脸色更难看，低头喝着鸡汤，不说话。茜妈拦住茜爸，让他少说两句，女儿本来就不痛快，再唠叨，又有什么用呢？

2

林国栋阻拦自己的岳父、岳母不要来北京，虽然他们来不来不取决于他，但是，他毕竟还可以劝说自己的妻子，不让他们来。可是，林国强却在完全不知情的情况下，必须接受一个他以为永远不会见面的“拖油瓶”——陈金巧和前夫的儿子，罗虎。

这个不速之客，来得非常突然，就连陈金巧也一点准备都没有。

陈父到了北京，出了火车站才给女儿打电话。陈父也不废话，更没有那么多事，知道姑爷开出租拉活，既辛苦又忙，就不让女儿舞马长枪地拉扯他了。他和罗虎爷儿俩坐公交车过来。听说儿子也来了，陈金巧愣住了，连忙问怎么回事。一两句话说不清楚，陈父也心疼电话费，让陈金巧先别毛愣（毛愣：毛手毛脚，轻率，不稳重），快告诉他怎么走。陈金巧不得已，告诉父亲自己和国强搬出来了。陈父一听就明白是老婆子欺负闺女了，陈金巧不想让老爹担心，赶紧否认，说他俩寻思跟老太太一起住，怕不方便，就出来了。陈父觉得城里老婆子难惹，却也清楚自己闺女那张嘴，坐了一宿火车，连早饭都没有吃，有什么事见面谈吧。

带着外孙子，按照陈金巧告诉他的乘车路线，坐上公交车，两个人就到了陈金巧的新家。

3

爷儿个见面，没有抱头痛哭那么矫情，金巧摆上准备好的饭菜。陈父爷儿俩饿了，风卷残云地吃完饭。嘴一抹，陈父让小虎到外面去玩，自己给女儿说事情的原委。原来，罗虎他爸这瘪犊子现在的老婆怀孕了，罗虎在家和这娘们戗戗几句，那娘们儿告诉罗虎他爸了。这王八犊子打了罗虎，罗虎跑了。他在苞米地给瞅到了，罗虎说啥也不回去。为了那娘们儿虎子可没少遭罪，那娘们儿怀孕了，容不下孩子。孩子身上都被打青了！他那瘪犊子爹真下狠手啊。前后晌那玩意儿来了，说要把罗虎接走，他没答理他。说到这里，陈父顿了顿，有些为难，但还是说了出来："小虎老可怜了，那啥巧，我寻思着，咱虎子可不能给那瘪犊子啊！"

金巧看着在外面玩耍的儿子，面有难色，她这样，能带孩子吗？先不管林母那里，就算林国强同意，他们现在住的这房子，林国强的收入，能养活一个孩子吗？可是，自己亲儿子，贪上他这畜生一样的爹，她也不忍心让儿子再回去受后妈的虐待。陈金巧的气来了，嘴里骂骂咧咧："我一会儿给那王八犊的打电话。不，我给那大肚子打电话。我咒死她，我咒她那犊子下出来也是个没屁眼的玩意儿。爸，你把那大肚子电话给我，我今给她骂流产了！"

陈父不乐意听："你说这是啥话，别毛愣三光的，咱不干这缺德事。你别给虎子他爸打电话，你更不兴找人家那孕妇！别扯这叽咯了。"陈父问起亲家母的病，知道她"没啥盼，治不好"之后，告诫自己女儿："她是老的，你可不能跟她干仗啊。"还要她伺候婆婆，陈金巧不愿意给父亲讲这几天发生的闹心事儿，拿出钱来，还给父亲一半，嘴里不甘心地念叨，本来这钱都有了。陈父不要，他不用钱。现在虎子来了，让她留着用。陈金巧知道，无论是自己的内心，还是父亲的想法，儿子，是一定要留在这里了。她虽然有些发愁，但是，天生没心没肺的她，倒也没有往心里去，反正国强喜欢自己，实在不行，撒撒娇，说几句好话，哄一哄，也就好了。

要说陈父爽利，那真是到了一个极致。把外孙送到，把事情交代清楚，吃完了饭，转身就往回走，说再晚赶不上长途了，连送都不让闺女送。对金巧的挽留，像没听见一样。

走到门外，陈父把正在外面玩的外孙叫了过来，搂了搂外孙子，抚摸着他的脸，嘱咐他要好好听妈的话，还要听这个爸的话，就转身走了。追出来的金巧，只看到父亲弓着身子急急而去的背影。

4

来了这一个大麻烦，陈金巧必须要跟丈夫说一声。她没有等到国强回来，就给他打电话说了这件事。正在开车的林国强差点没撞到电线杆子上，行啊，他这个老婆真行，可真会玩人，给他来个先斩后奏，生米熟饭？他大叫着，让这个孩子怎么来就怎么走。说完，他一打方向盘，赶回家。金巧还想说什么，林国强根本不听。他急速掉头，往家里开，连红灯都不顾了，闯了红灯就朝前冲。

5

看林国强像一头愤怒的公牛一样冲进来，陈金巧还是有些害怕的。她很少这样在国强面前温顺，任由国强瞪着大牛眼珠子看着她，叫儿子出去，给丈夫倒了一杯水，递过去。

林国强快被气昏了。林国强想给这个疯了的女人讲道理，但是，他那个臭脾气，说出来，就不是在讲，而是在喊。他不是那种容不下孩子的男人，这到底是一种什么情况？他妈前脚把他们轰出来，后脚这个女人就把儿子接来了，她还嫌不乱啊？他主要有两个担心，一个是这小破屋，就这一间屋子半间炕，三个人怎么住？就算像陈金巧说的，可以拉个帘解决问题，他怎么跟他妈说呢？他纳闷，这个女人是真傻啊还是脑袋被门给挤了？陈金巧被他说急了，立即顶嘴，说他的脑子才被驴踢了。林国强使劲拍着自己的额头，想着怎么说服这个女人，一定要把这个孩子弄走。他要考虑他妈，她这病没好就出院，要人伺候。自己老婆和老妈现在的状况，孩子不来她还搞不定；孩子来了，他妈一定认为是这个女人要来幺儿（幺儿：幺蛾子的连读，即要花招、出鬼点子、馊主意）动心眼哪！这还不让老太太闹一个天翻地覆呀！

这些，金巧不是不明白，她爹垫的钱不要了，千里迢迢送孩子过来，一宿都不住，连夜往回赶，不就是为了体谅她现在困难吗？可是，儿子她不能不管，就算她自己养，也不能让儿子回去受继母虐待。她问丈夫，要拿她儿子怎么办。林国强长叹一口气："怎么办，我是没法儿弄了，这家乱套了。算了，二小拉胡箔咱都自顾自吧！"

金巧看林国强的口风松动了一些，就知道丈夫毕竟心软，心中一暖，凑近来紧贴着丈夫："国强，你放心，我知道你会对我们娘儿俩好的，我一定好好跟你过日子，好好伺候你，伺候你一辈子。"甜言蜜语谁都爱听，虽然很肉麻，可是四十岁刚结束了单身生活的国强还是很受用。另一方面，他总不能把这孩子硬赶出去，让他成为一个没有人管的孩子吧？他的良心不允许他这样做。

好吧，既然不能改变，就只能接受，走一步看一步吧，谁让他喜欢上一个有孩子的女的呢？说到孩子，金巧才想起来，这孩子在外边都整半天了，要把他找回来，认他这爹。

不幸福家庭长大的孩子，大都早熟、敏感，八岁的罗虎也是这样一个孩子。习惯了看继母脸色过日子的他，偷听大人的谈话，来了解大人没有告诉自己的一些东西，已经成为他的一个习惯。虽然，这个习惯不好，但孩子并不能自己控制。来到这个陌生的环境，他知道那个怒气冲冲进来的男人，并不欢迎他。姥爷走了，妈妈和这个男人在一起，他本能地害怕，这个男人要是让妈妈不要他，他又要回到那个总打他的爸爸身边。被妈妈赶出来之后，他就趴在门缝里，朝里看着，听着两个人的争吵。虽然好多话他听不懂，但他知道，他们是为他吵架。这个陌生的男人，也会像那个女人一样，把他赶走吗？他很担心，小小年纪的他，紧紧皱着眉头，带着与他年龄不符的忧愁。他跟着妈妈走到这个男人面前，妈妈让他叫爸爸。他叫不出口，他管那个女人叫了那么长时间的妈，那个女人从来都没有把他当成儿子，背着爸爸不是打他，就是骂他。管这个男人叫了爸爸，他会不会也这样对他呢？

金巧看他不叫，怕国强生气，劝了两句还不行，就是一个嘴巴。罗虎哭了，终于叫出一声“爸”！林国强没有敢答应，他知道，这“便宜”孩子给他带来的麻烦，马上要开始了。

6

接下来的几天相安无事。林国强到母亲那里去看望的时候，他不提陈金巧，林母绝对不会问，所以，凭空冒出来一个儿子的事，在林家还是一个秘密。

如果不是故意要把儿子轰出去，林母平常很少跟儿子发脾气的。相反，她是一个很开明通透的老人，知道儿子们都不容易，自己尽量不给他们添麻烦。可也许生活就是由一个个意外构成的，谁也不知道下一分钟，天上掉下一个什么，砸中了你的头。

说不关心儿子，那是假的。林母把儿子、媳妇赶出家之后，一直挂记着，嘴上不说，心中实在担心，老人知道她这刀子嘴豆腐心的毛病，把国强两口子的情况如实向她汇报，包括他们的住址。林母表面上不动声色，早上逛超市的时候，看见有虾，知道老儿子爱吃虾，她就忍不住买了点海鲜，按照老大告诉她的地址，到了那一片平房。她不知道他们到底住在哪里，看到外面几个孩子在玩，就问那些孩子林国强家在哪里住。孩子不知道，却知道陈金巧家。她怎么也想不到的是，这个热心把她带到陈金巧家的孩子，就是陈金巧的儿子；她更做梦也想不到的是，当她推开老三租的平房的门，看到的景象，差点把她气得当下就晕倒在那里。

7

婆婆最看不上媳妇的，除了不能生孩子之外，就是媳妇懒，还指使男人干活。林母推开房门，看到的是下面一幅图景：

陈金巧舒舒服服地躺在床上，嗑着瓜子，看着电视；她儿子国强，在地上撅着屁股给她洗裤衩、背心，旁边的盆子里还放着洗好的胸罩。林母都看直眼了，眼睛一厉，还没有发作，旁边热心孩子的一句话，让她眼前一黑。这个孩子，张口朝陈金巧叫妈。她甚至都忘了朝他们发脾气，只是直直地看着陈金巧，问这是不是她儿子。都到这个份儿上了，陈金巧只能点头。

林母不敢相信地使劲盯着眼前这个女人，她的眼光就像一个幼崽被吃掉的母兽一样，疯狂而绝望。她突然把手里的两个塑料袋狠狠地摔在地上，冲上前把那洗衣盆给踹翻，然后冲到林国强跟前，大声喊着："贱！贱！贱！"

满地都是水，水盆底儿朝上躺在屋子正中央，湿淋淋还带着一些洗衣粉沫儿的红秋裤被撒到了地上，红得那样刺眼；活虾、活鱼都跑出了塑料袋，也在地上疯狂地蹦着。林国强和陈金巧都傻了，面对林母疯狂的行为，不知道该说什么，嘴里只无意识地叫着妈。

林母看都不看他们一眼，转身走了。

8

看着门在林母身后合拢，国强和金巧才从刚才的惊吓中找回了自己的魂儿，两个人连忙追了出去。

胡同里，林母踉跄地走着，微风吹起了她的白发，她的身影是那样孱弱，让人看了心酸。国强从后面追上了她，挡在她面前，给她解释，不是她看到的那样，金巧腰扭了，不能干活。林母根本不信，这太寒碜了，那个女人躺在床上看电视，他一大老爷儿们在旁边洗裤衩、背心，她儿子这么下贱，有短在人家手里还是怎么的？

国强找不到重点，还想解释，他洗的不是裤衩、背心，而是秋裤。有什么区别呢？林母恨铁不成钢，不理他。金巧一瘸一拐地走了过来，都是她不好。让她不要怪国强，林母厌恶地看着她，一顿数落："行，你可是让我开眼了。为了嫁我儿子你说你没孩子，就一村里离婚的女光棍。你能骗得了林国强，可你骗不过我这老婆子。眼前婚也结了，你落听了是吧？现在你如愿了，是城里人的媳妇了，你掰着手指头数数，这刚几天啊！你就忍不住了要把你儿子接过来到城里落户，把儿子接来享福，这两步棋下得真够可以的。我儿子他傻、他贱，他当神供着你还供着你儿子，多好的算盘啊！林国强，你给人家当牛做马我管不了，我也不想管，从今往后你过你的日子，别登我的门。我活着不想看见她，我死了你别让这娘们儿进我屋，你跟她爱怎么搅和就怎么搅和。”

金巧被骂得一句话也说不来，国强一脸委屈无辜，还想解释一下：“妈，你听我说……”林母指着他的鼻子：“谁是你妈，你是我妈！林国强就是个傻蛋，你以后受累活该自找的。”

林母闪身走了，金巧连忙让丈夫送母亲回去，林母一口拒绝，让儿子接着给她洗秋裤吧！林国强两口子再也说不上什么来，只能眼看着母亲远去。

9

在林国强、陈金巧被林母抓个现行的这段时间里，另外两个林家各自发生了一件事，一喜一悲。

老二家发生的是喜事，吴玉华接到了香港富雅医院的电话，告诉他们排队的挂号已经可以预约了。院方告诉他们，这次那位澳大利亚的著名心血管外科医生在全世界做巡诊，香港这一站只做五例手术。这真是一个大好消息，如果能让这位专家做手术，彤彤的病就有希望了。吴玉华想把这个消息告诉丈夫，打他电话，却打不通，电话提示用户不在服务区。

老大身上的这件事，就不那么愉快了。

林国栋还是想劝妻子不要现在带父母过来，他给她打手机，王茜不接；打他们家中座机，王茜母亲接的。茜妈问了亲家母的病情之后，就给林国栋上课：“你和茜茜是两口子，你可要拎清楚，将来你们要过一生。兄弟父母都是亲人，可他们不能和你过一辈子。每家都有每家的生活，孝敬父母照顾兄弟都对，可你要知道自己只要尽力尽责就好。茜茜不在我们身边，我和你岳父把她托付给你。我们老了，没有什么要求，只希望你们俩和和睦睦地过好日子，你们自己的生活才是主要的。我们就茜茜这一个女儿，她日子过好了就是我和你岳父最大的愿望。将来我们俩没了，我们这房子都是你们的。将来在钱上，经济上还有很多开销，要多为你们小家的以后想想，你明白吗国栋？”同样是自己的长辈，又是替自己考虑，林国栋不好说什么，也无从反驳，除了答应照顾好茜茜之外，没有说别的。

这番话茜妈是故意说给林国栋听的。女儿虽然没有直接跟他们说，但是，他们也能感觉到，女儿现在的经济不大灵光。林国栋妈妈又病，他要照顾，要做孝子，没问题，可他不还有两个兄弟吗？大家都是要有份的。当然，如果有条件愿意多出也可以，可别拎不清把家底都搭上。这些，王茜心中有数，她不愿跟母亲讨论这样的话题。她知道父母一直看不上林国栋，因为他家就是个棚户区出身，兄弟三个，家庭大，太一般了。要房没房要钱没钱，果不其然，现在就开始捣糨糊啦。茜爸茜妈觉得那个追求王茜的小胡不错，这个离过婚的林国栋，哪配得上女儿这上海大小姐啊！这个小胡是何许人也？我们后文会有交代，王茜选择了林国栋，自然有她的原因。听母亲又老调重弹，她有些不高兴，起身走进自己卧房，把门给关上。

10

本来一份好心去看儿子、儿媳的林母，惹了一肚子气，气哼哼地往回走。路很远，她舍不得打车，来回都坐地铁，累得气喘吁吁，大汗淋漓，差点虚脱了。她一边抱怨着自己是老废物，走这么点路都不行了，一边拒绝了摩的司机的搭讪，即使只有五块钱，她也舍不得。

她进了家，国栋已经把饭菜做好，等着她回来。林母进来，他站起身，扶着母亲坐在桌子旁，打开沙锅上的盖，给老太太盛鸡汤。

林母的脸还是很绿，一口气给大儿子说了刚才发生的事。国栋可没有林母这么气愤，认为母亲不应该掺和人家两口子的事。林母又一次爆发，她怎么掺和了？她儿子娶这么一个女人她就不乐意："国强一个城市户口大小伙子，全须全尾儿的没结过婚的大小伙子，干吗要找这么一个满嘴跑火车、只知道算计人的娘们啊？而且她还是二锅头、有孩子的主！"林国栋认为自己母亲老脑筋，林母则觉得自己脑筋再老，让女的这样欺负，也是一个楼窝子。她老儿子国强打小从褂子到裤衩自己都不会洗，现在倒好，找个农村的二锅头，当个宝了，连胸罩、秋裤都给人家洗了。这女人也够坏，不是过日子的人。国强在外面累一天了，晚上回来，她不说张罗着做饭伺候老公，自己又吃又喝看电视，让男人洗胸罩、秋裤。这又懒又馋的娘们儿放家里有什么用？更绝的是，她还把她儿子弄过来了，这孩子是谁的？姓什么啊？他不是老林家的人，等养大了，人家会认祖归宗的。疼也是白疼，养也是白养！那娘们儿是亲妈，这老三是后爹，将来人家能养亲妈，能不能伺候老三这后爹，咱们就看不到了。老太太是怕老三让人家当了砖头垫了脚。

林母越说越有气，汤也不喝，饭也不吃，坐在椅子上出长气，却因为身子弱，有些力不从心。林国栋劝不下母亲，就想转移话题，好说歹说让林母喝了一口鸡汤。门开了，这件事的始作俑者，林国强带着他的二锅头媳妇陈金巧进来了。

国强从口袋里拿出了一张纸，递给母亲。这是一张医院证明，证明陈金巧腰部软组织受伤。

这次确实是林母误会了，确切地说，是林母误会了二分之一。

当时，衣服是陈金巧在洗，林国强把电视装好之后，打开电视，刚要看，就听到陈金巧的“哎哟”声，她的腰疼。那天送家具的来了，她帮着搬，把腰闪了。开始没觉咋的，昨天开始有点不得劲。今天一弯腰，可能是时间一长就又疼了。国强给她找了一贴膏药，让她上床，给她贴上。当然，还处在蜜月中的两个人看孩子不在屋里，就趁机调了一下情。林国强小小地占了一下便宜，看陈金巧实在不能动，就决定自己把她剩下的衣服洗完。陈金巧也确实说了，让他放着，可这秋裤泡着，一会儿就馊了，也不是什么大事，林国强就想涮两把，帮她弄出来，也算他疼老婆。没有想到，就在这时候，林母来了。母亲果然误会了，恨铁不成钢地大闹一场，伤心伤肺地走了。

国强知道自己妈特吃心（吃心：特别在意），还外加一根筋，整个一轴妈！光跟她说，她是不会信的，就带着老婆去医院，做了检查，开了一个证明。他故意给老妈说，本来不想带她去看病，让她躺会儿就得了，为了让老佛爷消气，揭开真相，他活都不拉了，立刻带她去医院了。

林母面色缓和，但这不算完。陈金巧把儿子接过来，这怎么说？林国强把陈父送外孙过来的原因又说了一遍。然后小心翼翼地讨好老妈：“这孩子也挺可怜的，咱原来老街坊们都说您心眼好、心肠软，金巧母子俩挺值得同情的，您就别跟她一般见识，她哪能跟您比啊？您要是王母娘娘，那金巧也就是个白毛女什么的。”

国强的这一番胡咧咧终于引来林母一笑。这件事就算过去了，林母再一次重申了一遍要儿子拿出一家之主的爷们儿风范：“你是大老爷们顶家过日子，你要有一家之主大老爷们儿的样，知道吗？”然后，在老儿子拿出她最爱吃的一瓶炒红果之后，了了这件事。国强知道，刀子嘴豆腐心的母亲，也算默认了金巧儿子的到来。

11

吃饭的时候，林国栋终于等到了王茜的电话。

这个上海大小姐，也终于向丈夫妥协，不让自己父母去北京，因为他需要照顾妈。但是，她提出，林国栋很多年没有见她爸妈了，她想让他来上海几天，来看看她父母，然后一起回北京。考虑到母亲的病情，还有家里兄弟们的这些事，国栋有些犹豫，王茜知道以他对母亲的那份孝心，一时也做不了决定，让他考虑一下，再给自己答复。

林国栋知道，妻子的这个提议，合情合理。他是爱妻子的，也明白妻子为自己的付出。本心里，他也想去看望一下岳父、岳母，可是，他放心不下母亲。老三媳妇和母亲这样不对眼，不能指望。他想起了能说会道、办事利落的二弟妹，他想跟他们商量一下，再作决定。

知子莫如母，虽然林国栋什么也不说，林母也知道自己给老大带来了麻烦。听说王茜也来北京工作，他更是沙家浜扎下来了，不走了，林母心中没有高兴，反而是担心。她这老婆子插在他和茜茜中间也不算回事啊！他不能老守着妈，还要去做事，还要和媳妇过日子。

林母要国栋夫妇住回这房子来，因为这是他们的家，这房子是林国栋掏钱买的，他们随时来住，也应该住着。他们在美国住得好，国栋媳妇肯定看不上这里的条件，但她做老的不能装傻装糊涂。不提出来，她寝食难安。

林国栋说什么也不会回来住，他那不是给自己找别扭吗？他让母亲老老实实地养病，房子不房子的就别提了，家比房子重要。

这确实是林国栋的心里话。可妻子王茜那头，也不能怠慢。给母亲打完针，收拾清楚了，他告诉母亲一声，坐公交车就去了二弟家。

12

吴玉华给林国梁打电话时，林国梁正在跟老关在茶社喝茶。茶社的信号不好，电话没有打通。

要老关在这样高雅的地方请客，也是赶鸭子上架，请林国梁去洗浴、吃饭，他坚决不去，夜总会更别说了。这可是一个好男人，家里红旗永不倒，外面也没见有彩旗飘。林国梁对这种明捧暗讽的话丝毫不在意，谁摊上一个这样的女儿，估计也没有心情在外面勾三搭四。他让老关有事说事，他下班最重要的是给闺女做饭。

老关也不绕圈子，从包里拿出一个大报纸包，放到桌上。里面是十万块钱，不为别的，只为彤彤，算他借给朋友的。林国梁当然明白，这钱拿起来，就放不下了。彤彤是他的一切，就算是为了女儿，他也不能走上这条不归路。虽然，里面那厚厚的“纸”，确实很让他动心。

果然，林国梁回家就被女儿一顿抱怨，吴玉华做饭不好吃，彤彤一向只吃爸爸做的饭。林国梁这么晚才回来，公主饿了，说爸爸没有人性。林国梁这个好男人，宠女儿那也是所有父亲的标杆，当下脱下外套，走进厨房，给宝贝女儿做饭。

吴玉华问他下午在哪里，林国梁告诉他老关的事。至于老关想做什么，林国梁非常清楚。老关一直代理着一些名气不大的食用油，他感觉利润不大，看上国梁超市山东品牌的食用油，他想做贴牌，把他的食用油换成人家的牌子，因为他们超市有这家品牌的代理商和手续，掺一部分是很难看出来的。老关肯出这样的价钱，就代表他的利润就有几十倍甚至几百倍。能有这样的利润，肯定要违法，纸终归包不住火，如果有朝一日，老关犯了事，第一个倒霉的就是他。

吴玉华非常赞同丈夫这种做法，虽然，女儿的手术费用，估计没三十万下不来，两口子又为了钱发愁。吴玉华提议把那套房子卖了，用那钱交两套房的首付，等房价涨得差不多卖一套赚一大笔，现在买什么都不如房子保值，房价总是在涨，而现在那套房子房租也就那么一点，根本是杯水车薪。林国梁反对："你光看人家炒房子挣钱，要是赔了怎么办？那套房是将来给彤彤的，你别做发财梦了。"

13

林国栋给彤彤买了一个芭比娃娃，礼物收下了，彤彤连一声谢谢都不说，林国栋不在意，吴玉华脸上有些挂不住。林国栋告诉他们国强的事，老二两口子当然是审时度势，顺水推舟地发表自己的观点，谁都不得罪。

林国栋这个实心实意的人，把自己的来意说了出来。不用说林国栋，就是林国梁，也没有想到，吴玉华竟然大力赞成："大哥，这上海你必须要去一趟。这么多年你没回来，更别说看望过嫂子父母了。人家就这一宝贝女儿，平时是因为你们在美国没条件，现在你们都回来了，不去是有点不合适啊。"知道林国栋担心母亲，她更是人包大揽，痛下决心，一定要以大哥为榜样，她和国梁来伺候妈。别指着老三了，老三整天开车，老三媳妇跟妈那关系，俩人一见面保不准又干起来了。她宁肯请假，也要把老母亲照顾好。

国栋被她的一番话打动得差点热泪盈眶，林国梁一头雾水地看着老婆，不知道老婆葫芦里卖的什么药。

14

母亲的那番话，加上吴玉华态度鲜明、言辞肯定的保证，林国栋终于决定去上海，他给妻子打了电话，具体行程，等他买了票，再告诉她。王茜非常高兴，认为老二媳妇真是不错。

从来不肯吃亏的吴玉华，这样一反常态地大力撺掇林国栋去上海，到底安了什么心，打了什么主意呢？别着急，答案马上就出来了。

第七章　把老太太请出去

我怎么这么命苦，生了三个儿子到头来要被亲儿子送到养老院，我这脸往哪儿搁啊？

1

吴玉华这样做的原因，主要还是因为林母那套房子。

林母这种病，人说没就没了。前面已经说过，林母现在这两居室，是林国栋前妻刘雅娟当年用她的一间平房，加上林家一居室才换了这套两居。而林家一居室则是林父林母的工龄加上林国栋的三万块钱换来的。从法律上来讲，雅娟虽然是前妻，但如果她要的话，最起码得有一间房的产权。这万一老太太……

林国梁对吴玉华这样说他妈，有些不高兴，先不说他妈现在好好的，就是他大哥虽然出钱买了房，可他不是独吞房的那种人。再说刘雅娟，更是少见，从没有提过要房的事。

但凡算计，都是要比别人看得深、看得远。这套房子在吴玉华眼中，是一块大大的肥肉，她不能眼睁睁地看着到手的死鸭子飞了。她几乎每一天都在琢磨这事，当然就比其他人看得透彻，考虑得清楚。刘雅娟不要，她结婚了，她现在的老公能不要吗？那男的吴玉华见过，整个一老顽主！林国梁还是不以为然，老婆不懂法，按照法律规定，老大出钱买房和房子分配没有直接关系。这房子现在是他妈的，除非他妈就要把房给他，这当然不可能，老妈就不管他和老三了？

吴玉华还没有完，她到房产中介打听了，这卖房子还有讲究。就算雅娟、林家老大都不惦记房子，这老太太如果没了，也是哥儿仨平分这两居室。这一套两居室分成三份，每家没多少钱。如果卖房时再少卖四分之一的价钱，三人到手的钱真没多少。至于房子为什么可能会少卖，原因是林母。这买房的人可精了，买房的时候都打听为什么这家要卖房，房子里出过事没。现在林母住在家里，要是她在家里“走”的，这就麻烦了。人家买房的知道家里有老人在这儿去世，要么不买，要么就给极低的价钱。要是那样，就是房卖了，到哥儿仨手里，也剩不下多少了。

林国梁被老婆这种说法吓住了，难道他老婆要把他妈赶到马路上去睡？吴玉华则给他细细算账，彤彤现在排上号了，做心脏手术要几十万。万一手术失败了，将来长大了要安起搏器还不知道要多少钱。这钱哪来啊？她语重心长地跟丈夫说：“做儿女的要孝敬父母，可父母也要想着小的啊。你妈那病就是再花一百万能治成什么样，其实大家都明白，就是不说罢了。这老的要是一走倒省心了，可咱们的日子还得过。我这不是针对你妈，咱们将来没了，这彤彤还要生活下去，咱们不考虑自己，能不考虑彤彤的将来吗？咱们现在还能照顾彤彤，以后咱们老了彤彤怎么办？”林国梁觉得吴玉华是受什么刺激了。不管林国梁怎么说，吴玉华就是铁了心了，要把老太太从那套房子里请出去。

2

她的第一步，是调虎离山，就是先把林家最孝顺、最不放心老太太的老大送去上海。而林国栋去不去上海，她说了不算；甚至王茜说了都不算，只有林母说了算。

所以，第二天一大早，她提前出来，借给婆婆送血压计之名，说服林母，让林国栋离开母亲，去上海。

吴玉华又站在婆婆这边说了一遍老三的事，林母感慨，这老三媳妇要有她一半，她能不认吗？在老太太眼中，陈金巧除了吃，就想着动心眼子。她到现在就没转过弯来老三看上那娘们儿哪了！吴玉华心想，让您喜欢也不容易。您喜欢刘雅娟那样傻的、不动心眼的，也要看您有没有那样的福气。当然，她嘴上还是顺着婆婆说话，并顺势一转，说起大哥的事。打着为大哥分忧的旗号，她把王茜回国，要带父母来北京，林国栋不同意，两个人闹别扭的事告诉了林母。还说这都是因为大哥怕给老太太添麻烦，也怕伺候她分神。而现在，大嫂答应先不带他们过来了，提出让林国栋去上海看看他岳父、岳母。林国栋心里还犹豫，不知道是不是要去。

林母看出来老大这些天心中就有事，原来是这么回事。怕拖累儿子，还是拖累了。听老二媳妇说要请假伺候自己，她赶紧拦住，她好好的，吃吗吗香，不需要人伺候。该说的话说了，吴玉华就不再耽误时间，在林母的催促下，赶紧上班去了。

林母也是一个非常爽利的人，想做的事，一分钟也不能耽误。回到家，当下就拿出了一沓钱，把老大叫过来，让他赶紧买车票去上海。这钱拿去给亲家母买东西，咱不能让人家挑理。她告诉儿子，他要跟媳妇过日子，不要因为她这个老太婆，妨碍了他们的生活。哪有五十多岁整天围着妈转的儿子？林国栋对母亲的举动颇为不解，不明白一大早老太太唱的哪一出。林母不容他再推托，立即推着老大出门，让他订票飞上海。雅娟和这套房子成为她的两块心病，对老大，她也有一些愧疚，老大现在的婚姻要是因为伺候她而出现问题，那她更难受了。

林母还嘱咐儿子，到了上海，那俩老的要是话里带刺，要他可得忍着。不冲别的，冲着人家女儿茜茜。她一定要儿子告诉这个儿媳，从上海回来，要是愿意住家就在家里住。别让人家说，当年出了买房钱回到北京，她老婆子连让都没让。林国栋觉得老妈想得可真多，老妈总提拿钱买房子的事，让他也不舒服。但是，以林母的执拗，他怎么能说服母亲呢？不过好在，二弟妹答应照顾母亲，他可以放心去上海了。

3

在林母的直接催促下，林国栋很快飞到上海。果真如林母所预料的，林国栋在妻子家的滋味真叫个不好受。

人的感觉就是这样奇怪，顺眼了，看什么都顺眼；不顺眼，就哪儿都不顺眼。王家二老，看这个离过婚的女婿，哪儿都不称心。虽然也是美酒佳肴地招待，那滋味却让林国栋如鲠在喉，难以下咽。

茜妈和茜爸不好直接说林国栋条件差，但是不说，又觉得憋得慌。老两口配合着，一个劲儿地夸自己的女儿，说他们家茜茜可不是一般的女孩子，上小学就有电影厂的人来里弄找；如今四十了，看着还三十岁的模样。又问女婿的打算，听林国栋说自己打算先照顾母亲，茜妈茜爸一搭一档、话里有话地说，做老人都明白，经济上不能帮什么，只要不添麻烦就算帮儿女了。他们都有退休金，不需要女儿、女婿的照顾。他们还特意告诉林国栋，上海家庭生活的幸福指数名列全国之首的秘密，就是上海人都顾家，都会过日子，而且都是老婆当家。从领导到富翁，再到平民百姓，都是如此！这每家过日子就是关上门自己过自己的，兄弟姐妹要好，没问题，孝敬父母也没问题。做事要讲规矩，亲情要讲，可除了老婆，没有人会跟你过日子。将来自己上了年纪，能照顾自己的除了老婆，还能指望谁啊？既然不是大款，钱不多，手里的钱就要攥紧，将来养老治病都离不开钱。小林家人口多，孝顺妈妈是应该的，帮助弟弟们也对，但要有底线。这底线的把握还是茜茜掌握，比较合适。

看着林国栋脸上越来越挂不住的笑容，王茜觉得父母的轮番轰炸有些过了，

赶紧打圆场。说父母这样，都成鸿门宴了。两个老人再往回找补，林国栋本来就是一个不会把人往坏处想的人，他理解岳父、岳母的感受，说这家肯定是让茜茜当。一顿饭吃下来，林国栋汗流浃背，比面试工作还要难受。

晚上，王茜和林国栋小别胜新婚。王茜虽然没有说什么，但还是用自己的办法安慰了一下丈夫。另一个房间里，王茜父母则意犹未尽，接着数落这个离婚的女婿，说他带来的东西，是他妈妈给买的，不是烧鸡就是果脯，笑话死了，这高脂肪、高糖分的现在谁还要啊，真是低层次。

4

老大去了上海，吴玉华第一步计划成功实现。她心底暗自得意，表面上不露声色，接着实施第二步。

第二步是让婆婆觉得搬出去，是为儿女作的贡献。这一点，难度很大，但吴玉华生生做到了。她虽然没有学过《孙子兵法》，但她深谙“攻心为上”的道理，想尽办法做通了婆婆的思想工作。

她答应自己请假伺候婆婆，但她知道老太太绝对不会狠下心来，让她不上班、放下彤彤来照顾的。事实也确实这样，林母虽然身患绝症，但要强如她，坚持自理。吴玉华只是隔三差五过来给她量一下血压，检查一下药物的使用情况。这是她乐意做的，因为这样，不仅可以让她实施她的计划，还落一个孝顺的美名，何乐而不为？

这天，吴玉华给老太太量血压时，就发挥自己出色的口才，开始攻老太太的心。对林母这样的老人，最笨的办法是逆着她，最好的办法是哄着她。她最不怕的就是跟她叫板，遇强她更强；最怕就是别人拍她的马屁，俗话说，哄死人不偿命。

吴玉华先夸婆婆的气色，说她身体恢复得挺好，然后夸她有福气，三个儿子仨媳妇，人家羡慕都羡慕不过来。第三夸林国栋，大哥真是带头带得好，全家都指望着大哥了。然后巧妙一转话头，说自己看着大哥都心疼，大哥在美国失业没工作了，现在就靠大嫂一个人上班撑着这家。

林母很惊讶，她不知道老大失业了。这是儿子怕她担心，没敢告诉她。吴玉华看到婆婆上钩，心中一喜，再接再厉。她告诉林母，大哥美国买的那房子每个月都要交按揭，按揭就是银行贷款，每个月交的美元合人民币最少一万多。这真够为难大哥一家啊。现在大嫂要来北京工作，大嫂是女强人型的，来北京的工作肯定是钱多的白领。林母不明白白领是什么意思，吴玉华用非常通俗的语言，给婆婆解释了一下，白领就是不干活拿钱多的人。她担心，大嫂当白领，大哥现在失业不上班，时间长了，哪行啊？南方女人把钱看得比什么都重，而且大嫂当家，大哥不挣钱，别的不说，大嫂要是跟大哥有个马勺碰锅沿的，话能不伤人吗？吴玉华最后总结道："大哥自尊心那么强，我看大哥这样不行，大哥是咱们一家子，别让大哥吃亏。"

林母也明白了事情的严重性，下定决心要让老大去上班。吴玉华用一种暧昧的语气问，大哥去上班，那您怎么办？老太太很生气，这个儿媳的意思是因为她，老大不去上班。吴玉华再一次表现出了自己的开明，她故意说，不能把伺候妈的担子放在大哥身上了，他们要不都轮着来吧。当然，从她开始。林母一听这句话就急了，儿女们上班都不容易，都来伺候她，让她怎么受得了？而且，老三那娘们怎么办？她是死也不认那娘们儿的。况且，她现在还不是废物，老大回来她就让他上班，老二、老三谁也别耽误工作，等她哪天动不了了再说。

吴玉华又拿出一个主意，要给林母请个保姆。林母笑了："别逗我乐了，我这贫下中农找保姆？都是受苦人，我可不会支使人。"吴玉华其实也并不打算给她请保姆，这也是需要钱的。林母明白老大不容易，不仅失了业，还欠了一屁股债，不要让他伺候就好了。看婆婆很生气地说一定要让老大去上班，自己不用人伺候，吴玉华知道，自己的目的达到了。

5

第三步，也是最关键的一步，是要一个人提出来让老太太搬出来。这个人，想都不用想，当然林国强最合适。首先，他是亲儿子，说什么林母都不会真的在意；其次，他口无遮拦惯了，说出什么出格的话来，林母也未必往心里去；第三，也是最重要的一个原因，林家老三的大脑跟吴玉华和林国梁相比，那基本上是原始人与现代人的区别。简单来说，吴玉华要利用林家老三，比支使自己的孩子彤彤还顺手。

吴玉华约国强一起去看林母，要金巧母子一起去，国强一听就牙疼，这个二嫂，真是哪壶不开提哪壶。光一个金巧，他妈还没松口，再加一个，这非常一加一还不把老妈气晕了。那俩还是缓缓吧！国强对二嫂这几天伺候老妈，打心眼里感谢，听说她给母亲拿药，要他去接一下、一起回家，立马答应，打心眼里乐意为她效劳。

6

吴玉华坐上国强的车，两个人往家里走。一路上，吴玉华就把林国强拿下了，而且所有的话，都是要林国强自己说出来的，就算林母或者林国栋要怪，也怪不到吴玉华头上。她是怎么做到的呢？

她先说伺候妈目前的困难：他二哥最近高压超过一百四十了。让他在家休息，他听都不听。彤彤这边做手术的排期也快到了，香港那边的医院天天催着不是要这资料就是要那资料。她还要伺候老太太，真受不了。眼下大哥去上海她盯一阵子没问题，但长此以往也不能永远指望大哥一直伺候妈，人家大哥那边还有大嫂。就是大哥乐意，大嫂乐意不乐意还两说。大嫂不也是要来北京吗？人家大嫂一看，自己老公整天不上班就守着妈，大嫂怎么想？再说了，晚上怎么办？大哥每天陪在妈那儿，大嫂一个人住可能吗？这时间长了非闹矛盾不可。

林国强提议，请一个全职保姆，林母已经否认了，行不通。国强又提出三家轮着伺候，金巧现在还不能入他妈的眼，他们家他来。他不拉活，跑来伺候妈，即使金巧不在意，他妈也肯定心疼他、骂金巧。而金巧也会觉得自己家的经济支柱，三天打鱼两天晒网的，这日子怎么过啊？要是那样，这一大家子又不和谐了。让林国强整天不拉活，也是不靠谱的事。

看来，谁伺候妈这件事，成了林家的大问题。处理不好，大哥、大嫂两人感情就会亮红灯。大哥现在失业，家里都指望着大嫂。房贷、生活都靠着人家。换位思考站在大嫂角度看大哥什么都不干整天伺候妈，这日子怎么过？而大哥不要媳妇也要伺候妈，真是土地爷掏耳朵——㖞泥了。

另一方面，林母那边也愁。林母不想让大哥伺候自己，影响他和大嫂的关系。大哥是个孝子不错，但不能累大哥一人。两个人一致认为，伺候妈大家都要有份，都要尽孝，不能光拖累大哥。

以国强的脑子，真想不出来办法，他是没招了，就等二嫂指示了。他赞美吴玉华，就是《渴望》里的刘慧芳，怪不得妈这三个儿媳妇就喜欢她。虽然他的赞美有些不着调，还是能够听得出来，他是打心眼里感谢二嫂。

吴玉华一看铺垫得差不多了，她不再兜圈子。但是，她也没有直接说，而是说，自己还丢了份儿活哪。她刚在养老院找了个兼职会计的活，还没去几天，就赶上这些日子伺候妈，人家来电话催，她没时间去，把这活介绍给别人了，这事都赶一起了。这句话给林国强提醒了，把老妈送养老院待一段，等家里消停了，再把她接回来。吴玉华故意迟疑："那养老院环境条件是没的说，可这合适吗？"

国强坚持，吴玉华答应跟妈商量一下。国强毛遂自荐，他给老妈说。吴玉华好像又想起什么事，妈要是去了养老院，妈住的房子怎么办？国强大叫一声，这还转不过弯，房子租出去，房租给妈交敬老院的费用，这叫专款专用！林国栋果然这样说，所有的话都说到吴玉华心坎里，她当然点头。

7

可林母一听，当下就炸了。

叫她去养老院，这是放屁。她不用别人伺候。她指着老三的鼻子大骂："我就当没有养过儿子，谁叫你们伺候我了？你们忙你们的，我死也不用你们伺候。你还是伺候好你媳妇吧！"

林国强看向吴玉华，希望她能帮自己说话。但吴玉华开口，却是向着婆婆的，她让婆婆别听国强的，谁说都不去养老院。国强对吴玉华的话很不解。林母眼圈红了："养儿防老，我这倒好，没有得儿子的济，老了要去养老院。老三，这是你那好媳妇出的主意吧？告诉你，我哪也不去，就是死也死在家里。"国强看二嫂指望不上了，就只能自己孤军奋战了。他有些气急败坏："您这都是什么话？我这是为您、为这个家着想，为大哥他们着想。"林母气得差点笑了，把她送到养老院，竟是为她着想？她朝儿子作揖："好儿子，妈谢谢你了。我养你这么大你知道孝顺妈了，知道你为妈着想了，好儿子！妈没白养你啊！"

林母心如死灰，愤而离去。

8

靠林国强这个二百五是成不了事的，吴玉华当然知道这个道理。最关键的一句话，林国强说了；最得罪人的事，林国强干了，他的作用也就完成了，吴玉华就可以做好人劝林母，把这件事干成。吴玉华跟着林母回到家中，继续说服老太太。果然，林母把这件事，又归罪到陈金巧身上，他这个儿子，就是一只白眼狼，娶了媳妇忘了妈，眼里只有那娘们儿。

吴玉华又把话题引到老大身上，她估计是老三心疼大哥，可他又没什么办法，就胡说八道了。然后，她又开始做好人，大不了，她把婆婆接回家，她伺候妈。林母当然不能去，她和老二带着彤彤很辛苦，她不会拖累他们。而且，老大回来，她说什么也不能让他再守着了。但是，老大就是轴，他是为妈可以不要一切的。她不能自己害了老大，以老大的脾气，只要她不死，老大就不会离开她身边。她还没老糊涂，老大是好儿子，她为什么要拖累他呀？她为什么不死呢？她死了老大日子就好了。

林母呜呜哭着，她不承认、不接受也没有办法，看来，也许去养老院是一个让老大解脱的办法。她怎么这么命苦？养了三个儿子，自己却要去养老院，太丢人了。

吴玉华看婆婆吐口（吐口：同意），知道事情已经成了。她劝了两句，也就回家了。回家的路上，她就给丈夫打电话，让他把房子挂到他们熟悉的中介所，寻找租户。

9

林国栋这几天过得很不舒服，一方面每天都要听岳父、岳母的唠叨，接受他们的指责。王茜父母好不容易逮到女婿，几乎每一分钟都有话说，把老两口这些年来的不满，都说了出来。另一方面，他担心母亲，不知二弟妹照顾母亲照顾得好不好，母亲那要强的性子，会不会受委屈。

这一天，他又给母亲打电话，林母让他在上海好好待着，她这里不需要他。林母还特意要他告诉亲家，她欢迎他们到北京来。老太太是真为儿子着想，她嘱咐儿子，一定好好孝敬人家，他跟茜茜结婚这么多年对岳父、岳母没有什么报答。可别因为她，让两老人心里不舒服。

母亲这么说话，林国栋当然不爱听，母亲在他心中，永远是第一位的。他敬爱母亲，更想尽自己最大的努力让母亲晚年幸福。这也是一个儿子应该做的。为了不让母亲担心，他告诉母亲，自己在上海让岳父岳母很开心，都没问题了。林母则让他放心，说玉华请假照顾自己，她现在很好，不需要他。林国栋听着母亲反复让他在上海不要回去，还一再让他改善和妻子一家的关系，好像话里有话，就问母亲是不是有事。林母当然不能告诉他这里发生的事，虽然她这边已经老泪纵横，却以电话费贵为由，赶紧挂了电话。

林国栋感觉到母亲那里有事，就跟王茜商量要提前回家。没待几天就回去，王茜有些不高兴，她爸妈会以为林国栋不喜欢他们。林国栋当然不是这个意思，可是自己妈妈那里有弟妹照顾，而且照顾得挺好的，他有什么原因要急着回去呢？

10

林母答应去养老院了。

看着母亲忧愁而绝望的脸，林国强说不清自己心中的感觉，反正不是高兴。他虽然粗线条，心中还是有些酸，有些涩；而嫂子前后不一样的表现，也让他有些怀疑，自己这样做是否正确。

说好他和吴玉华一起送母亲到养老院，但是，吴玉华临时又变卦，说女儿突然发烧，她要带着去医院，让他把妈直接拉到养老院。吴玉华已经给林母登记了，他们直接过去，报名字就成。

放下电话，吴玉华就给丈夫打电话，告诉他自己马上去中介，中介已经找到租户了，可以马上搬进来。等老太太一走，她就让租户搬进去，这样老大两口子来了，就搬不进去了。妻子安排得这样滴水不漏，林国梁不能说什么，毕竟是自己的母亲，他还有一些不忍，打算晚上给彤彤做完饭去养老院看看他妈。但吴玉华说那有点远，明天白天再去吧，他也就同意了。

于是，在吴玉华的神机妙算中，一切都以一种超现代的效率办理着。就在林国强带着母亲，提着她简单的小包袱，像走向刑场一样赶向敬老院的时候，吴玉华带着租户，看了房子，交了钥匙，让租户入住了。

11

养老院的位置，在六环以外十几公里处，不是一般的远。一路上，林母一句话都没有跟儿子说。林国强说几句话，也是自讨没趣，也就难得地闭了嘴。

这家养老院并不像吴玉华说得那样条件好，软件暂时还看不到，硬件也被夸大了一些。房子是村民盖的三层楼，家具很简单，一些合同上写着的娱乐设备也没有。林国强忍住没有抱怨，他怕自己这张贫嘴，惹来母亲更大的伤心。

养老院院里几个老人无聊地坐在那里晒太阳。管理员带着林母和国强往房间里走，边走边介绍："我们这标准间是两位老人一间房，集中管理，定时用餐。为了老人安全，这里不能随便出院。如果我们没有同意，您擅自出院出了问题我们不负责。"林母没有说话，国强一个劲儿地答应着。

几人来到林母的房间前，管理员推开门。房间里有两张床，一张床上躺着一个行将就木的老妪，披头散发甚是恐怖。管理员指着另一个床位，这是林母的。国强看着躺着的那个老太太，有些接受不了，管理员已经习以为常，这老太太是植物人，在这都两年了！国强要求换房间，管理员为难，现在都满了，等有空床吧。他告诉了林母一些简单的要求，说这被单都是新换的，床头有叫铃，有事按铃，还可以去办公室找他。国强连忙道谢，管理员一摆手转身走了。

林母看了看躺在床上的植物人，坐到床上，此时心中的感觉只有一个，心如死灰。这种心情之下她不说，不问，不要求。国强手机响了，同事通知他去公司开会，不去的话扣二百块钱。国强抱怨着，这也太黄世仁了，一天才挣多少呀？林国强想去开会，妈这里只能先这样了，他让母亲忍忍，这几天就找他们换换房。药在包裹里，要母亲按时吃。林母让他走，表情还是木木的。国强往外走了几步又站住，让母亲没事出去晒晒太阳，别在屋里闷着。林母还是没说话，两眼发直地看着对面的老年植物人。

12

当林国栋终于回到北京，林母已经在养老院住了十多天了。为了省几百块钱，林国栋非要坐火车，王茜这个娇气的大小姐，颇有怨言。出了北京站，林国栋先要去妈妈那里，王茜给他一个电话，她租好了房子，里面家具齐全，可以拎包入住。王茜打车送丈夫到林家，自己直接去酒店报到。

站在门前，提着东西的国栋拿钥匙捅门。门突然开了，里面出来一个陌生的男人。林国栋这才知道房子已经租出去了，母亲不知去向。林国栋出离愤怒，立即给两个弟弟打电话，他这才走了几天，他们俩就把自己的家整没了，让他怎么能不生气？

林国梁手机不通，林国强接了电话，告诉他事情的原委。林国栋二话不说，打车直奔养老院。

林国栋气喘吁吁地跑到林母的房间，林母正在房间看电视。林母很平静，只是说自己来的。但她越是平静，林国栋心中越怀疑。看着对面的植物人，林国栋差点没有哭出来。他拉起母亲就要回家，林母不动，让他不要急，问她儿媳在哪里。国栋没有心情跟母亲说这些，只是催母亲走，母亲有仨儿子，自己住养老院，这算什么事呀？

林母的眼睛湿润了，她仰起头，把自己的眼泪逼回去。她不能再拖累这个孝顺的儿子了。平稳了一下情绪之后，她告诉儿子："妈考虑过了，你们仨都孝顺，可我当老的，有我的想法，有我自己想过的日子，跟谁都没关系。"房子也是她想租出去的，租出去正好可以交这里的费用。林国栋还是不同意，母亲不能待在这里，他的良心不允许。林母把儿子拉着坐在自己的床边，语重心长地说："什么是孝呢？孝就是要顺着老人，你要是听妈话，就要顺着妈。"

母亲越这样说，林国栋越觉得这里面有猫腻，母亲不说，他问那俩兄弟。

13

林国栋回到出租房中，一刻都没有耽误，就把两兄弟叫了过来。吴玉华不请自来，有些事、有些话，丈夫不能说，她能。她的开场白是这样的："大哥，你的心情我理解。照理你们哥仨儿谈事我不应该来，因为我怕你误会老三，老三说的、做的都没有什么歪心眼。我是咱们林家的媳妇，从我的想法上说说，要说得不对，大哥别见怪。"面对这样滴水不漏的话，林国栋能说什么呢？

关于把婆婆送到养老院的事，她是这样解释的："其实妈在哪儿都能养病，

想照顾的话，咱们在哪儿也都能照顾，大不了我们每个礼拜多跑几趟，每星期一家去一次，咱妈身边就有一半时间都有人陪着了，是不是？”

林国栋觉得心里很堵，但面对弟弟、弟妹，他又说不出什么来，他能打保票自己能把妈伺候好吗？自己都不能做到，还要求别人什么？心中的酸楚压得他喘不过气来，一着急，挥手让他们都走。林国强和林国梁好像蒙皇恩大赦一样起身就要走，他又非常不高兴，觉得他们不耐烦说这个事，不耐烦到自己这里来。他用很大的力气才接受这个事实，仿佛为了弥补一些什么似的，他用一种非常沉痛但不容置疑的语气说：“那就说好，每星期每家至少去一次。我见着妈了，她嘴上说愿意，心里头可不痛快。”然而，就是这样，兄弟三人也不能达成共识，老三的工作没谱。吴玉华不想再把事情搞复杂，拍板说他们周六去。老大直盯着老三，国强只好说自己周日去。他自己作为老大，要每天都去。

其余几个人瞪大了眼睛，有几分惊讶，更多的是不信。林国栋也许真的有这个心，但是他有这个力吗？

天天都去，这是跟谁置气呢？吴玉华撇着嘴，一百个不相信：“你那大哥简直是个浑人，不讲理。他爱干什么让他干去吧，你看着，不出俩礼拜，他怎么把这句话说出来，还得怎么咽回去，咱们走着瞧。”说到这里，吴玉华语气一顿，突然想起，把他们叫来，自己老婆倒躲了，真会护短儿。

14

王茜没有来，还真不是林国栋护短儿，有意让她躲了。她今天第一天报到，当然不能请假。这次，她是从美国总部调到中国，负责北京地区胜家快捷连锁酒店的销售工作，走马上任酒店的销售经理。

一切都按部就班，除了遇到胡毕昆，让她措手不及。

在老板办公室遇到胡毕昆时，王茜差点笑出声来。都说电视剧狗血（狗血：情节比较老套、剧情幼稚），其实电视剧表现的只是真实生活的十分之一。生活中，随时会有意外发生，让人匪夷所思的巧合无处不在。

这个胡毕昆，就是王茜父亲提到的那个小胡。不过，现在的小胡已经今非昔比，不是那个永远自称王茜追随者的小瘪三了，人家现在是环球旅游集团亚洲区的首席代表，王茜所在连锁酒店的财神爷。老板特意嘱咐王茜，有机会多和胡先生联系。王茜对这个人，一向没有好感，现在感觉到他以一种暴发户似的得意目光盯着自己，心中更不痛快了。她接过胡毕昆的名片，借口自己还没有名片，不想给他联系方式。可是，这个老天赐给的巧遇，胡某人当然不会放过。他要王茜打过来，存上了他的电话，还说，找时间老朋友好好聚聚。

王茜皱眉，说自己先熟悉一下环境，走出了办公室。

15

但她还没有在自己办公室里坐稳，胡毕昆的电话就打了过来。王茜知道，这个主儿不能得罪，因此，晚上下班后，他们两个在酒吧中，用胡毕昆的话来说，再续前缘。

为了和这个公司的财神爷以后和平相处，王茜小心地把两个人的交谈控制在工作范围内。她大倒苦水，说自己压力很大，美国人觉得她了解国内的情况，对于拓展资源有好处，她是了解国内情况，可是得放权给她，拨经费给她呀，那么多关节要疏通，那么多人得见……老美太自以为是了，老以为什么都跟在他们那儿一样，中国没进入契约社会，还处在人情社会的阶段，这点道理都不懂。

胡毕昆对这些一点都不感兴趣，他打断王茜，单刀直入，说好歹也算故人重逢，要叙旧。王茜笑道，往事已矣，他们应该一切向前看。胡毕昆却认定两个人有缘分：“我对当年耿耿于怀，就觉得这事儿没完，不一定会在什么地方再碰见你，果然，你说这算不算天意？咱俩再坐在这儿一起喝酒聊人生，算不算再续前缘？”

王茜却一点都不想提及往事，她又把话题拉了回来：“你呀，别猜了，天意只有天知道，你没听过吗？人类一思考，上帝就发笑。给我说说你现在的业务情况，我看看咱们能不能一起发点财，我现在只缺钱，别的什么都不缺。”

胡毕昆意味深长地看着王茜，他不缺钱，不想聊这个。王茜有些尴尬，不知道说些什么。正在这时候，电话响了。林国栋问她为什么还不回来，王茜看了看表，确实该走了。但是，面对林国栋的大嗓门，她本能地反感。但还是答应丈夫，一个小时，尽量回到家。

作为成功人士，在昔日甩掉自己的女人面前，那叫一个春风得意。胡毕昆不仅坚持买单，还把王茜送到家门口。顺便批评了王茜租的这个房子，这样简陋是人住的房子吗？

王茜继续尴尬，解释说自己老公的妈病了，这个房子离她近，照顾起来方便。胡毕昆恍然大悟，他现在有点信她缺钱了。问起她的老公，王茜不愿多谈，胡毕昆还算识趣，正色告诉她：“你说的工作上的事，我帮你想着，不过你得给我时间。刚才在酒吧，我是跟你开玩笑，你的忙我一定帮。”王茜感谢，转身想走。胡毕昆不想就这样分手，先伸出手。看到王茜犹豫，他很有耐心，摇摇伸出来的手。王茜抹不开面子，只好让他握了一下。胡毕昆的大拇指在王茜的大拇指上摩挲了几下。王茜抽出手来，没发作，匆匆离去。

胡毕昆看着王茜的背影消失在漆黑的单元楼里，才坐进自己的车。他关上车窗，边发动车子，边得意地唱：“我知道，我的未来不是梦……”他人生重要的一课，一定要补上。

第八章　有钱男子汉，没钱汉子难

每一个家里，都需要一个老实人。老实人总是吃亏，好事儿一件干不着，背黑锅顶雷，一件也跑不了。

1

王茜有点微醺，心中有一种说不出的沮丧。

那两杯红酒还不至于让她这样难受，难受的是胡毕昆话中对她现在生活状态的不屑，以及他抚摸自己手的放肆，当然，更多还是她自己对目前这种状态的不满。当她走到漆黑的楼梯中，这种感觉更是被放大，压得她喘不过气来。因为是老楼，电灯坏了，她用力地拍掌，灯就是不亮。王茜用手机照亮，一步一步小心地向前走，还要不时停下来，躲避楼道里各家放出来的杂物。当她再一次差点踩空，吓得出了一身冷汗时，她差点把手机甩出去，心中的难受到了一个临界点，泪水涌了出来。她大声骂了一声“shit”，朝着那些杂物狠命踢了一脚。东西没有踢出去，脚却踢疼了，这更加剧了她的沮丧。

林国栋正在洗碗，看到她回来，打了一声招呼。她没有理他，林国栋心情也不好，坚持要她说话。她终于找到一个发泄口，积攒的怒气喷薄而出：“林国栋，这不是我第一次提醒你，但绝对是最后一次，你不要在电话里和我嚷嚷！你不能小点声？小点声你就不会说话了吗？在客户面前丢我的人，对你有什么好处？”

林国栋不想跟她吵架，对她这刻薄的话没有理睬。王茜气哼哼地把鞋脱下来，放到刚进屋的地方，因为没有鞋柜，他们所有的鞋子都放在那里，放了一大排。王茜看着不顺眼，看着那一大排鞋，又朝着林国栋嚷嚷：“我就跟你说别租这么个破房子！我们公司给了我租房的费用，凭什么要我住这样的房子，然后拿我的补贴帮你弟弟们交钱？连个鞋柜都没地方放，二十四小时没阳光，就为个便宜，我就得受这份罪？”

王茜没完没了，本来就不高兴的林国栋，也有些气了，王茜这个人，不能共患难。王茜却觉得自己是最委屈的一个，如果不是他，她来这里受这罪干什么？

2

王茜走进卧室，看到林国栋把屋子收拾得很整齐温馨，心中的气消了一些。她知道自己刚才在迁怒，就对丈夫说，自己心情不好。林国栋当然了解她这个坏习惯，他知道妻子今天回来就大吵，肯定不仅仅是为了他电话里声音大或者租的房子差。说不清楚为什么，王茜不想告诉林国栋遇到胡毕昆的事情，敷衍说工作不顺，然后让他找物业安上楼道里的灯。但他们租的这房子，是宿舍楼改的，没物业，林国栋准备自己安上。王茜美国人+上海人的思维又来了，坚决不让他安。而林国栋对她“拔一毛以利天下而不为”这一点，也很不理解。王茜觉得自己很讲道理，自己的是自己的，公家的是公家的，该是谁出就是谁出。如果没有人出钱安这个灯，大家全完蛋就全完蛋，只要不是她一个人完蛋就成。

夫妻俩为这点小事，又话不投机。王茜又换一个话题，要林国栋去找工作。林国栋觉得妻子是哪根筋搭错了，今天就非得找他的麻烦。王茜又翻脸了：“叫你找工作叫找麻烦吗？你看看咱们这日子过的！你一天不找工作，你的弟弟、弟媳妇们就以为我们是在哭穷、装蒜，而且我们需要钱。”林国栋告诉王茜自己的打算，就算母亲在养老院，他也要去养老院天天陪着。王茜惊讶之极，她不明白这是林国栋在向她示威，还是脑袋进水了，养老院是干什么的？为什么儿女要把老人送到那儿去？从来没有听说过，还有儿子天天到养老院去伺候妈的。

林国栋不管，他决定了，这是他妈，他就该伺候，不管妈在哪里。王茜觉得林国栋根本不可理喻，他是个男人，不仅要照顾妈，还要照顾妻子和家庭！林国栋实在看不下去王茜这样胡搅蛮缠了，也把心里话说了出来：“搞成这样是谁的责任？要不是你非得这个时候接你爸妈过来，非得叫我去上海，我妈能跑到养老院里去吗？你以为她愿意去吗？”王茜这才知道，原来他把林母去养老院的事儿赖到她头上，真是可笑。气愤之下，她口不择言：“谁知道你们家人是不是吃错了药？你自己搞不定你们家的事情，把这些问题怪罪到我头上，你算什么男人？推卸责任，转嫁问题！”林国栋则直接说她添乱、自私。

听到林国栋这样说自己，王茜觉得这太荒谬了。她把自己攒的钱给他妈治病，她把公司给她的住宿费用给他妈治病，她为了他调到国内来，她养活他，她这样叫做自私？她真是瞎了眼了，嫁给他干什么？

王茜起身就下床，抱起枕头和被子走出屋子，重重摔上门。林国栋跟着走到外屋，看着她在沙发上搭床，躺下。他打开灯，什么也没有说。王茜用脊背对着他，林国栋瞪了她一会儿，转身回去。王茜幽幽地说："你能给我幸福吗？我都多久没笑过了？"林国栋在门口停了一下，还是走进屋子，轻轻关上门。

王茜和林国栋，这个晚上，分床而睡。

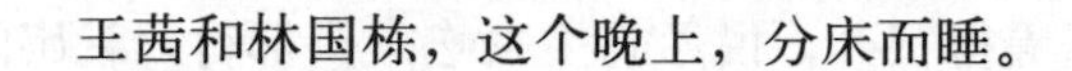

3

如果说林国栋和妻子的吵架，还是人民内部矛盾的话，那么林老三家的罗虎小朋友和他同学陈磊的干仗，则已经走出林家，走向城乡差别了。

陈金巧要养自己的儿子，必须要做的，就是送孩子上学。她用父亲留下的钱，给儿子选了一所比较近的学校，交了学费之后，这笔钱就用光了。而林国强因为伺候母亲，这段日子落下了很多班，挣得本来就不多，现在又多了一张嘴，经济上更是入不敷出。陈金巧对自己的吃穿用度倒没有什么意见，只是儿子跟着自己受屈，她接受不了。

就像今天早晨，一家三口吃完饭，陈金巧给罗虎穿衣服，给他背上书包，打发他去上学。罗虎并不愿意上学，嘴里嘟嘟囔囔，说自己讨厌上学，上学根本没用。陈金巧对儿子虽然没有十分强烈的欲望望子成龙，但她明白，孩子不上学是没有出路的，自己没有好好上学，给孩子做了一个不好的榜样，她有些不好意思。但她不赶趟了，得把儿子整明白。

林国强也收拾好了，准备出车，陈金巧叫儿子跟他爸打招呼。这个"爸"，罗虎怎么都叫不出口。强扭的瓜不甜，看着陈金巧对儿子吓唬加威胁让他叫自己"爸"，林国强比他还难受，赶紧说不用了。他问媳妇儿，还有没有钱花。陈金巧翻口袋，掏出一把零票，林国强挥了挥手，要她不要哭穷了，转身从柜子抽屉里拿出一百块钱，递给她，这是这周的生活费，对于一家三张嘴来说，少了点。数着米粒儿下锅，兴许够。但多了，林国强真拿不出来了。

陈金巧看着丈夫放在抽屉里的那盒子钱，眼中有质疑。林国强却很认真地告诉她："这个可不能动，那是我攒的份儿钱。每天回来都要把当天拉出来的份儿钱放这个袋子里，剩下的钱才可以花，到了月底就没那么闹心了。"这是一个的哥的生存智慧，是生活摔打出来的。陈金巧不是不明白，但她是真想花钱，她想给儿子添置点新衣裳。林国强却要她先忍一忍，熬过这个月再说，他这儿一脑门子官司。陈金巧不是不明白丈夫的处境，但是，儿子穿得有点砢碜了，她受不了。林国强不以为然："我们家当年一套衣服哥仨儿穿，加上我那俩哥能造，衣服穿到我这儿都抽抽了，我妈有句名言，干净就行。”

陈金巧不乐意，现在又不是林国强小的那会儿，穿这样，小虎要遭人笑话。林国强还是强调下个月，他给自己媳妇两个选择，一个，忍忍，再寒碜半个月；二个，交不上份儿钱，寒碜一辈子。陈金巧虽然理解，心中却有气，说晚上吃熬白菜，抠也不能只抠小虎的！林国强看得很开，说了句主食吃窝头都行，就出门了。陈金巧一看都快八点了，小虎快要迟到了，赶紧催着他出门。

4

罗虎不愿意上学，一方面是他原来的父母不怎么管他，他学习成绩并不好，这里老师讲的，他根本听不懂；另一方面，是因为他来自农村，被城里的小朋友们排斥。

上课他不敢回答问题，他有浓重的东北口音，只要他一开口回答问题，同学们就学他，笑话他。他穿的还是从老家带来的衣服，又洗得有些发白，加上他长得虽然虎头虎脑，但比较黑，更显得有些土。以班里小霸王陈磊为首的其他孩子，给他起了个外号：土鳖。

弄明白这个词是什么意思时，罗虎感到受了很大侮辱，他在课堂上走到陈磊跟前，把他推倒在地上。陈磊被他吓了一跳，哭了一声之后，就扑过去，跟罗虎扭打在一起。老师非常生气，快步走过去，把两个人分开。罗虎和陈磊都气咻咻的，谁也不服谁。老师把他们叫到办公室，狠狠批评了他们一顿，还要他们写检讨，在班会上让他们两个做公开检讨。

两个人的梁子从此结下。陈磊仗着自己家里有钱，结交了几个高年级的坏孩子。他咽不下这口气，纠结这几个孩子，把罗虎叫到一个僻静的胡同，狠狠打了一顿。从小就非常倔犟的罗虎，虽然被这么多孩子打，却拼命咬牙忍住，就是不哭。他越是这样，几个大孩子越打得狠。除了怕老师看到，不敢打他脸，他们下手很重，把罗虎压在地上，拳打脚踢。

看看打得差不多了，一个大孩子威胁他不要告诉老师和他爸妈，就一窝蜂地逃走了。罗虎捂着肚子坐在地下，看到他们走远，忍不住哭了。他哭得很伤心，一个人从他身边走过，冷漠地看了他一眼之后，继续走自己的路。罗虎看着这个城里人远去的背影，停止哭泣，脸上涌现出一种倔犟的神情。他站起身，四周看了看，捡起一块砖头，藏在了自己的衣服里。

罗虎揣着砖头就来到教室，径直走到陈磊的背后，用手里的砖头向他脑袋顶拍过去。陈磊当时就被打哭了，一道鲜血从陈磊的额头上流下来。全班炸窝，老师吓呆了，过了好久，才想起拨打120。

5

陈金巧接到老师电话，当下就吓傻了。她一阵风似的冲到老师办公室，看到眼泪涟涟低头听训的儿子，上去就是一巴掌。罗虎躲都不躲，陈金巧更来气了，劈头盖脸开始训儿子，说他不听话，是惹祸精，她一定饶不了他，好好教训他。老师忙拦着，不让家长打人。正说着，陈磊的家长来了。

来的是陈磊的母亲，一看就不是善碴儿。手上的金戒指、脖子里的金链子，晃得人眼花。她进得屋来，看见罗虎，就朝他招呼起来。陈金巧连忙笨嘴拙腮地道歉，一边护住儿子，但是，这女人咄咄逼人，得理不饶人，陈金巧招架不住，不知道该怎么办。罗虎看着母亲，忽然脱了自己的上衣，露出了红红绿绿数不清的淤青，这些都是陈磊带人打的。陈磊母亲不承认，罗虎立即起誓，说瞎话的不是人。陈金巧心疼地看着儿子，眼泪差点流出来。她抚摸着儿子身上的伤，竟然在办公室里就鼓励儿子："打得好！打死他狗日的！"其他人目瞪口呆，真是什么样的妈就有什么样的儿子。陈金巧心疼儿子，还不解气，回头对陈磊母亲说："你等着，我跟你没完！"

陈磊妈也清楚自己儿子的品行，罗虎说的，八成是真的，要不然，就凭这个野孩子，不是被欺负急了，有几分胆子给自己儿子开瓢儿？孩子打架，要是大人不跟着掺和，那就叫没事，于是，她赶紧说她儿子的医药费自理，将来让孩子互相道个歉，这件事也就算完了。陈金巧人虽然粗，脑子里面的沟回也不算多，但她也知道，毕竟自己儿子也给人家开了瓢了，当下也就不说什么了。

谁家孩子谁心疼，陈金巧看着儿子身上大大小小的伤痕，眼泪止不住往下流。八岁的罗虎也哭了，他只是问母亲，自己到底有什么不好，爸爸不要他，妈妈也不要他，同学们不喜欢他，还叫他土鳖。陈金巧给儿子擦干眼泪，又擦干自己的眼泪，带着儿子，拿起林国强的份儿钱，直奔商场。她要给儿子买新衣服，她要儿子穿得比他们都洋气！

罗虎新上任的爹林国强听说了这件事之后，那叫一个感慨良多："你儿子够狠的，这要我对他不好，养大了，不得宰了我？"陈金巧对儿子的评价还算中肯："这孩子从小受过罪，心重，比别的孩子懂事早，有尿性（尿性：一个人有个性，做事很特别），不尿。可是有恩报恩，有仇报仇，光明磊落。"

林国强对这个狼性儿子的感觉还在其次，他更在意的是，这东北老娘们儿为了安慰她儿子拿了自己的份儿钱，而且是一千多块，给儿子买衣服。他朝着陈金巧喊了起来："你疯了！这离月底还剩几天？你让我拿什么交份儿钱？我说的话是放屁吗？什么叫不能动？你知道我得多长时间拉出一千多？"林国强发怒也可以理解，这小屁孩子打一架，他就该一星期不吃不喝？陈金巧当然不服气，她还给他妈交住院费的定金呢！她的孩子，她不能让他受委屈，这孩子没爹，不能再没妈！这疯女人买好，却由他来买单！林国强一扔饭碗，自从他娶了这个女人，一天消停日子都没有！陈金巧丝毫不示弱："林国强，你别逼我看不起你，你娶了我，那小虎就是你儿子，他让人打了，你连看都不说看一眼，倒是几个臭钱你心疼上了，你要这样，我跟你干什么？"林国强拍桌而起，关于这个孩子的后账，他还没有找呢，还轮到她来说三道四？

两个人急眉咔嚓眼地就要打起来，罗虎忽然从里屋走出来，他光着膀子，并没有穿他的新衣服。他走到林国强跟前，用一种明显不是他年龄的语气跟他说："你别跟我妈吵，花了你的钱，你记着，我长大还给你。你要不解气，你打我一顿！"

看着孩子身上的伤，林国强也心疼了，他放低语气问几个孩子打他，罗虎回答六个。林国强抚摸着小虎身上的伤，问他还疼不疼。罗虎难得乖巧地说不疼了。林国强忽然笑了，比哭还难看："真有种，长大了真不得了，赶紧把衣裳穿上吧。"他走到冰箱前拿起一小瓶二锅头一饮而尽，擦了一把嘴，说："小虎啊，答应我一件事，别找那几个再报仇了，我赔不起。"

6

早上起来，林国栋给妻子做好早饭，给她留了一个条儿，就来到养老院。他好像没有看到对面床铺上那个植物人，非常有耐心地给母亲打来热水，让她泡脚。泡完脚之后，又给她剪脚趾甲。

儿子这样陪着自己，照顾自己，说不高兴，那是假的。可是，说不担心，那也是假的。林母知道，自己的身体是一天比一天不中用了。前两个月还能自己弯腰下去，现在一弯腰，两个肋叉子就岔气，她不能这样老拖累着这个孝顺的儿子。她告诉儿子，自己在这儿行，这儿挺好的。她没事儿出去唠唠嗑，看看电视，也不用干什么。他一个大老爷们儿，老在这儿耗着，什么用都不管。林国栋说自己喜欢来，林母说这是废话，要是喜欢干什么就干什么，那人生就圆满了。她喜欢唱京戏，能上长安大戏院唱去吗？她郑重要求儿子去工作，他在自己这里耗的时候不短了，王茜同意吗？

林国栋当然不会给母亲说自己和王茜之间的问题，报喜不报忧，是他对母亲一贯的做法。但知子莫如母，林国栋打小不会说瞎话，说瞎话就揉鼻子，林母一看，就知道他在骗自己。林国栋有些嗔怪母亲哪壶不开提哪壶，林母却非常理解儿媳妇的想法："这年代不同了，女人和过去的也不一样了，不讲究从一而终。你能有这份心来妈这边，妈已经够高兴了，可是你，该干什么还得干什么，不挣钱、没钱，谁跟你啊？孝顺能当饭吃吗？不能指望着女人挣钱养家，男人有男人该干的事。"最后，林母郑重警告儿子："有钱男子汉，没钱汉子难！你是我儿子，你也是她丈夫，只顾一头肯定不行，一来二去，老婆会跑的，要真闹到这份儿上，你说你这算孝顺我吗？不是急死我？"

7

母亲的苦口婆心，林国栋怎么能不知道？他知道，自己这段时间，对妻子是有些疏忽怠慢了。从养老院回来，他买了几个妻子爱吃的菜，打算给妻子赔罪。王茜面对新工作、新环境，压力很大，回家很晚。因为租住的房子离单位较远，她还要做公交车上下班。北京的交通状况，真让这个上海大小姐开了眼界，每坐一次，都像打一次仗。这种状况下回家，她的心情可想而知。即使知道丈夫心中愧疚，专门向她负荆请罪，她还是气不顺。看着丈夫鞍前马后地伺候他妈，也不找工作，她的气就顺不过来。

对丈夫的主动示弱，王茜只有一句话："早知今日，何必当初？"林国栋不以为忤，他认为亡羊补牢，犹未为晚。他主动反省了自己这段时间的表现。看林国栋总算说了句人话，王茜的气消了一些。她告诉丈夫自己要去养老院看望婆婆，虽然是到那里工作，顺路去看看，也算是她有这个心。林国栋建议她周末过去，王茜拒绝，她不要见他那厚颜无耻的弟弟和弟妹。林国栋当然不爱听，但关于他的那些家人，王茜直接告诉他，自己一句好话都没有。

8

因为林母对王茜的误会和排斥，林国栋和王茜结婚五年多了，王茜和婆婆见的面用五根手指头都能数得过来。这次见面，两个人还算愉快。其中原因，第一，因为刘雅娟原谅了林国栋，雅娟这一页既然已经掀过去了，林母再介意这个儿媳妇就是找儿子的别扭了。第二，则是林母担忧大儿子这段时间因为伺候她而与媳妇闹别扭。所以，林母并没有端着长辈的架子，挑这个媳妇的眼，她开诚布公地对王茜说，过去的事儿，让它过去算了。见王茜答应了，林母很高兴，就顺着做婆婆的思维习惯，对这个儿媳提了一些要求。林母有一种预感，大家一起生

活，加上她又有这种病，以后这几个儿媳见面多了，事儿也就多了，有些话，还是说到前头好。

她的话，软中带硬，带有她这种年纪长者特有的智慧，让人无法拒绝："你是大嫂，家里很多事你得费点心了，记着一件事最要紧，这个家人心要齐，不能自私。对待兄弟姐妹要照顾，他们不像你，都是粗人。你不能和他们一般见识。"

王茜应下，婆婆说的是心里话，句句在理，她没有反驳的理由，更没有必要。她低下头去，掩盖了自己心中那一抹不以为然。潜意识里，她这个出身上海留学美国的大小姐，是看不上这一家子人的。无论是两个小叔子对自己家钱财的算计，还是婆婆对自己的排斥，她都深深不以为然。她是一个学识深、见过世面的精英人士，跟这些人计较，无疑会降低了身份。但是，有些事，是一定要弄清楚的。

当时，她和丈夫正在陪着婆婆在院子里散步。她装作不在意地问婆婆，是怎么知道这里的？当听到是吴玉华在这里当兼职会计，并且出租房子的事也是她一手操办之时，王茜此行的另一个目的达到，她别有深意地看向丈夫——婆婆来养老院，当然不是因为她！她这样做的动机也很有美国特点，她不能被人算计，更不替别人背黑锅！

可是，老天总是这样不讲理，越老实的人，越给他找事。就在老实人林国栋跟妻子陪着母亲散步时，吴玉华打来电话，说钱建功知道林家房子租出去了，要找他们要钱。

吴玉华打电话给林母，是要问刘雅娟的电话。刚开始，吴玉华对林母撒谎，说找刘雅娟给女儿辅导功课。林母一听，就知道她在说瞎话。不得已，吴玉华只好实话实说，说要找刘雅娟把钱建功领回去。林母当然不能把善良的雅娟牵扯进来，钱建功还不把她给吃了？她让吴玉华过去，她知道这个媳妇不怕钱建功。同性相斥，吴玉华本身是一个伪装的泼皮无赖，遇到钱建功这个明目张胆的泼皮无赖，见面就掐，而且都恨不得置对方于死地。吴玉华当然不会去找这种不痛快，她借口说自己再去，这个月的奖金就没了。林母无奈，只好让林国栋过去，并让儿子告诉姓钱的："欠他们家的，咱们家还，一分也不差他的！"

9

钱建功之所以知道林家把房子租了出去，而且还知道租了多少钱、租给谁了，说起来真有些巧。也是活该林家人麻烦，钱建功这个臭棋篓子，平常没事的时候，就爱在小区附近的街心花园下象棋。这人下棋还有一毛病，他老先生不下棋，就爱看别人下；看别人下，还非要在一旁咋呼，指挥完这个，指挥那个，非常讨人嫌。这个毛病他自己不以为耻，反以为荣。闹得下棋的人跟他急，他反而很高兴。

今天，同往常一样，他把一个下棋的老头“指挥”走之后，跟老头的对手聊上了。这个人姓孙，就是租住林母房的租客。老孙看钱建功是这个小区的住户，还是邻居，就实话说了自己租房的一些情况。他万万想不到的是，这个说话风趣的老北京人，会拿着棍子欺负到他家里来。

钱建功是什么人？没事还要找事，现在知道别人拿着他老婆的房子发财，他的眼睛都要绿了，怎么讲？给丫兴奋的。

钱建功回去先找刘雅娟，他知道这个女人绝对不会跟自己一起去找林家的麻烦，但是，他就是要把事情说给她，让她生气，自己先痛快一下。

钱建功早打听了，养老院一个月最多两千，房子租金是两千五，多出来五百，一年就是六千，顶刘雅娟干两个月啦！他也是一个讲理的人，别的不说了，这六千，怎么说也要给她吧？这房子有她刘雅娟的一间，他们老林家出租了，言语一声会死吗？很明显，林家人根本没有把她刘雅娟当盘菜，而是把她当甘蔗渣子，让人家嚼烂了，一口吐到地上完事。

他指着刘雅娟的鼻子，恶毒地说：“树不要皮，必死无疑；人不要脸，天下无敌。真他妈好打算，他们家怎么就能找着你这样的儿媳妇，把剩余价值都榨光了，才把你一脚踢出门去？”

刘雅娟没有被他这样难听的话吓住，但一向把林母当成自己母亲的她，怎么能让钱建功这样说林家？她让钱建功不要管人家的事，不要这样穷疯了似的去闹。刘雅娟无奈之下的反驳，让钱建功的怒火更旺！打狗还要看主人，把他老婆的房子随便拿出去发财，这也是骑在他钱某人的脖子上拉屎，他怎么能咽下这口气？那就来看看，谁比谁厉害。

于是，第二天，他手里拖着一条棒球棍子，就到了林家。敲开门，他大摇大摆地走进去，要跟老孙商量商量房子的事。老孙是从中介非常正规地租的这套房子，当时看了房产本，和眼前这个姓钱的男人没有关系，他当然不怵这个上门找碴儿的人。

钱建功不慌不忙，坐在沙发上，跷着二郎腿，吐沫星子横飞地说：“孙哥，我是讲理的人，房产本儿上是没有，那是我媳妇傻，让他们给利用了，可是您现在就可以给他们打电话，问问他们有没有这么回事儿。他们要说没有，我这就滚蛋，买把菜刀把他们家人全剁了；他要说有，那孙哥，你得帮我做个见证。”老孙不愿意惹麻烦，让他走。钱建功扬扬手里的棒球棒，要给老孙："这棒子是给您预备的，您拿去，照我头一棒子，我就再也烦不了您了，来来，您打，您打。"老孙吓坏了，当然不能打他。钱建功得意扬扬："不好意思，就两条路，一条是您帮我找林家人，一条是您打死我。当然您叫警察也可以，不过我最多算入室，我什么也没干，拘留两天我还来，这个不管用。"老孙惹不起这个无赖，怒气冲冲给租给他房子的吴玉华打电话。

吴玉华一听这件事，一个头两个大，想让老孙报警把这个无赖弄走。老孙不惹这麻烦，要吴玉华必须给他一个解决办法，否则，就要把他们告上法庭。吴玉华这才想找刘雅娟。

10

母亲发了话，林国栋再不想去，也要过去解决问题。王茜和林国栋两个人打车一起离开。王茜恨铁不成钢，她这个老公，真是厉害，好事儿一件干不着，背黑锅顶雷，一件也跑不了。林国栋不觉得自己给母亲办事是背黑锅顶雷，反倒对妻子来这里找母亲求证耿耿于怀，说她心机深沉，很可恶。王茜气极，就要在四环路上下车，把出租车司机吓了一跳。

司机说："姐姐，这是四环路，你不要命，我还要钱呢。"王茜无奈，只恨自己丈夫不开窍，别人都是娶了媳妇忘了娘，偏偏他不一样。他的弟弟、弟媳妇毫不犹豫地花他大嫂的钱，还让他大嫂背黑锅！他要是帮了她一点忙，她至于去找婆婆问情况吗？她毫不留情地质问丈夫："你只会和自己的老婆怄气，遇到别人，谁都把你当傻子！你不觉得你很可悲吗？"

林国栋一点也不觉得自己可悲，只觉得王茜在舍本逐末。他是国梁和国强的大哥，很多事只能他管，他也必须管。除了钱、面子，他更看重这个家！即使他们都是一群不懂事的浑蛋，她也不能跟他们一样不懂事，因为她是大嫂，他们是一家人。王茜也怒了，她可不想要这样的家人。他们太坏了！租房子的时候冲在前面，遇到事情躲到后头。出租房子的事他一点也没参与，凭什么要他去处理？她是向着他，保护他，革命队伍要是出了叛徒，还得枪毙呢，家里有这样的坏人，也不能放着不管。顾家也不能无原则的一团和气！

林国栋当然听不进去，他觉得王茜同这些弟弟一样，都是在给他找事儿。王茜接到公司的电话，要她回公司。她不放心丈夫这个老实人，单独去见那个姓钱的，就给他说了三点原则："第一，不能听你妈的，见到那种浑人，你不能服软，说什么赔钱退房子之类的，这种人欺软怕硬，实在不行就揍他，赔他医药费都认了，总之不能让他看出你好欺负；第二，不要顾着你前妻的面子，你们俩的事我不想管，和我无关，但是你不欠那个姓钱的；第三，不许答应他任何条件，一分钱也不能给他，否则他就看出便宜来了。”说完，王茜下车，出租车继续向前行驶。一直在听他们吵的出租车司机却是站在王茜一边的，说他媳妇脑子快，也懂事，要他听媳妇儿的，亲兄弟明算账，因为老实人都吃亏！

林国栋无语。

11

妻子的话，林国栋听进去了，也记住了。但是，做起来，那又是一回事。林国栋面对钱建功这样的无赖，那才真正叫秀才遇到兵，有理说不清。

林国栋鼓了鼓勇气，敲门进屋，钱建功正跟老孙白话得欢着呢。他什么都懂，白话起来，一套一套儿的。比如，他说唱戏：“老生还是得听于魁智的，那腔儿地道，嗓子亮，余韵长。我那儿有盘他的带子，你要喜欢，哪天我给你拿来。”老孙忙不迭地拒绝，就这位马王爷，有多远躲多远吧！

钱建功见来的是林国栋，就知道今天这件事，成了。他大大咧咧站起来，还笑着跟林国栋打招呼，称呼他林先生。然后，一副老神在在（老神在在：从容）的神情，跟林国栋开门见山说房租的事。

林国栋这笨嘴，三张也说不过钱建功。他好言好语跟钱建功说，房租的事，可以签合同，现在要他先离开这里，他们可以找个地方说。钱建功当然不干，他说什么也不走，只要他不走，林国栋就拿他没有办法。

钱建功提出了要房租的方法，林国栋不同意。钱建功来气了，越说越多：“光帮你养活儿子就养活了十来年，北京这物价指数十几年涨了多少，你那抚养费，添过吗？当初你说带你儿子去美国，说了半天又不去了，谁在旁边劝你儿子想开点？是我。我这房子要回去，过几十年我死了，最后落在谁手里，还不是你儿子？里外里你全不亏。你总不能让我又帮你养儿子又帮你养妈吧？我也有妈，也等着我拿钱孝顺呢！”

林国栋气得哆嗦，却一句话都说不出来。钱建功还不解气，还想说什么，有人敲门，老孙气咻咻地去开门。门开了，刘雅娟站在门口。

刘雅娟知道钱建功这个人什么都做得出来，今天下班后，她赶紧回家，一看钱建功不在，就知道坏事了。她立即给钱建功打电话，老钱一看是她的电话，按掉了没接。刘雅娟知道，钱建功肯定在林家，于是就直接过来了。

12

林国栋和钱建功看到雅娟，都吃了一惊。

雅娟看都不看林国栋，直接要拉着钱建功回家，这样闹还要不要脸了？传出去在这小区怎么活啊？钱建功早就把脸卖了，当然不在意，怎么不能活了？欠钱的活得都好着呢，要债的没脸活了？他要刘雅娟快滚，当众威胁她，再来劲就抽她！

钱建功作势要打人，林国栋再也不能视若无睹，他挡在两个人中间，说自己回家跟家人商量一下。钱建功不依不饶，要林国栋现在就答应。林国栋看着刘雅娟难受的样子，再看着钱建功的无耻嘴脸，一咬牙，就答应了。

钱建功也看了看雅娟，又看了看林国栋，心中更加不舒服，他觉得林国栋是在给刘雅娟面子。他让老孙帮忙找张纸，要写一份欠条，大意是林国栋欠刘雅娟六千块钱房租，让林国栋签字。老孙早就对他厌恶透顶，不管他。钱建功凶相毕露，就要打老孙。林国栋不愿意把事情闹大，就客气地跟老孙借来一张纸和一支笔，让钱建功写。钱建功写完，林国栋签字。

一旁看着的刘雅娟感到无比羞愧，泫然欲泣，钱建功的脸色更冷了。他拿着手中的欠条，冷笑着对林国栋说："行，白纸黑字，我等着你啊。要账号吗？我可以发你手机上。"林国栋说不要。钱建功无耻地笑。狠狠剜了老孙一眼，大摇大摆走出门。

雅娟跟着他走到门口，回过身，对老孙说了一声"对不起"。林国栋看着门关上，也道歉。老孙却得理不饶人，嚷嚷着他们之间的事情还没有完，林家凭空给他添了这么多麻烦，他要求赔偿。林国栋实在怒了，放下一句"随便"，甩门而出。"咣当"的摔门声把老孙吓了一跳，看着再一次重重合拢的门，他大声骂："一帮强盗！"

13

刘雅娟和钱建功出了林家门，刘雅娟扭头就往反方向走，她实在对钱建功厌恶到了极点，仿佛再看到他，她就要吐出来。她不跟他回家，头也不回地朝学校走去。钱建功没有拦住她，一口口水吐在地上，骂了一声："贱骨头！"

第九章　跟你没完

> 这个世界到底怎么了？平平安安、高高兴兴地活着就那么难吗？我谁都不想为难，可是怎么最后谁都得罪了？

1

让王茜担心的事，真的发生了。是林国栋故意跟老婆对着干吗？当然不是。是林国栋不明事理不知道钱建功是一个浑蛋吗？当然也不是。那他为什么要给这个浑蛋签字画押，同意给他六千块钱呢？

林国栋是心疼雅娟，他本来就欠她的，现在看着她为了自己和自己家人，差点被丈夫殴打，他怎么能无动于衷？回到家，趴在床上，他的脑海里还不断回想着雅娟和钱建功拉扯的画面，他的心被扯疼了，忍不住轻声呼唤一声"雅娟"。

正在这时候，王茜打来电话。林国栋一听她张口问钱，感到非常厌烦。他语气非常生硬地拒绝了她的询问。王茜气极，她刚忙完工作不放心丈夫才打电话问一下，却是这样一个结果。她以更横的态度，让林国栋跟别人厉害去，就摔上电话。

王茜正气恼，胡毕昆过来找她，要带她去见华西集团的赖总，这可是资源。附加上谈完事，可以免费体验赖总的SPA中心。先不说SPA可以放松一下身体，更可以排解王茜的怒气，对王茜有一定的吸引力，就是胡毕昆打着工作的名头，她就不能拒绝。所以，她暂时放下这些乱七八糟的事，跟着他去享受。这一去，回到家已经深夜了。

要说林国栋不在意，那是假的，可谁让他现在要靠老婆养活呢？所以，他没有说什么，自己做了自己的饭，正准备吃的时候，来了一个不速之客。

2

来的人是吴玉华。

话说这个女人虽然自私、虚伪甚至还有些恶毒，但是不得不承认，她是真操心。无论什么事都要反复思量，算计得滴水不漏才放心。这当然不值得表扬，可是，生活中很多这样的人，是这样矛盾而痛苦却又自得其乐地活着。

钱建功为了房子去闹，她总是放心不下。听说是林国栋过去处理这件事，她就预感到不好。下了班，秉着不空手进别人家门的习惯，她买了一些熟食，直奔林国栋家。

林国栋果然有些受宠若惊，对她的关心，非常感谢。他一点也没有想到，或者说没有在意，出租房子、送母亲去养老院，是这个弟妹一手操办的。现在出了事，她却把头缩回来了。吴玉华又拿出自己女儿这个通杀的借口，说自己不去，是心疼那几块钱，这一毛一分都是彤彤的命。说到这里，吴玉华的眼睛湿润了。林国栋的心也跟着酸起来。他告诉了她事情的经过，并说自己犯不上跟这种浑人怄气。听说是刘雅娟把钱建功领走了，吴玉华这才松了口气，开始夸雅娟，并同情她的命运，怎么就遇到这样一个男人。对于钱建功这个浑蛋提的条件，吴玉华爆了粗口："放他娘的屁！他算哪根葱，凭什么给他钱？房子是雅娟姐的，跟他姓钱的有什么关系？退一万步，就是给林超，给雅娟，也一分钱都不给他钱建功。我要在，我拿菜刀剁了他！"

对吴玉华的义愤填膺，林国栋虽然理解，但不敢苟同。毕竟钱建功现在是雅娟的丈夫，他们是两口子。他没有告诉吴玉华，自己已经答应钱建功的事儿，因为吴玉华已经把账给他算得很清楚了，妈一个月光护理费就得两千，再买药、买补品，几家一个月还得搭上一两千呢。五百块说多不多，可是谁掏得出来呢？国强家那个样，他们家更甭提了。林国栋不知道说什么好，吴玉华本来也不管他说什么，她担心的是租客，租客要是闹起来，他们不占理。看来，租客那一边，她要亲自出马了。该说的话说完了，吴玉华就告辞出来。出来之前，也没有忘记恭维一下大伯子。

吴玉华嘴上抹了蜜，心中却藏着很多毒药。她告诉丈夫，林国栋就是个㞞包蛋、㦬窝子。从林国栋躲躲闪闪的语气中，她就知道，林国栋是答应了钱建功。要她来办这件事，不用说六千，六毛也不给他！现在是林国栋办的这件事，她咬着牙狠狠地说："谁答应的谁就自己给，别掺和别人。"

对刘雅娟怎么知道这件事的，吴玉华认为是林国栋看问题说不明白，在雅娟那儿搬的救兵，这用人用得够狠的。林国梁则把仇记到钱建功身上，好像乱都是那个姓钱的添的，哪天惹急了他，非抽他个生活不能自理不可。他给钱建功起了一个绰号，叫忍者神龟。怎么讲？他这么作（作读zuō），就叫自卑情结，觉得娶了个二手货，自己又是个半残，又嫉妒，又恨，又当王八又当战士，他还不是忍者神龟吗？吴玉华听了，哈哈大笑，觉得太贴切了，以后就叫老钱神龟。

3

同一时间，刘雅娟还在学校里，她不愿意回家。就是一个人孤零零地在这偌大的学校中，她也不愿意面对那个让她抬不起头来的男人。也许就是她命苦吧，林国栋是一个好人，但他们两个没有缘分，老天生生地把他们两个隔在地球的两边，他们只能离婚。现在他回来了，他的身边也有了一个她，她和他，终归是路人。如果没有儿子，如果没有那套房子，她是不会再和他有瓜葛的。可是，老天再一次让她失望，在他面前，她的丈夫，竟然那样不要脸，像一个土匪一样，进到别人的屋里，伸出双手，无赖一样要钱。这让她怎么做人？她外表虽然柔弱，骨子里是极要强的一个人，宁可自己吃亏，也不要被别人看低一眼。而现在，她的丈夫，当着她前夫的面，做出这样龌龊的事，让她怎么能不羞愤？

她不回去，钱建功就炸了毛。没有人给他做饭，他在家暴跳如雷，拨通电话，对着刘雅娟就开骂。刘雅娟不得不回家，刚进门，劈头盖脸，又被钱建功一顿骂。就是脾气再好的泥人也有三分气性，刘雅娟终于忍不住了，被屈辱打垮的她爆发了：“你不要那些钱会死吗？你的尊严、你的气度、你的格调就值六千块钱？你要是看我不顺眼，你和我离婚啊！你干什么这么折磨我，我做错了什么？”钱建功当然不会跟她离婚，这个无赖，以小人之心度君子之腹：“我把你儿子养大了，我没用了是吧？林国栋回来了，美得你肝儿疼。你也不撒泡尿照照，没羞没臊，跑到别人家给前夫仗腰眼子，你要脸不要脸？”

既然离不了婚，刘雅娟试图跟他讲理，她只不过要他忍几年，等老太太去了，她就把房子要回来。可是，他明知道林家现在焦头烂额，还去趁火打劫，他为什么这样对她？钱建功撇嘴冷笑：“林家那帮孙子等老太太闭眼了要能把房子还你，我下半辈子头朝下走路。恩情，那玩意值多少钱一斤？我买二斤，你能给我约（约读yāo）约吗？一日夫妻还百日恩，你跟林国栋也是一日夫妻百日恩，对了，我把这碴儿忘了。”雅娟不再理这个浑蛋，转身进屋，一头扑在床上，失声痛哭。

兔子急了也咬人，钱建功这样龌龊的行为，彻底惹怒了刘雅娟。其实非常惧怕钱建功的刘雅娟，不仅第一次主动说出离婚两个字，还第一次做了“背叛”钱建功的事——半夜趁钱建功睡熟时，找出林国栋签字的那张欠条，在煤气炉子上烧掉了。

4

婚姻触礁的还有林国栋和王茜，虽然他们没有提出离婚，但是，王茜这次是真的心灰意冷了。

在美容院做了一个全面护理，王茜的心情也好了一些。如果胡毕昆不像追十八岁的小姑娘，用一摞儿可以不花钱做水疗、指压、美容、保龄、K歌、跳舞的贵宾卡砸她，她可能会更高兴一些。她再一次拒绝了胡毕昆的美意，她不能老是个疯丫头。人生苦短，及时行乐，也要考虑后果，难免还没有行乐就苦短的时候。胡毕昆的车开走，王茜再一次站在那幢破旧的楼房前。她的穿着和这里完全不匹配，走过一群穿着背心短裤的老头，进入黑洞洞的楼门。老头们都在看她，她视若无睹。这种心理素质，是海归的一个典型特点——旁若无人、我行我素，不在乎，至少可以说几乎不在乎别人的感受。但如果这个别人是丈夫的话，那无论是海归还是海龟，都是不可能做到的。

比如现在，王茜开门进屋，就听到林国栋在用英语打电话。她真不是故意偷听的，是林国栋太专心了，都没有听到她开门的声音。于是，她就听到林国栋问他们那辆车的残值是多少。

等他放下电话，才看到王茜回来了。面对王茜的质问，林国栋否定自己要卖车，只说自己想知道到底损失了多少。王茜不想跟他吵架，也不揭穿他，问起房子的事。林国栋也不想吵架，尽量把事情说得委婉，他打算感动妻子，进而接受他的做法。但他的想法只是从他的角度想的，注定只能是他一相情愿。

王茜一听他要给钱建功钱，就翻了脸，根本不听他的解释："你可以自作主张把家里所有的存款拿去付医药费；你可以决定自己不工作伺候你妈；你可以给别人立字据，告诉他你还钱；你还可以卖自己家的车！你的办法多得是，不过都是牺牲我而已。你可以为所有人忽视你的老婆，包括是为了你前妻！我为什么要跟着你这样的男人？"

王茜觉得，林国栋眼中根本就没有她：她说过的每句话，他都当做没说过，原封不动地给她丢回来。她说："没有一次我不提醒你，你没有一次听我的，然后先斩后奏，再虚情假意过来和我商量。这种日子到头了，我要找个尊重我的人，不是你！"王茜一边喊着，一边就要往外走。林国栋不再说话，只是死死拽住王茜的衣服。王茜夺不过衣服和书包，就扔下这些东西。林国栋又跑去堵住门。王茜出不得门，转身进到里屋，把里屋门狠狠一关，上了锁。林国栋叫了几声，没有回应，他颓然把手里的东西扔在沙发上。

5

这是两个人第二次“分睡”，林国栋和王茜两个人都没有睡好。第二天，王茜用粉底盖上自己的熊猫眼，走到林国栋面前，一句话也不说从他身边拿起自己的包。林国栋不给她，王茜终于开口，不过说出来的话，比冰还凉：“我要上班去了，别挡路。还有，我晚上不回来住，在我们宾馆找个房间住几天。你想想，我也想想，看看我们到底怎么了。”林国栋想挽回，夫妻没有隔夜仇，她到底想让他怎么样做，说出来，他一定会做的。王茜摇头，她想让他干的事他干了哪一件？林国栋说不出来，他只是拦在妻子面前，就像之前他对她的守候一样。王茜捶打林国栋的胸口，林国栋一动不动，任她发泄。王茜的火气渐渐小了，不再赌气，平静下来，但还是继续指责林国栋：“你为什么不和我离婚？你为什么让我活得这么糟糕！我晚上会回家，但是我决不会给钱建功一分钱。”

王茜走出门去，林国栋呆呆地站在那里。妻子原谅他了吗？他又为什么要她原谅？他做错了什么？他想不明白。

6

直到给母亲按摩时，林国栋还想着这个问题。林母看着他脸上不知所措的落寞表情，看着他没嘴儿的葫芦似的，就知道儿子有事。除了母亲，林国栋还能给谁说呢？谁又喜欢听呢？他不担心钱建功，这样的人不值得他浪费自己的感情，可是王茜呢？她说他们的婚姻触礁了，她说他一点都不考虑她，他是这样的吗？到底是他变了，还是这个世界变了？

他实在忍受不了了，像小时候一样，给自己母亲诉说着：“为什么想平平安安、高高兴兴地活着就那么难呢？我谁都不想为难，可是怎么最后谁都得罪了？外人还好说，家里人也不能理解，咱们怎么生活在这样一个世界里了？”

林母心疼地把儿子揽在怀里，这就是现实，不愿接受也必须面对的现实，谁愿意这样，谁也没办法！林国栋很天真，他以为每个人稍微多做点，事情就会变得很简单，谁知道谁都不愿意搭把手。就是他自己，当初还跟国强、国梁夸海口，说他每天都来伺候妈，而现在，为了妻子，为了弟弟，为了他自己，甚至为了母亲，他都要出去工作，不能再伺候妈，要自食其言。这都是为什么呀？

其实没有为什么，每一个人都是这样在生活。责任、义务和苦痛压在身上，人们不能完全按照自己的心愿来做事。这并不是他没出息，而是每个成年人都要面对的生活本身。只有想明白了这一点，才能看到这些苦痛和绝望背后的希望和前进的力量。就像刘雅娟，明知道拔了钱建功的虎须是什么后果，她还是要去做。为了什么？可能是良知，可能是情感，也可能是尊严，说不清楚。

之前婆婆对她不错，人活着不能忘本，她不是还像吴玉华所说的想着美国人，希望有朝一日能够再续前缘，她只是单纯想报答婆婆，那个待她像自己女儿的母亲。她把自己烧了那张欠条的事告诉林母，还替钱建功说了几句好话。她说："对不起，建功这个人脾气不好，做事冲动。他最近心情也不好，给你们家添麻烦了。"她告诉林国栋，自己说服老钱了，那张欠条就作废了。本来就不该要，她也不让他要。

想起钱建功的态度，以及他对雅娟扬起的拳头，林国栋当然不会相信这样顺利，他嘱咐雅娟，如果这件事不好办，千万别勉强。他说了的话他办到，这些他们也都应该做，其实拖了这么久，已经都是他们的不对了。刘雅娟答应着，让大妈多保重。

林母知道了事情的原委，知道肯定又是雅娟自己把事情按下来。林母怕钱建功找雅娟麻烦，立即给雅娟打电话。电话却没有通，雅娟的电话占线。

7

是钱建功在给刘雅娟打电话。刘金凤买了点螃蟹过来，趁刘雅娟不在家，娘俩蒸了吃。刘金凤听到儿子干的这件漂亮事，非常高兴，就要看他的欠条。钱建功找了半天，没有找着，就知道是刘雅娟拿走了，立即给她打电话。知道刘雅娟已经把欠条烧了之后，钱建功大怒，威胁雅娟，要回来宰了她。刘雅娟并不怕他，大不了她不回家，让他再也见不到自己。她告诉钱建功，如果他能听她的，把这件事放过去，她可以和他商量房子什么时候要回来，她说话算话。钱建功根本不听，她说的算个屁！她会烧，他就会再要一张。到了嘴里的，谁敢再给他抠出去，他就把的他手指头咬下来！

钱建功放下电话，鞋都不换，就穿着拖鞋，趿拉趿拉穿过小区，走到林母家。

而此时，吴玉华正在老孙家。她买了一些茶叶，提着来安抚一下这个租客，别出什么乱子。老孙倒还挺客气，只是觉得自己平白无故被拉到这纠缠不清的麻烦中来，还受了惊吓，非常不爽。他说："你说我给自己找这麻烦干什么！我这人天生胆子小，遇到事情都躲着走。人在家中坐，祸从天上来，昨天这儿都快唱上大戏了。"

吴玉华那张嘴，哄起人来，也是一套一套的，她说："我们也是没想到这浑蛋这么离谱，要早知道这样，我们也不能坑人啊。房子的正主，对于我们租房子是绝对支持的，可是她人好，拿这个浑蛋没办法。"她对老孙保证，以后这样的事，绝对不会发生了。老孙这才舒服一点，他也不愿意老搬家，这费力劳神的，刚搬进来没有两天，又要找房子，找搬家公司，他也难受。既然房东都拿着东西上门赔礼来了，他就不打算再计较这件事。

既然都已经说定了，放心下来的老孙就开始八卦。他也挺好奇，吴玉华的大伯子林国栋，怎么这么怪，对那浑蛋那么老实，让给六千就给六千，让立字据就立字据。吴玉华这才知道，林国栋给钱建功打了一个欠条。这一招出乎她的意料，借口尿急，她马上到洗手间给林国栋打电话。听林国栋说，条子已经被刘雅娟烧了，她这才放下心来，走出卫生间，向老孙告辞，说好房东就是从来不骚扰住户。

吴玉华正在拿包、换鞋，准备拉门。砸门声响起，钱建功的声音传来，让老孙开门。老孙和吴玉华都很紧张。吴玉华怒火中烧，问老孙借菜刀，要劈了他。老孙当然不能借给她，在他这儿行凶，再用他的刀，那他不成同案犯了。吴玉华不让他出声，说他折腾一会儿就走了。老孙不傻，他今儿走了，明天还来，她是不在这儿，他在这儿！

外面钱建功大声喊："老孙，你开门。我知道你在，我就管你要个电话，要完了就走！"老孙一听说他只要电话，就要开门。吴玉华知道，不会这么简单。她不能让这人进来，让他进来容易，赶他出去难。她阻止老孙，对着外面就喊："钱建功，我是吴玉华。你到底想干什么？你要再这么三天两头骚扰我的租客，我可要上公安局给你备个案了！人家老孙不想开门。"这个女人的心机，就深到这个程度，到这时候，她还不忘拉一个垫背的。

钱建功听到了吴玉华的话，嘿嘿一笑："老二媳妇，你也行。你知道你大哥跟我签了一张欠条吗？老孙，她要是不知道你给我做个见证。我把欠条弄丢了，你帮我补一张。"吴玉华说："钱建功，你唬什么人，谁不知道是怎么回事？雅娟姐已经把欠条烧了，这销了的账让人补，不合适吧？"钱建功看事情大家都知道了，也就不再顾忌什么，大声开骂："诶，你们一家人有这么孙子的吗？欠条不在了，欠的债就不在了？你不怕生孩子没屁眼儿？"

骂人不揭短，这句话正好戳在吴玉华的痛处，她火冒三丈："你嘴给我放干净点，说谁孩子呢？你倒是生得出有屁眼的，生一个给我看看？"这又戳到了钱建功的痛处，钱建功急了，他要吴玉华开门。吴玉华当然不会开门，隔着门对骂，三个钱建功也不是她的对手，但动起手来，她就不顶个了。因此，隔着门，她什么解气说什么："见着你我恶心，不开。七尺高的汉子不说自己挣钱，天天巴望着吃老婆的软饭，吃不上还急。这房子跟你有什么关系？你挣了一块砖头吗？这是人家雅娟的房子！"钱建功摸不着她、说不过她，急了，就要点火烧了这房子。吴玉华知道他不敢，不仅不怕，还一个劲儿地挑衅："你来啊，那你下半辈子有地儿住了。你也甭闹腾房子，我可以送你个盒子。钱建功，你要跑还来得及，我已经拨了110了。"钱建功怒火更盛，开始踢防盗门，老孙在屋子里快气疯了，他真不知道这个女人怎么想的，不跟他解决问题，而是把他惹火，惹恼了这个浑蛋，以后还怎么过？吴玉华从来就不是一个怕事的主，她今天要教训死他，真的拨了110。

很快，一辆闪烁着警灯的警车开进小区，停在楼下。民警噔噔噔的脚步声走了上来，抓住钱建功，就要带走。钱建功不服，警察毫不手软，边扭着他往外走，边对他说："全楼都听见你踢人家门，骂人家人，这叫寻衅滋事、私闯民宅、扰乱社会治安。"钱建功不服，朝着林母家里还骂，警察把他的身子压低了，警告他，如果反抗，就是刑事犯罪了。钱建功挣扎着回头，朝着里面喊："这事儿没完！"

楼下一群人在围观，刘金凤突然冲过来，拉着警察的衣服，让他们放了自己的儿子。警察告诉她，他没事，认罪态度好一两天就出来了，也没准就带他回去批评教育一下就放了。但老太太要再闹，那备不齐怎么着了。刘金凤没辙，只能看着警察把儿子押上警车，带走。她心疼儿子，把账都记到刘雅娟身上，发誓要报仇。

吴玉华和老孙从窗户里一直看着。看着警察把钱建功带走了，吴玉华觉得事情解决了，她还怕钱建功不闹呢！老孙则气得直跺脚，他真见识了这两家人，他们太毒了，他可惹不起。他把吴玉华带来的东西拿出来，让她带走："我给你们两天时间考虑，要不然把房钱退给我，而且我还要多两个月的房租做赔偿；要不然我们法院见。"吴玉华一看要坏事，连忙给他说好话，奈何老孙已经下了决心，这地方他住不起！

8

林母知道了吴玉华搞出来的这些事，非常生气，在电话里就训斥她："胡闹，你搞成这样，让雅娟怎么活啊？你们明天全都到我这儿来一趟！当面说清楚！"

9

钱建功是一个棒槌，但在警察同志面前，他也变成了一只小绵羊。看在他态度好的份儿上，警察教育了他一顿，也就把他放了出来。

为了给儿子压惊，刘金凤买来羊肉，正好林超放假回来，一家人吃火锅。刘金凤恨不得拿刀子削死刘雅娟，看她做什么都不顺眼，张嘴就骂。她说要在这里住几天，好好看着儿子，不能让儿子再被人欺负了。刘雅娟当做没听见，钱建功不能让她这样装下去，直接说自己这样，都是因为家里有个败家的妨人种！刘雅娟继续忍气吞声，刘金凤故意把刘雅娟重新调过的调味酱打翻，让刘雅娟用手擦流了满地的酱。

林超实在看不下去了，推开碗筷，走回自己的屋子。蹲在地上擦地的刘雅娟，看着儿子受伤而孤寂的背影，低下头去，眼泪无声地流了下来。

做完家务，刘金凤母子二人都出去打麻将，刘雅娟能松口气了，就走到儿子屋子里。她不想看到儿子难过，想跟他解释一下。但林超直接拒绝，他觉得母亲有病。儿子这样误解她，刘雅娟更难受了，她默默地往外走。林超一下子坐起来，数落自己的母亲。

对母亲，林超是哀其不幸、怒其不争，母亲这样向着林家，给自己找麻烦，吃苦受罪，真是不可救药。林超这个90后，非常现实，他教训自己傻傻的母亲："不在其位，不谋其政！你现在是钱家的儿媳妇，得为钱家谋福利。林家的那一段，都是过去式了。你活得这么纠结，能幸福吗？"即使那是他的亲奶奶、亲爸爸，可人家不要他了，他还得求着他们，想起来都恶心。再说了，他们也没对他怎么好，现在问他爸长什么样，他还真只记得钱建功，记不住林国栋。

他告诉母亲："妈，人多为自己想。你为别人想，别人不一定领情的，还会利用你。今天就是例子。那么两秒钟，林家就已经把你烧了欠条的事传开了，我都能想象他们欢天喜地的场景。妈，你不值。我明天早上就回学校，您自己多注意吧，这次算是把奶奶和爸气着了，他们肯定得给你小鞋穿。"

雅娟知道儿子还是心疼自己的，只是儿子嘴上不承认，只要她好好教育，这个孩子不会像钱建功他们家人那样坏的。她抱抱林超的头，表示对儿子的感谢。林超的眼泪也流了出来，他恨林家，他说不出好话来，他对不起他妈。

10

事情闹成这样，对林家的人来说，这注定是一个难熬的夜晚。

镜头先扫过林国栋家。林国栋正在收拾东西，王茜坐在床上看书。林国栋把今天发生的事，跟王茜讲了一遍。他觉得更对不起雅娟了。他对吴玉华把雅娟烧了欠条的事，告诉钱建功，非常不理解，也有一些埋怨。王茜知道他在担心前妻，说不在意那是假的，这种干醋，她还是像其他女人一样在吃。她知道丈夫的前妻是一个好人，但拿她跟刘雅娟比较，她心中当然非常不舒服。作为一个在美国生活了十几年的中国人，从美国人的思维方式看，她觉得刘雅娟是有很严重的心理障碍；从中国人的思维方式来看，她难免不去想她的动机。林国栋却怪她想得太多，他就是单纯看一个人，觉得雅娟是一个非常好的人，并顺便解释上次也是这样，钱建功就这么要打她，他才一冲动，答应了钱建功。女人的思维和男人的思维就是不同，听到林国栋说起自己冲动，王茜立刻问，钱建功要真打了刘雅娟，他会不会冲上去保护她，甚至打钱建功？林国栋拒绝回答这个无聊的话题。王茜哼了一声，如果非要她说一句好话，她只能说，爱上他的所有好女人都是倒霉的，他永远摆不正自己的位置。

对于林母的宣召，王茜并不想去，去了也只是自讨没趣。王茜非常明白，林母肯定是主张给钱建功钱，因为那是保护刘雅娟。不但要给钱建功钱，还要给老孙钱，因为林家违约了。出这笔钱的是她，因为她是林国栋老婆。林国栋上来叭叭叭给她讲述了这么多雅娟的伟大事迹，无非给她打打预防针，做做思想教育工作。林国栋看她说得这么通透，也怕她去了坏事，同时也不想勉强她。但王茜却又改变主意，她好不容易有个机会亲身体验一下他是如何破财的，怎么能不去呢？

11

这时候，吴玉华和林国梁已经躺在床上了。

吴玉华也是一肚子怨言，她是这个家的中流砥柱，给林家人做了多少事，现在却都埋怨她，真不公平，她估计这个房子出租不成了。越租越亏，一年给钱建功六千，这两天又得给老孙五千，再出租钱建功还闹，那出租这个房子有什么意义吗？租不租没有关系，关键是不能让老大住进去。林国梁不明白为什么，吴玉华对丈夫的迟钝真是恨铁不成钢，这样等到老太太……吴玉华不说了，用手比画出“死”那个字，房子不就成他的了？多顺理成章，一间还给刘雅娟，一间抵林国栋当年那三万。吴玉华现在要想一个办法，自己搬进去。

连和妻子一直同进退的林国梁，听了这个匪夷所思的想法，都有些吃惊。吴玉华一笑，据她分析，刘雅娟并不十分想要这套房，这么多年，她随便找个借口都能把房子要回去，老太太又放了话给她，她前脚要，老太太后脚给。可就这样，一拖十几年她都不要，为什么？就是她曾经给丈夫分析的，她还憋着跟美国人好，她在这儿偷偷摸摸地打哑谜，以为别人不知道。当然这些吴玉华根本不关心，他们谁爱跟谁好就跟谁好，她只关心这套房子。现在房产本上写的是老太太的名，他们只要能把老太太的工作做通，就能住进房子里去，只要住进去，这就叫既成事实，再叫他们搬出来，就没那么容易了。往好里说，拖他个十年八年，房租都能省下二十万；最不济，住个三五年，那也是十来万块钱。

林国梁扑哧一声笑出声，翻身要睡，老婆竟想美事儿，谁能把房子给他们呀？吴玉华推了他一把，空口白牙当然是要不出来，要想办法，世界上的事都讲究运作。林国梁当然知道运作，但怎么运作他可不知道。吴玉华打了林国梁一拳，老太太心眼偏得厉害，根本就不会为他们想，那就只好自己多想想了，人不为己、天诛地灭！

正在勾画自己"狡兔三窟"蓝图的林国梁夫妇，突然接到老孙律师的电话，说那边已经起诉了。吴玉华气急败坏，不是给了两天吗？这还没到，就已经找到律师了，这才多大一点事呀？这个老孙，真是狗咬吕洞宾，不识好人心，吴玉华要给林母打电话，非得现在告诉她，明天她才能跟老大、老三那儿使劲，凭什么光她一个人顶缸？

12

林母挂断吴玉华的电话，叹口气，站起身，打开屋子里的那台小电视。养老院熄灯了，林母躺在床上看电视。忽然，林母捂着胃部，开始低声呻吟。她抬眼看看旁边床上躺着的植物人老太太，那个老太太毫无反应。

林母忍不住发出哼哼声，从屋外走进来一个护工。护工给那个老太太擦身体，忽然一歪头看见林母的样子，问她怎么了。林母说自己有点胃疼，护工打开灯，看到林母一头大汗。护工要给她家人打电话，明天到医院看看。林母拦住了，没什么事就不跟孩子说了，挺挺就过去了。护工觉得不要这么硬撑着，小病不治，拖成大病就麻烦了。林母不想给儿子们添麻烦，他们都忙，她知道自己的身体，要真不行了，再跟他们说吧。护工同情地看着林母，让她有事叫自己。

林母让护工给自己倒了杯水，抓了一把药片吃下去，抬眼看向对面的植物人老太太，还是她好，躺在这儿什么都不知道。护工也比较八卦，说这个老人的家里人一个月来不了两趟，哪能跟林母比？她儿子多好，每天到这儿陪她。林母却知道，大儿子也该忙了，不会每天都来了。她真是有些担心，也许将来就死在这儿了。人活了一世，老了就变成废物了，管你年轻的时候忙活了多少，操碎了心，最后也不过是扔到这儿来等死。护工走后，林母越想越凄凉，她用被子蒙住头，自己一个人抽抽噎噎地哭了起来。

13

夜已经很深，月影西斜，几家欢乐几家愁。林国强光着身体，躺在床上，辗转难眠。他听着身边的陈金巧均匀的呼吸声，很烦躁，他侧起身，爬到陈金巧身上，上下其手，口中还调戏着她。陈金巧闭着眼睛，一点都不配合，林国强的动作加大："今天天热，你觉没觉得？对于全球变暖的问题，我想跟你深入研究一下。"陈金巧还是闭着眼睛不理他，她累了，不想做这个费力的活塞运动。林国强再接再厉，开始胳肢陈金巧，陈金巧被弄得睡不成了，翻身过来，睁眼瞪着林国强，她真生气了，这个男人咋一点儿都不知道心疼人呢？这一天伺候完了小虎伺候他，买菜做饭收拾屋子，连个消停觉都不让人睡。

林国强欲望正浓，不甘心这样放弃，还要折腾她。陈金巧不理他，把林国强赶出去，整理好自己的被子。林国强被扫了兴，就纳闷了，这女人也是如狼似虎的年纪，怎么弄得跟性冷淡似的？多少女人巴不得老公碰自己，她也太身在福中不知福了。

据说在性生活中，女人得到的快感远远不如男人。陈金巧对这种运动不感兴趣，也不全是因为这项运动不能给自己带来快感，而是因为完事后，林国强翻身睡了，呼噜打得震天响，她失眠半宿，六点起来还得伺候这俩男的吃早饭。林国强恼了，准备霸王硬上弓，箭在弦上不让发，谁都难受，他笑着说，今天就算是他奸尸了。但陈金巧更不配合了，起身奋力把他推开。都说强扭的瓜不甜，这种事更是，你情我愿，男女搭配，那才叫"性福"。如果这样，一相情愿，那不仅费劲儿，还伤感情。看林国强没完没了、无休无止地闹，陈金巧烦得不行，说话就没有了分寸，问丈夫大半夜的，吃错药了？林国强一把把被子扔到地上，光着膀子坐在床上，生闷气。

陈金巧这才觉得丈夫今晚有些不对劲，有些抱歉地问他怎么了。林国强赌气，不理她，起身把被子放回床上，穿背心，准备出屋子。陈金巧有些心疼丈夫了，带着一副慷慨就义的神情，躺好了，要林国强上。看着女人的这张脸，林国强就是再想上，他也上不了了。

陈金巧想想，明白了，林国强是为了明天去见母亲的事不高兴呢。她拉起丈夫的手，放到自己脸上，让他跟自己说说。林国强确实为这件事烦，租房这事，

跟他有什么关系？还非得让他接他们俩，真拿他当出租车司机了。今天车还又坏了，后减震出了点问题，一过坎儿就叮咣乱响。这个月净赔三千！他真是不愿意去。

说到这里，林国强实在憋屈，忍不住又说了句废话："谁想结个婚结成这样，结得都快无家可归了。"陈金巧一肚子安慰的话，立即收回，换成了打架的话，他这是在怨她？

林国强可捅了马蜂窝，这一句话，换来了陈金巧一肚子的话："当初可不是我求着你结婚！自打过门，我可没跟你有过二话，你要是这么说我，我这儿可不能算完。我占你家啥便宜了？你欠我爹的钱，我要过没有？"这真是大晚上的吃饱了撑的没事干，林国强招她干吗？可是现在后悔，想收回来，却不可能了。陈金巧说："你就瞅准了我好欺负，你家人你谁也得罪不起，就光拿我撒气！你要是有出息，就多给咱们家争争，别总让你媳妇跟着你吃亏。就你这个样子还好意思缠着我给你生孩子，生了你养得起吗？"这话太伤人自尊了，林国强也翻了脸："别越说越没谱！我不用你生了怎么样？哪个母鸡不下蛋？没了你陈金巧，我还得吃带毛猪了？"

林国强愤愤地关上灯，两个人气呼呼地躺下，谁也不理谁。

第十章　一个注定了要花钱的会

一家人却都算自己的那本小账，没有闲心去关心一下其他人的生活，每天都是钱、钱、钱，看见谁都不觉得亲，反而觉得又来了个要债的。

1

第二天，林国强从床上爬起来，陈金巧已经起床了。他看了一眼表，心情沮丧地扔在一边。陈金巧从外边走进来，主动跟他说话，早饭做好了，让他吃饭。林国强哦了一声，显然对昨天两个人的争吵还很介意。他坐在餐桌前，吃着面条和咸菜丝，一语不发。夫妻吵架，怕的就是双方都不妥协，只要一方使劲和好，那一般就不会有问题。陈金巧的气来得快，去得也快，昨晚上她确实没有管丈夫的情绪，所以，她道歉："昨天是我话说重了，你这人，老有出息了。"林国强"嘁"了一声，不大情愿配合。陈金巧并不在意，接着发表自己作为一个媳妇对丈夫的支持："你家老大、老二，还有你妈，遇到事，有一个和你商量的吗，那不都是瞧不起你？你不为我争，总得为自己争吧。我是你媳妇，我瞅着你这么没骨气，你说我不上火吗？"

这番鼓励的话，被儿子罗虎打断，他上学要迟到了，要陈金巧麻溜的吧。林国强听了差点笑出来，也是粗人的他，还有闲情让老婆教一下这个白捡儿子的普通话，省的他再让人欺负。陈金巧无所谓，让他放心，小虎不尿。现在他们班甚至整个学校，没有人敢惹他了，这当然都是那一板砖拍出来的。听了这句话，林国强好像悟出了什么，看着罗虎的背影，出着神。

2

林国强先去接的是林国栋。

看到同大哥一起出来难得一见的大嫂，林国强有些意外。林国强上下打量王茜，不知道王茜是不是故意的，今天打扮得光鲜靓丽，尤其是一双高跟鞋，很是漂亮。带着三分妒忌、两分羡慕以及五分讽刺，林国强说："嫂子打扮得是跟我老婆、二嫂不一样。回头你好好教教金巧，她那衣裳穿的，不打扮吓你一跳，打扮吓你一大跳。你这鞋哪儿买的？"王茜答曰是从美国带过来的，在国内她基本上没买过东西。

三个人上车，王茜和林国栋坐在后面。王茜掏出随身的化妆包，给自己补妆。林国栋脸上有些挂不住，低声问她怎么还化。王茜一点都不在意，作为一个餐饮业管理人员，形象就是她的名片。刚才她出来得太着急了，稍微补补，她才有自信。至于别人怎么看，那不是她考虑的范围。林国强透过后视镜注意着王茜的穿着，腕子上的手表、手指上的钻戒、涂着指甲油的手指，还有那个漂亮的化妆盒。他偷偷长叹一声，同样是人，怎么命就这样不一样呢？

林国栋看着熟练开车，却有些走神的弟弟，觉得有必要叮嘱一下，生怕这个嘴上没有把门的弟弟，又惹母亲生气。国强当然点头应下，一抬眼看到吴玉华，停车让她上车。

3

林家的家庭会议在林母的房间里正式开始。

林母先问自己孙女的排队情况，吴玉华简单说了一下。然后，大家长林母，又问起老三的情况，国强刚要说罗虎打架的事，就被林母打断，这个女人的事，她不听。林国强不乐意了，妈还有完没完的，他们俩结婚都好几个月了，不管认不认，那孩子现在也管他叫爸爸，听一句怎么了？林母一点都不妥协："该叫爸爸的不叫爸爸，不该叫爸爸的倒叫了，唉，孽债。"林国强恼了，母亲不爱听，他更不爱说。

林国栋不让弟弟这么说话，国强不服气，自己亲妈这是怎么跟自己说话呢？林母就是看不上这个儿子，看他还不服气，林母的话就多了起来："你当初要听我的，至于闹得现在焦头烂额吗？我还跟你说，你一天不跟这个陈金巧分开，你一天没好日子过！更烦的事还在后面呢。"

也许林母的话比较难听，但这是一个母亲，对儿子生活担心的真话。中国传统文化中，家族观念太重，传宗接代的观念更是根深蒂固。对林母而言，自己的亲孙子林超离开了自己，那个她死也看不上眼的女人却带着姓别人姓的孩子到他们家里来，让她接受，还真有些难度。不过，林国强说的也对，他和母亲，谁听了谁的都不至于闹成现在这样！这样的结果，也不光是他一个人搞的。

眼看着两个人越说越多，脸色都有些变，林国栋赶紧出来劝，过去的事现在都不要提了，就说眼下的事吧。他让林母说出自己的想法，他们照办。林母看看几个儿女，说出了自己的想法：“前几天钱建功跟老孙闹的事，你们都知道了，我就不再说了。钱建功不是个东西，咱家人都知道，可是咱家人住了他家的房子，也怪不得他眼气。他现在既然开出价码来，老大也答应了，那说了的事咱就得照办，不管那条烧没烧。”林母顿了一下，重点看了一下吴玉华，接着说：“我知道你们几个现在也不容易，可是一个月五百三个人摊，说多也不多，一百多块钱的事，少在外边吃顿饭，就出来了。”

林国栋首先表态，他赞成。吴玉华跟着也赞同，并着重表明，自己是看在雅娟姐的情义上的。看两家都表态了，林母就这样定了，真像陈金巧说的，丝毫没有在意林国强的意见。

其间，林国强几次想说话，不是被吴玉华打断，就是被林国栋打断，他很不爽。正想说话，林母已经转移了话题，说起老孙的事情。林母毕竟是一个平民老百姓，还是一个心底很善良的老百姓，这件事，是她们家的错。老孙找了律师了，律师电话已经打过来了，打官司，他们家一是赢不了，二是打不起，三是犯不着，毕竟冤家宜解不宜结，所以可能还是得照人家说的办。林母觉得，两个月的房钱多一些，她让吴玉华去和老孙商量，再让他住一个月，退他一个月房钱。吴玉华点头。老孙那边得还他八千到一万，加上钱建功的六千，两项加起来最少是一万四，多了一万六。林母自己能出两千，她让这哥仨看看剩下的钱怎么办。

全家人陷入沉默，林国栋想说话，王茜一直瞪着他。吴玉华嘬嘬牙花子，也不知道说什么好。林国强正想说话，王茜抢了先，说她们家出六千，剩下的，只好让老二、老三分担一下了。听到这句话，林国栋激动得去拉王茜的手，王茜生气地甩开了他。

没有想到，吴玉华也非常爽快，同意跟老三平摊。

就剩下林国强了。所有的人都盯着林国强，林国强气息都粗了，他一下子站起来，大声说：“我不同意。我一分钱都没有！”大家吓了一跳，老三的炸毛出乎了所有人的意料。

林国强爆发的原因，主要是他真没钱，加上早上临来时受到媳妇和大嫂的刺激，再加上刚才一直被忽视的待遇。他的理由听起来也很充分，他问母亲：“出租您的房子，我掺和了吗？和钱建功闹，我掺和了吗？我的老婆您不认，咱们家欠钱我就得掏。我只有义务，没有权利，您拿我当人吗？”林母对这个不争气的儿子，一向比较狠，说话毫不留情。在她眼中，因为对老儿子过多的是宠爱，就少了一份看重和尊重。加上他做的事，没有一件事让她满意，就让她把一腔怒火都发到这个儿子身上。

她又拿刀子一样的话砸向林国强："你本来就不是人！你妈的话你不听，给咱们家丢人、败家、帮人家养孩子，你怎么那么没出息，见到女人就迈不开步？"林国强听得火冒三丈，即使是自己的母亲，即使是脾气再好的人，经受这样的蔑视和训斥，都会受不了，何况，林老三的脾气本来就不好。他的话，就像冲锋枪一样，一梭子一梭子地射向母亲："又来了，又来了！我四十了行吗？我自己的事我自己能做主了，别老把我不当回事儿！我也是俩肩膀扛一脑袋，没比别人缺部件！家里的事不听我的，我自己的事还是不听我的，你们那么能个儿，该赔钱的时候别找我啊！这儿会想起我来了？刚才你们在这儿叭叭叭地说半天，有人问过我的意见没有？就算我是少数，走一个过程，给点面子行不行？你们挥手，我就得前进？今天这事儿就不行！"

林母气得直哆嗦，要他滚蛋，林国强更怒了："您忘性还真不小，我已然滚蛋了，再滚一次是不是？行，我滚，谁也别拦着我！"林国强就要走，被众人拦下来。林母愤怒不能自控，激动地想要干什么，却被胃部剧烈的疼痛阻止了，她一下子栽倒在地上。吴玉华和王茜赶紧上前扶住，劝婆婆。林国栋抬手就要抽林国强，手举到一半，没落下去。

林国强也没想到这个结果，吓坏了，大哥的巴掌要落下来，他本能地缩成一团，抱着头。看大家都围着妈，他也赶紧凑过去。林母虚弱地瞪着他，接着骂他。王茜叫林国栋赶紧叫医生，林国栋才想起来，跑出去。

4

林国栋带着医生赶紧过来，林国栋这才知道，母亲最近经常胃疼，但是她从来没跟家人说过。大夫的语气带着一些责怪，认为儿子们有些掉以轻心，有必要带老太太去医院看看，保持密切注意。老年人的身体机能退化得很快，有时候会超过他们自己的预料。她有可能是因为经常不舒服，所以自以为习惯了就不重视，也有可能是为了不给儿女们添麻烦。"你还是得多注意，树欲静而风不止，子欲养而亲不待！"大夫说得很诚恳，林国栋把这句话听到了心里。

吴玉华看到林国栋和医生进了房间，朝杵在一边不知所措的林国强摆了摆手，示意他跟自己出去。林国强看看围在母亲床前的大哥和医生，垂着头跟着她走出去。吴玉华把林国强领到一个僻静地方，通过关心老三，达到自己的目的。

林国强好不容易碰到一个听自己说话的人，自己的苦冲口而出："我的事上来就给来一个不听，你倒是听听我说什么啊？你不喜欢陈金巧和她儿子，我跟你一块儿念念秧，这总可以吧？我这个月租房子、修车，那个小子和人家打架，搭着时间看妈，这一个月拉了多少亏空，问过我吗？泥人还有个土性呢！这月连份儿钱都得借，还拿什么给？光知道心疼雅娟，心疼心疼自己儿子好不好？这话要不是妈又犯病，我都得当面说！"

吴玉华装作有些着急，让他千万别说，这没说出来，都这样严重；说出来，那还不翻了天？争取争取是对的，可是得注意分寸。现在就是这样一个结果，事儿没办成，妈还给得罪了，大哥又赖他。吴玉华半是嗔怪半是认真地说："你这都有前科，不能回回把妈气病了的都是你，你都成专业户了啊？"

吴玉华把手放在林国强胳膊上，和风细雨地不要让他再犟嘴了。林国强长叹一声："我他妈真窝囊！"

5

养老院的大夫给林母检查了一下身体，她的心跳和血压倒还好，可能是营养吸收方面有些问题，医学上也没有什么好的办法，还得自己多注意。林国栋一一应下，医生给他们说了注意事项之后，走了。林国栋送他出去之后，长叹一声，心力交瘁。

林国栋走回屋子，林母看着他，问国强在哪里。林国栋怕再有什么意外发生，告诉母亲，钱的事情他来解决。现在只要母亲安心把身体养好，就行了。林母默默流着眼泪："儿大不由娘，我最怕的就是这个家心不齐，心要是不齐就完了，什么都扛不住！"正说着，林国强和吴玉华从外面进来，林母不看他。林国栋让林国强跟妈好好说说，别犯拧了。

林国强走到母亲跟前，主动表态："妈，您真是我妈，真厉害。我今天实在是没想到还有这么一出，要不然打死我也不会说那个不字。我回去就去凑钱，往后再遇到掏钱的事我还掏，这总行了吧？至于我的日子还过不过得下去，大家都甭操心，大不了我卖血去。"

真不知道林国强是真傻，还是想挑事，这话表面上是同意，实际上每句话都是在较劲儿。林母当然听不下他这放屁的话："你们谁也都甭觉得亏，我还有几年好活啊？到我死那天，房子我肯定卖了，该还给雅娟的还给雅娟，剩下的肯定还上你们贴的这几个钱，算我借你们的行不行？"

林国栋听不进去，妈说的是什么话，这么让人伤心。林母不管儿子，她说的是人话，这几个没人味的逆子听不懂？她烦了，也腻了，不想见这些表面上是伺候她，实际上每个人都拿着计算器算计的讨债鬼了。她用被子盖住自己的头，让他们走了。

6

被母亲轰出来，几个人都很郁闷。

林国强要死要活地非要喝酒，林国栋和王茜、吴玉华只好陪着。桌上的菜，几乎没有人动，只有林国强喝着酒，没有人说话，气氛非常沉闷。

林国强一口闷掉一个口杯，林国栋拉住他，下午还得拉活呢，别喝了。林国强破罐子破摔，不去拉了，拉得越多越亏，喝死才好呢！林国强还要喝，被林国栋一把夺过了杯子，这是跟谁置气呢？

林国强是跟自己在置气，他就是一个废物，养不起妈，养不起老婆，混到四十几结个婚，还找了个冤家对头。真邪行了，什么事儿只要从他嘴里说出来，他妈准犯病。他是不是妨人？林国强不顾哥哥阻拦，端起面前的酒杯，又一饮而尽。他把酒杯往桌上一蹾，面色酡红，泪眼迷离："哥，我心里多闹得慌，你知道吗？你们结婚的结婚，生孩子的生孩子。我呢？土都埋半截了，想生个自己的孩子都不行，为什么，养不起！不过也没事儿，我老婆已经帮我生好了，都帮我养到八岁了。问题是，不是跟我生的！"

看着弟弟借酒撒疯，林国栋虽然看不惯，但更多的是怜惜，既然已经这样了，那还能怎么的，以后好好过日子。林国强抓过大哥面前的杯子，一扬脖，又灌进去了，他口齿不清地说："我不过了，谁没谁活不了，我回去就跟陈金巧说离婚。我就说，你惹我妈生气了，我妈不让我要你了，带着你的儿子滚。然后，妈的病就好了，我就又成光棍了。那也没事，我再找个骗妈的，再来一轮！"说完，他往前一趴，直接趴到桌子上，不省人事了。

这饭也没有办法吃了，林国栋和王茜把林国强送回去。吴玉华借口下午做账，没有跟过去。

帮着把林国强送上出租车之时，吴玉华跟林国栋说："大哥，今天这个事，我看也不全都怪国强，他这日子过得也够不容易的，不定又遇见什么事了。"同时，她主动提出，是否可以不让老三出这钱了。林国栋和王茜对视一眼，没有说什么。

7

家里多了一个人，即使是一个八岁的孩子，原来的平房也住不下了。林国强

再心疼，也必须换一个较大一点的房子。这是一套一居室，屋子里的摆设十分简陋，几乎没有什么像样的家具，还一千五一个月。陈金巧也不抱怨，能有一个落脚的地方，她就知足了。她是个粗人，没那么多讲究，更没有那么多野心和欲望，觉得老家还不如这里住得好，心态就平衡了。从这个角度上讲，跟吴玉华这个城里人的“狡兔三窟”的理想，陈金巧还是很淳朴的，这也是林国强能够娶她，一心对她好的主要原因。

但是，这房子，看在林国栋和王茜眼中，却是非常简陋不能住人的。看到林国栋搀着林国强走进来，林国强喝得人事不知，处于半死状态，陈金巧很惊讶，不是下午还拉活，怎么喝成这样？是不是发生什么事了？陈金巧没敢立刻就问，先跟林国栋一起，把丈夫搀进屋，放在床上。陈金巧给丈夫脱鞋，王茜看到罗虎，陈金巧连忙让他叫大伯、大妈，小虎叫不出来。王茜并不在意，拿起刚才罗虎的画。

林国栋他们进来之前，罗虎正在写作业。那些作业，罗虎都不会做，他就把一张草稿纸放在本子上面画画。陈金巧望子成龙，非常关心小虎的学习，怕他贪玩，总是偷偷地观察他。发现了他的小动作，陈金巧很生气，一把把纸抢过来，就开始训他，罗虎因为妈妈老是偷看自己，非常不高兴，顶了陈金巧两句，陈金巧要扯罗虎的画，要他干脆甭上学了，这么不争气，怎么对得起她花的这些钱。罗虎正不想上学呢，不让扯，母子两个人正在撕扯，林国栋他们来了。

王茜非常喜欢罗虎画的向日葵，觉得他非常有美术天分。陈金巧不以为然，在她眼中，考高分才是好孩子，像儿子这样天天光画画，就是不好好上学，真不知道将来能有什么出息。

王茜不这样认为，她觉得陈金巧的教育方法简单了一些：“别当着我们的面说孩子，孩子自尊心很强的。画画好也是特长啊，一张油画能拍卖好几千万呢，搞不好将来罗虎就是画家。”她让陈金巧送孩子专门去学画画，这对陈金巧来说，根本不可能，他们哪儿有那份闲钱，以他们现在的经济情况，能供儿子把书念下去就阿弥陀佛了，画家根本就是一种奢望，他们家祖坟可没有那根蒿子。

陈金巧问起今天还发生了什么事，林国栋不好说话。陈金巧马上就要去拿钱，她以为是要花钱的事。虽然确实是要花钱的事，但林国栋哪里能要她的钱，赶紧说不要，等国强醒过来再说。

陈金巧一听，真是要交钱，说不发愁那是假的，但看到丈夫这样，她也知道，肯定又出事了，就跟他们解释：“我们上个月刚交了半年房租，国强又得修车，再加上份儿钱，他最近火气大，你们可别跟他一般见识。”林国栋觉得这个弟妹很懂事，说了两句，就和妻子告辞走了。连口水都没喝，陈金巧有些过意不去，把他们送到门口。

8

林国栋和王茜终于回到了自己的家。两个人心情都很糟糕，一进屋子就倒在床上，大口喘气。王茜抚摸着丈夫的脸，问他什么时候回美国，她一天也不想在这儿待了。林国栋也想走，可走得了吗？明天还得带妈去看病，要是真有什么事，还麻烦了。对这笔钱，两个人都很发愁。林国栋这次学乖了，他听老婆的。王茜说他㞞了，林国栋不承认也没有办法，他说自己真的体会到了“有钱男子汉、没钱汉子难”的滋味，现在什么都不想管了，只要王茜说，他就照办。林国栋这样做，也是实在没有办法了，他现在唯一能卖的东西，就是那辆开了好几年的破车，王茜还不让卖。人在屋檐下，不得不低头，他要牢记王茜对他的教诲——他是一个穷人，不是美国大款，逞能的事，他一件也做不出来了。

王茜今天本来要和吴玉华较量一下，她要让吴玉华知道，她王茜也不是好欺负的，不要总在老太太面前挑拨是非装好人，没想到老三蹦出来了，把她给拦了，没有让她发挥。林国栋要她拿出点同舟共济的精神，就是分出个上下输赢来，又有什么用？多一事不如少一事，最好眼不见为净。王茜还是有些不服气，她要杀一杀这个女人的锐气，让她学乖点，知道她不是好欺负的。对于丈夫的劝说，她直接理解为他的懦弱、妥协。要是由她来解决，她一定能做得非常漂亮。殊不知，就是她这种自以为是的想法，让她的婚姻，走到了尽头。

关于林家老三，王茜和林国栋的观点也不一样。王茜认为可怜之人必有可恨之处，林国栋则认为她和自己母亲，都有偏见，他觉得陈金巧是一个挺好的人，难道带着个孩子就不是好女人了？这很容易让人想到刘雅娟，她不就是一个带孩子的好女人吗？戳到林国栋的痛处，林国栋又说王茜无聊。王茜觉得吃这种干醋，有损自己的身份，不再继续这个话题。

运用自己餐饮MBA的知识，她开始分析林家目前的状况：“我觉得你妈倒是很想团结这个家，但是办起事来一点章法都没有。她想告诉你们家要用感情维系，但是实际上总给人错误的信号，让人感觉她看重的是钱。比如今天，她说什么死了之后分房子的事，她这话一说出口，那几个人还能盼着她多活几年吗？还有，她看不出来老三和陈金巧有感情吗？非逼着拆散人家，这么做聪明吗？”就是因为她这么多错误观念，才弄得林家现在这个样子，人人都顾自己。王茜认为，不光是自己婆婆，很多中国老人，都应该好好反省自己的做法了，到老了抱

怨没人管自己，其实还不都是自己教出来的？

分析完之后，王茜的主意是，他们给老三出钱，条件是他们搬回家去住，折抵房租。这是最好的办法，把省下来的房租用来贴补林母，钱建功也不能再来闹，这不是两全其美吗？

林国栋担心现在是敏感时期，几个弟弟和弟妹都盯着这套房子，他们要搬进去，别人会认为他打这房子的主意，这种瓜田李下的事情最好不要干。王茜则认为，他们脚正不怕鞋歪，到时候该怎么分怎么分，怕谁议论？如果林国栋不同意这个办法，非要打肿脸充胖子，那也随他。不过，孝顺妈还是护着面子二选一，就看他选哪个了。

9

吴玉华没有去送林国强，也没有直接回家，她去了一趟房产中介。问清楚了七十平方米的两室一厅的出租费用之后，她要了一张中介的名片，要中介等自己电话。

林母这套房子出租，闹成这样糟糕的局面，吴玉华还想要出租吗？当然不是，她想出租她自己的房子。把自己的房子租出去，他们搬到林母的房子中，这是吴玉华的下一步棋。

在吴玉华看来，今天林母借着犯病的理由找麻烦，逼着他们掏钱，就是为了刘雅娟。她见过胳膊肘往外拐的，没见过当妈的胳膊肘往外拐的。既然林母正式把房子和三个儿子出的钱挂钩了，而且要写进遗嘱里去，吴玉华当然不能反对了。她不但不反对，还觉得这是一个机会。林母让他们出的五千，她觉得少。

精明如吴玉华，当然没有吃药吃傻了，她是想帮老三把这笔钱出了，让他帮自己说话，住进老太太那房子中，那不就是稳赚不赔了吗？眼光要放长远点，别老盯着口袋里那点小钱。现在的问题是，他们有什么理由搬家呢？这个吴玉华已经想好了，就说他们医院要分房！林国梁半信半疑，有些不敢相信，老婆有这么大的本事吗？

10

有没有这么大的本事，要骑驴看唱本——走着瞧了。现在林家的战斗形势是，吴玉华和王茜都想搬到林母家，虽然目的不一样，但结果是一样的，这就注定两个女人会掐起来。这一战役，谁胜谁负呢？别着急，马上就要见分晓。

11

吴玉华这个人，还有一个常人不能及的长处，就是想到就做，毫不拖泥带水。这也是为什么她虽然事事算计，处处占便宜，却还是婆婆眼中的好媳妇，妯娌和叔伯心目中的好人的原因，至少到目前为止是这样。

为了实现这个目标，吴玉华首先要得到林国强的同意。这对吴玉华来讲，难度系数是比较低的。说干就干，当天傍晚，吴玉华就到了林国强家。

喝得烂醉如泥的林国强已经醒来，一边吃着面条，一边听着陈金巧的唠叨。林国强把情况对老婆汇报了一遍，觉得自己非常冤。埋怨归埋怨，嘴臭心软的林国强正经地给老婆说："这回不是我不争，你都看见了。金巧，咱们这回是躲不过去了，筹钱吧。盼着将来分点，再补回来吧。真要是给我妈弄出什么好歹来，我担不起这个骂名。"

那这日子怎么过？陈金巧发愁。不过，林国强还比较乐观，他们不是还没饿死吗？车到山前必有路。这不，敲门声响起，路来了。

吴玉华进屋，罗虎自觉地端着饭碗进里屋。吴玉华夸他长得壮实，陈金巧受用，林国强苦笑。吴玉华打着安慰林国强的名义而来，让他说实话，最近是不是日子过得挺紧。这还用说吗？这不是秃子头上的虱子——明摆着的吗？他真不是装孙子，真不是有钱不给，他也得吃饭、喝水、住房、穿衣，他那车得烧汽油，公司得交份儿钱，这都不是钱啊？但是，这样的抱怨有用吗？吴玉华以长者身份教他，做事要讲求策略，不能老是小胡同里赶猪——直来直去。说话要分个场合，讲个分寸，同样一件事，换个角度说就能好很多。比如今天，妈这么说了，先别急，给她捶捶后背捏捏胳膊，然后再跟她摆难处，得先让她把这口气顺过来，这才能行。这要是把老太太气出个好歹来，老大不得跟他拼命？老太太还能给他房子？

吴玉华说的这些，林国强不是不知道，但是，他就是没有那个本事，有什么办法？再说了，就是拐出九道弯来，没钱不还是没钱？吴玉华说，知道他没钱，他那份钱，她出了。吴玉华把钱都带来了，要国强拿着，到时候别跟妈说是她给的，就说是自己掏的，再跟老太太道个歉。

林国强老感动了，嫂子这雪中送炭，他怎么能拒绝？不过，这份人情虽然领了，但他不能无功受禄，这算他借的。吴玉华坚持说，这算她出的。接着就说出她的条件，他们医院最近可能要分房子，这恐怕是最后一次分房了，嫂子等了十几年了，但是分房子有个要求，就是要退掉以前医院分的房子，先退先得。要是动手晚了，那她这辈子恐怕都没有大房子住了，所以他们得马上动手。退了老房子又没拿到新房子之前，就想搬进那个老房子里去。

林国强看看陈金巧，觉得这里面有问题，但是，他又不住那房子，房子租与不租，对他也没有太大的影响，所以，他就同意了。不过，他让吴玉华把钱拿走，反正后天就给人了，过他这手也没用，他就不去了。

12

林国栋那里，吴玉华没有见面谈，而是打电话说的。她让林国栋安心去找工作，自己陪婆婆去医院看病，明天她正好轮休。她的话说得合情合理："你最近花了那么多钱、那么多时间，也该轮到我们几个了。工作没那么好找，早动手早好，也不能老让嫂子一个人挣钱啊，老爷们儿还得负起责任来是不是？"林国栋不能拒绝她这番好意，只能答应。

但王茜却一反常态，非要他带母亲去医院，因为他必须告诉他妈他们帮忙出钱，让婆婆同意他们搬家！王茜说得明白："你天天积极，这时候倒放下你妈交给吴玉华了，你不就是不好意思张嘴吗？你也该帮咱们家争取争取了！不能把担子都扔在我一个人头上吧？"林国栋觉得为了这个跑一趟，不值得，保证下次见着妈就提！王茜十分不放心吴玉华，要林国栋立即打电话。林国栋想让母亲过个消停的晚上，坚决不打电话，也不让王茜打。王茜恨铁不成钢，吴玉华选择这个时机绝对不是偶然的，要是搞出任何乱子，谁负责？对林国栋这种一到该帮自己个忙的时候就尿得什么似的，王茜气得说不出话来。

13

王茜所料不差，吴玉华主动陪林母来检查，目的就是要房。她把自己给老三钱的事说了，也说了自己医院要退房分房的事，还解决了刘雅娟的问题。钱建功不就是眼红拿房租吗，现在不但没拿房租，还赔了钱，他没什么好眼红的了吧？房子不出租了，这就没理由给他钱了，反正早晚得把房子还给雅娟，让他等房子得了。她知道林母心疼雅娟，可是这钱是钱建功要的，他们家吃苦受罪，当然不能便宜这个浑蛋。林家哥儿仨，哪家容易？钱建功这么落井下石，还得忍着，这不成了对敌慈悲对友刁了？搞得家庭不和、母子反目，这值得吗？把钱还给老孙，不给钱建功，这样于情于理都说得过去。

吴玉华按照她给林国强说的那套方法，把自己的目的，披上几个非常合理的理由，林母被她说服了。待等到婆婆一句，只要老大、老三同意，她没有意见时，吴玉华立即把自己的房子租出去了。

14

就这样，王茜和吴玉华妯娌两个关于搬进林母家一役，吴玉华完胜。当林国栋和吴玉华两个给了老孙五千块钱，让老孙搬出去，林国栋终于鼓起勇气给母亲提起自己想搬进去时，吴玉华这边已经开始搬家了。

之所以会有这样的结果，吴玉华的精明算计、不择手段、两面三刀是主要原因，而林国栋的优柔寡断、当断不断，也是重要的原因。王茜取出六千给林国栋，让他交给他妈，并督促他说这件事时，林国栋有好几个机会可以说，但他就一直犹豫，说不出口。

而外要承吴玉华的人情，内受母亲、老婆监督的招聘会，林国栋也是铩羽而归。看看林国栋的条件，这并不难理解——他有绿卡，有丰富的工作经验，有就职世界五百强企业的履历，英语娴熟，四十八岁。除此之外，还有一条最要命的，在国内工作的时间不定。

他这工作还真难找，先说工资，之前，挣的是美元，自不必说了；现在，找工资高、职位高的，还不知道他待多久，找工资低、职位低的，不如不干，还落个清闲。林国栋说自己要求不高，月薪四五千就行。招聘会的工作人员笑，他的工资都不到四千。林国栋无语，真是从“海龟”变成“海带”，无奈之下，他只能回去等信。

王茜知道吴玉华捷足先登，已经搬进房子之后，非常愤怒，她对林国栋说，自己一定不会善罢甘休的。

第十一章　按下葫芦浮起瓢

这个家现在好比一条船，大家都在这个船上，各自有个船舱。现在船破了，每个船舱都漏水，就要想办法利用现有条件堵上窟窿，大家一起努力分工合作，一起渡过难关。而她吴玉华现在就是拆人家的船板补自己的。这样弄来弄去，船不还是得沉了？到时候她怎么办，要自己搭上救生艇把别人扔在船上？

1

听母亲说二弟家要搬回去住，林国栋隐隐才觉得王茜的分析是对的，但老实善良如他，这个念头刚冒出来，立即被他自己扼杀了。再听母亲说起二弟家要搬进林母房子的理由，国栋觉得这是好事，不过，一想到妻子三番五次的嘱咐，这句话说出来就变得言不由衷。

林母当然看出来了，她叹口气，对这三个儿子，她老想一碗水端平，可是按下葫芦就得起来瓢，她也没办法。说心里话，要非说她向着谁，她还真想向着老大，可是手心手背都是肉，那俩没有老大懂事，就让着他们一点，谁让他是老大呢？这一切，只有等她死了，再给老大一个交代吧！

但凡一个儿子听到母亲说这样的话，肯定都接受不了。林国栋情急之下，顺嘴就说出，自己能够搞定老婆。话出口了，他觉得不对，马上改口，林母却也明白了，搬回家肯定不是儿子的主意。但王茜这么想，也是为了他们这个家。女人嘛，要是不顾家也不对。老大这个老婆很精明也能干，就是计较得比较厉害。现在看来，她这个人大事不糊涂，还是一个讲理的人。林母的要求不高，这就够了。她要儿子多顺着她点，这样的人得罪了那是很麻烦的。现在的关键是儿子赶快去找工作，软饭可不好吃。男人在家要是不挣钱，说句话都没底气，至少不能让她养活。

在林母看来，王茜也许是一个很好的老婆，却绝对不是一个合格的大嫂。当大嫂不是那么容易的，任劳任怨是起码的，还有就是不能太计较。林国栋答应着，心中那种不好的预感再次涌上心头，一个合格的妻子当不了大嫂，那他这个大哥还能和这个妻子在一起吗？什么样的人能当大嫂呢？雅娟吗？他回答不了这几个问题。

林母告诉他，不给钱建功那个钱了。他们家出租房子，一分钱没挣不说，还赔了好几千。现在房子也不出租了，没道理再给他钱。不能让一个小人牵着鼻子走，林家哥仨儿吃糠咽菜，他在一边高高兴兴，谁也咽不下这口气。可是，林国栋知道，这毕竟对不起雅娟，又要让她受委屈了，这种牵挂，难道只有在母亲走后，才算完？林国栋不敢再往下想，雅娟应该不会在意吧？她对钱建功勒索的厌恶，他很清楚。他不愿意见雅娟，面对她，就犹如面对自己无法摆脱的过去、无法挽回的错误和无法掩饰的罪恶，他又如何情愿见她？

雅娟他可以避而不见，王茜他却绝对不能躲。但是，能躲一时是一时，林国栋很不争气地想。因此，他没回她的短信，在她又打来电话追问时，他也不知道该如何给老婆说这件事。这样的事，电话中说，他怕把她气出病来。回家当面说，他也许还能让她接受这个现实。

2

王茜会不会接受这个现实，还不好说，因为她还不知道。可是，知道这件事的钱建功却不干了。

钱建功是怎么知道林国梁搬进来了呢？前面说过，一天到晚无所事事的他，在知道可以从林家租房中拿到钱之后，就有了事干。他每天都睁大眼睛看着林家，想着怎么把那六千块钱抠出来。

林国梁搬进林母家这么大的事，他当然第一时间知道了。自己被这个女人整到了警察局，而这个女人却嘛事没有高高兴兴地搬进来，他恨不得上去把这女人剁了放到嘴里嚼嚼吐了。

他走到林母家门前，什么话都不说，就挡在了搬家的小工前面。林国梁不能不让他起来，好狗还不挡道呢！钱建功就是来找碴儿的，他指名道姓地挑衅：“林国梁，你们家脸皮怎么那么厚啊？人家吐口唾沫是个钉儿，你们家还带往回咽的。”林国梁不想理他，让他该干吗干吗去，钱建功当然不能这么听话，两个人嘴上打了起来。

在屋子里指挥搬家的吴玉华出来了，这里就热闹了。吴玉华还很横，上来就威胁他，还要把他送进局子里去。既然都进去过一次了，他也不怕了。这林家人真有种，他这样闹，他们还敢出租。好呀，出租好，他正好拿钱。

硬的不行，试软的，吴玉华不打架了，改走真情路线："我都替你累得慌，都是街里街坊的，干吗搞得那么僵？上次我找警察折了你的面子，好，好，我给你赔个不是，大家和和气气的不好吗？实话跟你说，你那么闹，老孙退了房子，我们一分钱房租没拿着，还赔了他好几千，我们找你麻烦了吗？"这话钱建功听了，只是解气。吴玉华比钱建功这个浑人明白，刘雅娟和老太太感情好，要她跟钱建功这个时候要房子，这就是落井下石，她肯定不干。吴玉华想用缓兵之计，让他再忍几年，等老太太走了，房子马上还给雅娟。可是要老这么闹，弄得雅娟跟他离婚，那不是鸡飞蛋打了吗？和则两利，争则两败，钱建功好歹也四十几岁的人了，利弊得失应该还能分清楚吧？

但是，吴玉华那一套，在钱建功面前，一点用也没有。钱建功不说别的，就是要钱。吴玉华眼看跟他说不通，话就不留情了，她指着钱建功的鼻子，就往钱建功的痛处戳："你一个老爷儿们不自己挣钱，老憋着吃软饭，霸占媳妇的房子，你都不害臊。就你这样的，还嫌弃雅娟哪！雅娟就是再嫁上一百遍，你都算高攀她！"

钱建功怒火攻心，要她再说一遍。吴玉华见事不好，闪进屋里，钱建功追上来。林国梁拦住钱建功，钱建功叫嚣着要弄死这俩人。吴玉华从箱子里抽出一把菜刀，让丈夫放他进来，钱建功一只脚踏进门里，吴玉华当头就是一刀。钱建功一躲闪，砍在门框上，吓得他"哎哟"一声。吴玉华拎着菜刀横在门口，对着钱建功大叫："进来你就是私闯民宅，动我一下你就是入室行凶！宰了你都白宰，这儿全是人证！你来！"

钱建功一脚踢翻了一个箱子，气哼哼下楼，让吴玉华等着。吴玉华看着钱建功的背影，吐了一口："狗东西，欺负到老娘头上，瞎了你的狗眼。"她让工人们接着搬，然后心疼地检查着门框上被砍的缺口，爆了句粗口："他妈的！"

3

钱建功这口气实在咽不下去，他疯了似的跑回家，拉起刘雅娟就往外走，要去找吴玉华。娶了这个丧门星，他钱建功算是赔大发了，在外边都抬不起头来！今天，他一定要把这口气吐出来，如果这个女人不把房子要回来，他就一把火把那破房子给点了。

正在做饭的刘雅娟看他又发疯，非常生气，这个混账，在别人那儿碰了一鼻子灰，就拿她撒气，这日子还怎么过？她再一次提出离婚。钱建功当然不干，他指着刘雅娟破口大骂："你少来这套，儿子我给你养大了，你使唤完我了，撒丫子就想走，我告诉你，没门！我还没回本儿呢，你不向着我，那你也甭想有好日子过，我不当这个绿头王八，你非得把房子从林国栋手里要回来不可！"

他这样胡说八道，刘雅娟气得直哆嗦，她行得端做得正，凭什么受这份气？刚要跟这个男人拼命，她的电话响了，是林母打来的。钱建功盯着电话，看她不接，就以为是林国栋打来的，就要抢手机，刚还在犹豫的刘雅娟打掉了他的手，接起了电话。林母听出她的声音有点不对头，就知道她那里肯定有事，可是，以林母现在的立场，就是再心疼，又有什么办法呢？听那边刘雅娟匆匆挂上电话，林母无奈地看着那个瘫痪的老太太："死了倒好，一了百了。"

支着耳朵听的钱建功没有听到是谁，其实他不承认，他是非常妒忌林国栋。对刘雅娟，他要是一点感情都没有，也不会不顾母亲的反对，娶了这个有孩子的女人了。可是，他恨，恨自己这样对她，她还身在曹营心在汉。他可没曹操那么大度量，他见不得她在自己眼皮子底下搞小动作！这当着他的面就勾搭，电话里是定约会地点了吧？刘雅娟就差把手机扔在他脸上了，这样血口喷人，还让不让人活了。

听说是林家老太太的电话，钱建功知道，这老不死的，也没有什么好事，肯定又在说他的坏话，这帮臭老娘儿们，嚼他的舌头，真该生口疮。刘雅娟再也待不下去，夺门而出，边走边掉泪，这天下之大，哪里能躲开这些她不愿意见的人？

4

林国栋电话中不说，王茜就知道事情不好。以丈夫那个性子，肯定办不成。她也没有对他抱有多大的希望，可是，如果办不成，接下来要怎么做呢？其实，她不是那种特别计较的人，如果她生活得很好，有大把的闲钱，她不介意给婆婆和丈夫其他的"亲人"多出点钱，可是，她没有这个如果。如果婆婆以及她的小叔子、小婶不算计她，不跟她动心眼，她也会很高兴地尽一个儿媳妇的孝道，可是，她也没有这个如果。她现在必须要做她非常不喜欢做的事，就是跟那个虚伪算计的女人吴玉华一样计较、争夺、算计，她这样做为的是什么？丈夫的这个家，就是一个无底洞，一不小心，她和他的婚姻就会被这个无底洞吞噬，而她，无论如何不愿意什么都不做，就这样举手投降。她要针锋相对，以牙还牙，让他们知道，林国栋是傻子，她王茜不是，他们不能任由人拿捏。

正在她心烦意乱之时，胡毕昆又来了。最近胡毕昆简直把这里当成他的办公室了，他的借口总是冠冕堂皇，他们总经理找他，联系两个赴美旅行团的接洽。他直接要她谈。这确实是好事，可是王茜知道，这份人情，她是要还的。至于用什么还，他们都清楚。王茜给不起，她不敢走那一步，可是，面对一个男人，尤其是一个有权有势、居心不良还是你衣食父母的男人的追求，拒绝起来就非常有难度。王茜需要他的帮助，却要想方设法保持距离，这就是职业女性尤其是漂亮职业女性的困惑！

胡毕昆因为她没有去享受那些招待券体验卡，而故意指责她，她这是看不起他？忙是搪塞推托的最好借口，胡毕昆凑近王茜的脸，仔细地打量："公司是美国人的，身体是自己的。给别人打工，差不多得了。"王茜摊摊手："这些工作都是有dead line的，我又不像你，手下一群人，自己动动嘴就行。"胡毕昆委屈："没有啊，我也是劳动人民。"说着，就约她晚上去泡温泉，今天非得去不行。开店的也都是他哥们儿，得帮人吆喝，人家还得听反馈呢！那话怎么说，第一次不去怨她，第二次不去怨他。为了加强诱惑，胡毕昆拿出一张美容卡，卖力吹嘘："这家我几个同事去过，都说不错，去角质除皱都挺棒的。"女人永远无法拒绝美的诱惑，王茜同意过去。胡毕昆这才满意而去，王茜拿着那张卡发怔，对着镜子，仔细看自己眼角的皱纹。

于是，到美容院享受热情全方位服务的王茜，回到家又很晚了。做了保养的王茜，容光焕发，但面对做好饭等着自己吃的丈夫，就怎么也高兴不起来。

林国栋只能实话实说，王茜虽然猜到了他没有成功，却真没有想到是这样一个结果，她气得浑身发抖，她给过他机会了，可是他自己不珍惜，这样扶不起的阿斗，她还有什么可留恋的？王茜抓起衣服就往外走，林国栋慌忙站起身来拦住，急着给她说理由。

王茜的话尖刻却一针见血："他家女儿有病，你脑子更有病吧！我问你，哪有这么巧的事，房客前脚搬出去，后脚她们医院分房子？这是骗鬼呢！她们医院在哪儿新盖的房子，工程周期多长，什么时候搬进去？"

林国栋当然答不出来，他是死要面子活受罪，要维持团结。他在那儿高高兴兴地伺候妈，他妈在那儿当着她的慈母，林家老二在那儿含辛茹苦抚养他那个养不活的孩子，还得到了全家人的支持，表面看来，这个家多团结啊！可实际上呢？老二和他那个口蜜腹剑的老婆就是一对自私鬼！为了自己家能得利，他们一点也不在乎牺牲谁。把老太太送进养老院，挑唆他们俩的关系，霸占林母的房产，花他们家的钱！这不单纯是王茜的揣测。房子不出租了，平均每个月每家出一千块，她帮老三出一千，然后把自己的房子出租拿两千五。过几个月再跟老三说，帮你出不起了，女儿要手术，然后就还是只出一千，出租房子拿两千五。这种事要是不会发生，她就不姓王！

对王茜的这种分析，林国栋认为非常庸俗；林国栋甘愿被人家玩弄在股掌之间，王茜认为他蠢，这年头还能相信什么福利分房的鬼话！现在不是他去美国的那会儿，现在是2010年！王茜说完又要往外走，她要气炸了，再也不想见到这个蠢男人。林国栋不能让她大晚上出去，他给她讲理，她是大嫂，本来就得多负点责任，不痴不聋不做家翁，就算是为了他。王茜更怒，谁稀罕当这个什么大嫂，她是为了他，可是他光为了他妈！连去趟上海三天的工夫都闹成这样，她就理所当然为他们家牺牲？她牺牲的还少吗？来了北京这么长时间，她买过一件新衣服，还是买过一瓶化妆品？可是，结果还是这样，她受够了，这个男人懦弱、迂腐、没有原则。不是她没有同情心，而是不能为了老二家一个女儿牺牲所有人，更不能把所有人都当傻子！林国栋说不过她，也不让她走，堵在门口。王茜扔下自己的包，回到房间重重关上门。

两个人都睡不着，王茜越想越生气，翻身起来，掏出手机，找到了吴玉华的电话，走出去，就开始拨号。林国栋跟着她出来，抢了她的电话，把电话挂掉。林国栋很伤心，就当是为自己做点牺牲，不要所有的事情都斤斤计较。王茜一点都不服气："该我干的我都会干，不该我干的，我一件都不干！更别提对着那些成心想要玩人的人！凭什么我连觉都睡不着，她在一边高高兴兴欢庆胜利？"她和那个女人，没完。王茜回到屋子里，翻身睡下。林国栋把手机放在自己睡衣的口袋里，王茜看都不看他，仍旧虎着脸。

5

成功搬进林母家的吴玉华两口子，住得也并不是很舒坦。先是要面对钱建功那个丧门神，还要半夜两点被大嫂的电话吵醒。吴玉华没有打回去，这个王茜能有什么事？还不是房子的事？房子是老太太给她的，大嫂能怎么的？

6

雅娟到养老院来看望林母时，林母正暗自神伤。起因是对面床上那个植物人老太太。大白天的，老太太不仅剧烈咳嗽，还发烧。林母叫来护工，要她把她家人叫来，别出什么事。护工为难，她家人跟她们留话了，说出差了在外地。上次也病了一次，把她家人叫来，还被骂了一顿，说没事不要叫他们，跑一趟老远。

林母生气，真是畜生，自己的老娘在这儿躺着，跑一趟就嫌麻烦，那当初生你养你，麻烦不麻烦？是呀，有几个老人像林母这样幸福的呀，儿子、媳妇老来。护工小张要她没事多出去转转，别出院子就行。别老看着这个植物人，心情不好。小张走出去，林母继续看着这个躺在病床上的老太太，抓起她的手，轻轻地拍。同是天涯沦落人，林母打心眼里同情这个老姐姐。

刘雅娟提着一点水果走进来，林母见到她，很高兴，拿出水果、饮料，一个劲儿让她吃。她觉得雅娟又瘦了，雅娟抚着自己的脸笑，林母老嫌自己瘦，成个大胖子，她才高兴呢！这就是老年人的审美观点，胖总比瘦好，大胖子也比瘦猴强，富态。雅娟开心地笑了，意识到这一点，她怔了一下，她有多少天不笑了？

这是雅娟第一次来看林母，不是她不想来，而是钱家母子看得紧，她实在脱不开身，又不想见到林国栋，所以，拖到现在才来，有点不好意思。说起这里的生活，林母忍不住发牢骚，她就是等死，在哪里都一样，哪儿的黄土不埋人？也许跟对面那个老太太相比，她还是幸运的。可是，她心中的官司和牵挂，可比她多多了。

她最担心、最放不下的，还是这个比女儿还亲的雅娟。她抓着雅娟的手，问钱建功这几天跟她闹了没有。雅娟报喜不报忧，林母想起昨天打电话时雅娟的声音，知道雅娟不说，钱建功那样的人，怎么能不闹呢？都是她对不起雅娟。钱建功要的钱，要是再给不了，他还不把雅娟给欺负死？还有她大孙子小超的日子，也不会好过。林母又有些后悔了，她提出，要不，让儿子们再凑凑。

雅娟连忙拦住，钱给了钱建功，他也是灌了黄汤，回家撒酒疯。再说那房子不出租了，他们也没有那个闲钱。雅娟说，自己家也没急事，老钱那人就那样，想起来就折腾一阵子，过去了也就完了。要让她管大妈要钱，她张不开嘴，随他的便，谁知道她跟他还能过几年。

对这件事，林母当然不好多嘴，自己家中的情况，她也是没有办法。不用林母张嘴，刘雅娟也知道老太太的心，本来钱建功要钱她就不同意，不给也是应该。谁让她挑了个这么没出息的男人，活该受这个罪。林母不爱听她这种自怨自艾的话，安慰她这些都是暂时的，雅娟人这么好，老天爷不会对她不公的，她早晚是过得最好的那个。雅娟又笑了，说哪天搬到这儿跟大妈做伴。林母想得更远，到那时候，肯定是林超给她生个胖孙子，在家逗孙子玩。雅娟这么好的一个人，又没做过缺德的事，来不了这该死的养老院。

说起孙子，林母好些日子没见他了，真想得慌。不过，小超不喜欢他们家，不爱来就甭来了。老林家对不起她们娘俩，她不能一直这样揣着明白当糊涂，继续对不起雅娟。她把写好的欠条递给雅娟，让她给钱建功。上面写得很清楚，她承认雅娟有这个房子的一部分产权，经过协商，等她死的那天把房子卖了，该归雅娟的那份归雅娟。

林母在欠条上签了字，也按了手印，是有效的。雅娟并不是十分想要那个房子，多少年了，就是老太太对自己好。现在林母都这样了，林家几兄弟也都很困难，她不想让人家恨自己。再说，凭什么把房子给钱建功？林母硬要她拿着，有了这个，钱建功就可能消停几天，至少能咽下这口气。雅娟这么活受罪，林母看着心里头难受。她坚持要刘雅娟在上面签了字，就当除了自己的一块心病。

7

王茜败给吴玉华，这口气怎么也咽不下去。她坐在自己办公室，上网查离婚协议。网上蹦出很多离婚怨女发出的帖子，王茜随便浏览着那些耸人听闻的标题。其中一个叫做“宁嫁败家，不嫁孝子”题目的帖子吸引了她的注意，这不正是写的她吗？她自嘲地笑笑，关掉了页面，拿起了电话，打114，开始查询吴玉华医院的电话。好吧，就像林国栋说的，这是最后一次。

她拨通了医院总机，找到宿管科的电话。拨过去一问，果然如她所料，医院根本没有分房。她以一个同事的身份投诉：“那财务科的吴玉华怎么说自己排上队了，她把房子都上交了，我这边宿舍也可以上交啊！”医院宿管科的人嗤之以鼻：“别在这儿诈，我没话给你套。她交给谁了？反正没交给我们。分房，这什么年头的事儿了？你的房子可以交啊，几百人憋着要呢！交完了可就完了，管收不管分。”捣什么乱？要分房，下辈子看情况吧。

为了揭开那个女人的真面目，王茜一不做、二不休，以去找行业协会的胡总经理为理由，离开公司来到吴玉华的宿舍房。当她敲开吴玉华宿舍门时，才知道，她的房子已经在昨天，也就是吴玉华刚搬走，就租了出去。房子一般，但交通还可以，价钱比别处便宜两百，两千三一个月。吴玉华算得清楚，等一个月租不出去也是亏钱，不如先租出去，后面再找愿意高价租的，这叫骑着马找马。而且，她还跟租客说明白了，今年优惠明年涨价，一点都不吃亏。

了解清楚敌情之后，王茜更气了，也不回公司了，给胡毕昆打了一个电话，让他给自己圆谎，直奔医院找吴玉华。

8

吴玉华这样折腾，也有些捉襟见肘，组长已经开始提醒她请假有些多了。因

为她的刻意维持，和组长的关系还可以，组长就没有过多地为难她，考虑到她婆婆身体不好，家里一堆乱糟糟的事，又没耽误工作，也就睁一只眼闭一只眼了。

组长可以睁一只眼闭一只眼，王茜眼中可不揉沙子，于是，两强相遇，一场妯娌之间的高端对决在医院楼道中上演了。

王茜找到吴玉华的地盘，主动出击，自然是有备而来，她先打一个比方，这个家现在好比一条船，大家都在这个船上，各自有个船舱。现在船破了，每个船舱都漏水，就要想办法利用现有条件堵上窟窿，大家一起努力分工合作，一起渡过难关。而吴玉华现在就是拆人家的船板补自己的。这样弄来弄去，船不还是得沉了？到时候她吴玉华怎么办，要搭上救生艇把别人扔在船上？

吴玉华也不是吃素的，一听这话，她就翻脸了："我拆谁家船板了？家里哪件事情我没出力？"王茜不慌不忙，问起她医院在哪儿盖房，这是房子的问题，更是做人的问题。她的房子是被收了，不过是被一个姓邓的租客收走了。人做事不能太绝，而且要是想动心眼，总得把事情做得更圆。撒谎是很难的，撒了一个，就得撒好多来圆，而且撒的谎越大，戳破的时候就越难堪。

王茜拿出一个大嫂的范儿，一副胜券在握的样子，给她讲她这个谎的后果："你撒谎骗老太太，这个责任你也得承担得起。老三的老婆撒了个谎，结果你都看见了。不瞒你说，我给你们宿管科打过电话，你们宿管科对于有人说要分房子也很愤怒。你也不想在医院里担这个散布谣言的骂名吧？"吴玉华当然不怕她，眼红房子就直说，扯什么大道理？

王茜也就不再客气，把她做的事，都给她说了出来："现在房产证上没写你的名字，老太太要是不高兴了，在遗产上少分给你十几平方米，到时候你可也不好受。我劝你还是别贪小便宜吃大亏。我告诉你吴玉华，你做的事能糊弄陈金巧、林国强、林国栋，糊弄不了我。你唆使老三劝妈去养老院，还打着我父母要来北京的幌子骗老太太同意，包括这次骗老太太，这些事我全都知道，而且忍到现在。我为了我爸妈来北京的事情和林国栋打过多少场架？他到现在还赖在我头上，你为了你自己的目的，根本不在乎牺牲别人的家庭。你有个患心脏病的女儿，我们是应该照顾你一点，不过你做事也不要太过分。谁家没个病人，了不起啊？"

这话里的威胁，傻子都能听说出来，说来说去，还不是为了房子。林国栋在国梁和国强面前打肿脸充胖子，可是这台戏她王茜是帮他唱不下去了，她和林国栋一穷二白，需要用老太太的房子。

吴玉华刚搬进去一天，屁股还没坐热呢，当然不想搬。可是，如果王茜把事情真相说出去，吴玉华也要吃不了兜着走。另一方面，王茜也不想把她逼急了，保证只要林母这边事情一完，她立刻回美国，绝不会像某些人那样，想着霸占着这个房子没完没了。

既然撕破脸了，吴玉华就不顾忌什么了，直接摆出泼妇的本质，警告王茜不要落在她手里，她可不是吃素的。王茜一点都不怕她，事情归事情，这层窗户纸大家还是别捅破了，要不日后不好见面。她给吴玉华一个星期，不搬家后果自负。吴玉华真急了，不顾不远处窗户里指指点点的医护人员，大声喊着自己就不搬。王茜停住已经迈出去的脚步，让她可以试试看，她也不是吃素的。

一向呼风唤雨的吴玉华这样严重地吃瘪，气得双手颤抖，把手中一根铅笔撅成两半。

9

钱家，两个女人也在上演一场对决。

刘雅娟又回来很晚，刘金凤给儿子做晚饭。刘金凤要亲自出马，好好教训教训这个吃里爬外的女人。钱建功也有些后悔，知人知面不知心，刘雅娟长得也慈眉善目的，心术怎么就不正呢？不过，他有自信，跟他斗，刘雅娟还差着点道行。刘金凤不放心儿子：“女人要动起心眼来，男人还真不是个对手，尤其是刘雅娟这种嘴上不言不语的，那肚子里能安着一百八十个转轴，待会儿我得探探她的底。”往坏处想，这个女人保不准已经在外边搞上破鞋了，钱建功眼睛一厉，要真那样，他宰了她。

正说着，刘雅娟开门进屋。刘金凤就开始骂，不给男人做饭，不顾家，一天阴着那张脸，比死人多口气儿！连个笑模样都没有，刘金凤都懒得说她了，说了也白说，她直接问她房子的事：“建功再怎么着也是为你好，他可是帮你要你的钱。你自己不会保护自己的利益，建功是你男人，他帮你干，这是理所当然的。”刘金凤觉得刘雅娟站错了队：“他老林家这么对你的丈夫，你不得跟他们好好说道说道？什么东西，敢叫警察，想害死人啊？就冲这一点，你现在都应该把你的房子收回来，有他们这么骑着脖子拉屎的吗？建功受了这么大委屈，你看着就一点不心疼？”

雅娟叹口气：“妈，咱们家也不是过不下去，添那一年六千块钱，还就能富了吗？林家老太太现在住在养老院，一个月好几千；林家老二孩子先天性心脏病，等着花一大笔钱做手术。我是跟他们家没关系了，可毕竟都是熟人，我不能落井下石啊。建功那几次上人家闹，闹得人家赔了好几千块钱，还把预收款都退了。

将心比心，谁活得都不容易，咱们得饶人处且饶人，落个心安理得不好吗？”

刘金凤不干了：“你这话什么意思？建功帮你讨钱，他还不心安理得了？那受苦的人多了，路上那么多要饭的，报纸上那么多得病的，你都挨着个儿地救吗？这年头各人自扫门前雪，休管他人瓦上霜。你顾好你自己和你丈夫就不容易了，哪能天天顾着别人？再者说，你管了那么多年了，已经仁至义尽了。你又不是她闺女，一个离了婚的儿媳妇，凭什么给她养老送终？你把这钱要回来养活你自己儿子行不行？我们家又不贪你的。”

钱建功插进来，她就是个榆木脑袋，说不明白。刘金凤非要把话说完：“自己家的事我能不管吗？不能眼瞅着她犯糊涂。雅娟，你今天必须拿出个态度来，新账老账跟他们林家必须算算清楚。我们建功帮他们把孙子都养活这么大了，亏了多少钱啊？”

刘雅娟看了一眼刘金凤，想说什么终于是没说出口。刘金凤不依不饶，非要她说出一个子丑寅卯来。刘雅娟被逼急了，把自己的想法说了出来：“钱，我是绝对不去向他们家要的，因为我实在做不出来。但是建功帮我养了这么多年林超，我很感激他，房子将来我要回来给他，算赔给他的损失。现在我不要，因为林家的老太太还健在。你们也不要老说她家的坏话，林家老太太和我有约定，只要她走了，房子立刻还给我，只要她还给我，我马上转到钱建功名下，这样行不行？”

雅娟从口袋里掏出那张欠条，递给刘金凤：“把这个给你们，就算凭证！但是从今天起，不要再纠缠这个房子的事！”雅娟把菜用力放在盘子里端出厨房，心里满含委屈。刘金凤和钱建功凑在一起看纸条，这下他们放心了，也没有话说了。可是，这个女人什么时候见的林老太太呢？刘金凤指着儿子：“你个傻蛋，我就知道有猫腻！”

10

被王茜在医院揭了原形，是吴玉华的奇耻大辱。这口气憋在她心中，那叫一个怒火中烧。林国梁也跟着一起大骂王茜：“我得找我大哥好好说道说道。这兄弟要是这样，干脆甭当了，都撕破脸了嘛！你也别在国内假模假样，留下钱滚蛋吧，用你在这儿装大尾巴狼？没你这么些年也好好的！”吴玉华拦着他，不让他去找，说这些气话没用，她要搬家：“现在小辫子抓在人家手里，要是真捅到老太太那儿去，你受得了吗？咱们现在只能退。这叫退一步风平浪静，忍一时海阔天空。”

当然，不能太便宜这个王茜了。吴玉华眼睛里露着阴狠："只要咱们退了这个房子，我马上就在老太太那儿告她一状，想舒舒服服住进来，门儿都没有！到时候我让她浑身是嘴也说不清。这次是咱们办事太草率了，我光想着把老太太糊弄过去就完了，没想到王茜有这个手段。不过这回我心里有底了，绝对让她吃不了兜着走！"

11

于是，林国梁夫妇搬到林母家里住了两晚上之后，就搬了出去。按下林月彤气得又跟吴玉华大发一顿脾气不表，单说吴玉华要报复王茜的事。

前脚搬完家，后脚她就到了养老院。她有求于婆婆，姿态放得那叫一个低。演戏要做全套，她不仅给婆婆带了桃子，说桃养人，让她多吃，而且还非要给林母脱了袜子，给她剪脚趾甲，说脚趾甲长了费袜子。

吴玉华这样做，林母心里当然非常舒坦。自然而然，婆媳俩就唠起了家常。说到那套房子，吴玉华突然抽抽噎噎哭起来，她含泪带屈地说："妈，我让人给冤枉了！"

第十二章　会干的不如会说的

会当媳妇的两头瞒，不会当媳妇的两头传，传这闲话对你有什么好处？没的倒得罪了人，让人家倒打一耙。

1

吴玉华哭了，林母当然要问为什么。吴玉华却欲擒故纵，不说了。林母着急："你这是拿我打镲（打镲：拿人开涮、开玩笑）呢？哭一阵笑一阵的，我还没老糊涂呢！"虽然婆婆一再督促，吴玉华还是不说，反正一家子就这几个人，她不说，林母就一个个排除，王茜很快就浮出水面了。

王茜和吴玉华撕破脸，除了吴玉华刚搬进自己房子的事，不会有别的。吴玉华的口才确实很不错，她颠倒黑白、倒打一耙的功夫已经出神入化。首先，她不能把这件事敞开来说，就打着维护家庭团结的招牌，不让林母告诉男人们，包括她丈夫林国梁。这样做，说起来是维护家丑，实际上，是为了给自己遮谎，老太太不去问，自然不知道到底谁说的是真的。

在这个基础上，她添油加醋，说自己这套房子得来不易："分房子这个事不好公开，院领导看我工作努力，家里孩子又有病，所以特别照顾我，才给我一个名额，而且，我也不瞒您，我上上下下使了不少劲，请客送礼也花了点钱……"吴玉华这话说得滴水不漏，名额少，一般人是没有的；她人缘好、关系硬，有了这一套房子，本来事情办得挺顺利的，房子都交上去了，被大嫂这样一闹，房子分不上了！

这就圆上了宿管科为什么说没有分房的谎，即使别人去问，她也不会露馅儿了。她说："本来分房子这个事儿，院里就不想让大家伙知道，她这一闹，可倒好，院里上上下下都知道了。宿管科当时就发火了，把我数落了一顿不算，而且为了不影响别人，他们只好咬牙不承认要分房这事儿，也不承认我得了房子。”

最后，她的落脚点是，因为王茜，她这眼看着要到手的房子给搅黄了！这一辈子，他们只能窝在那个小房子里了！王茜把这样一件大事给搅了，这口气是任何一个人都不能咽得下的，林母恼怒万分，当下就要给林国栋打电话，口中还骂着：“她什么东西，来当这搅屎棍子！这事儿跟她有什么关系？”吴玉华赶紧拉住，电话当然不能打，她的目的只是挑拨王茜和婆婆之间的关系，她不能住进去，也绝对不能让王茜住进去。林国梁成了她的挡箭牌：“您跟大哥一打电话，大嫂肯定又得到我们家闹。国梁要知道我把这事儿告诉了您，非得骂我不懂事，跟我打离婚不可，那我这日子还怎么过啊？”吴玉华说得情真意切，好人做到底，主动提出让大嫂去住那套房子，省得大嫂觉得帮妈看病她多花了那么多钱，冤枉得慌。这话当然不是王茜说的，是从吴玉华口中说出来的，可是，因为林母相信吴玉华了，这些话，也就成了王茜说的了。吴玉华一副义愤填膺的样子，继续往王茜身上泼脏水：“她难听的话还有不少，什么为了您看病，她父母也没来成北京，大哥也不工作。她也不想想，您为了他们过好日子，都住到这儿来了，倒好像咱们家还欠了她的。”

这几句话够劲儿，林母气得直哆嗦，刚强如她，最忌讳被别人看低，儿媳妇这样说她，她怎么受得了？当下就要去找王茜。吴玉华不能让她去找，挑拨的最高境界，就是引而不发，给个火星子，让他们烧去。她用彤彤拦林母，不让她闹，闹开了，有什么话，当面锣对面鼓说清楚，她不就露馅了吗？关乎孙女的病，林母不能坚持，只好作罢。只是，她觉得，为了这个家，为了她这个懂事的儿媳，受委屈了。

要彻底把王茜扳倒，光靠告状是行不通的，必须往伤口上撒一把盐。吴玉华打算趁着林母生日，彻底把王茜踩到脚下，她提议，给婆婆做寿。林母嘴上拒绝，内心还是渴望的，一家人和和美美、热热闹闹，给自己过生日，该是多么其乐融融的画面呀！吴玉华的嘴比蜜还甜，她一脸兴奋地看着林母：“妈，您知道这叫什么吗？这叫特别的爱给特别的您，您请好儿吧……”

2

而与此同时，王茜还沉浸在胜利的幻象中，想象着可能来临的麻烦。

林国栋找工作的大事，进行得并不顺利。整日跟那些80后、90后小孩子们一起跑招聘会，就如同快下山的太阳面对冉冉升起的朝阳，那份挫败感，那种羡慕，把林国栋真的打败了。加上他又是一枚不折不扣的“海龟”，高不成低不就说的就是他，一句话，林国栋在国内找工作，非常难。

面对这种状况，不仅林国栋头疼，王茜比他更受不了。她觉得这日子快没法过了，所以，她叫林国栋回美国，自己替他照顾他妈。林国栋不是不想回去，不是不想找工作，而是不敢。他在这儿眼瞅着，她一个月总共去了养老院两回。王茜不说这个，她只问从他回国，已经花了多少钱。她一提这个，林国栋的头更疼了，面包会有的，他也会找到工作的。王茜不像他这样苦中作乐，面包有没有不知道，可麻烦一定会有的！她看了一眼国栋，让他明天不用去招聘会了，要他去找他妈，跟她说他们要住进那房子去，老二已经搬出来了。林国栋一听，就知道这事儿不对，吴玉华折腾半天搬了进去，这才住两天，就搬出来，而且发短信告诉王茜，肯定是王茜去找她了。连商量都不跟他商量，林国栋很气愤。王茜奇怪，还好意思说商量，他作什么决定跟她商量过？哪一次不是让她在担待？她理直气壮，她只是做了该做的事儿，保护自己的利益而已！

林国栋要也这么看待这件事，两个人就打不起来了。人和人之间的矛盾和分歧，绝大部分都源于对事物的认识不同。林国栋认为，王茜这样做，是妇人之见，加唯利是图！她又没有睡在大街上，也不是没见过房子，为什么这样处心积虑、分毫必争？家里要是真闹起来，那不是要他妈的命吗？就是王茜告诉他吴玉华和林国梁为了霸占林母的房产，都做了些什么，林国栋也不说自己的弟弟、弟妹不好，而还是说王茜动机不纯。

王茜气急，林国栋不是说她唯利是图吗？她就唯利是图一个给他看，她说："从今天起，你妈看病、吃药、住养老院、买营养品，你别想让我再出一分钱，你自己的生活费也是你自己挣，别管我要。"

林国栋不受威胁："你这样做，不光是唯利是图，而且是忘恩负义！"

王茜嗤之以鼻："你有什么恩情给我了？我上学那几年你养活过我，我花了你多少美元，还没还上？而且嫁汉嫁汉，穿衣吃饭，这话你没听过？你要是负担不起，当初别娶我啊！在经济问题上和女人较真儿，还把自己当个男人不？"

林国栋差点没有笑出来，她这些话也不能说没有道理，但是他觉得很无聊："女人经常就是这样，家庭问题要求平等，经济问题要求倾斜。"

王茜不跟他说那些没用的，她要搬进那套房子里，她不能被欺骗。听说她还要告诉母亲，林国栋觉得她聪明反被聪明误，有这么当儿媳妇的吗？会当媳妇的两头瞒，不会当媳妇的两头传，再说了，传这闲话对她有什么好处？王茜不管这一套，她这样做，也不是要把这房子归自己，而是目前他们条件不好，和林母凑合一下，这有什么错啊？

林国栋苦笑，有什么错？都是错。吴玉华不是吃素的，王茜不是吃素的，他妈就是善碴儿，就能被欺负？

3

林母当然也不是吃素的，一个人拉扯大三个儿子，不会是一般的老太太。可是，现在，她老了，又得了绝症，一个人孤零零地被儿子们送到养老院中，除了守住手中这套房子，除了朝儿女发一下脾气，晚上用被子蒙住头自己哭一顿之外，她还能干什么？

但是就这，她已经干得比较多了。比躺在她对面单纯等死的植物人老太太好多了，林母觉得，自己离这一天也不远了。老太太的咳嗽越发厉害了，以往睡着了还好一些，现在能咳整个晚上。本来就心情不好的林母更加心烦意乱，她起身下床，走过去摸摸老太太的头，然后按铃叫来护工，质问他们怎么对老人这么不负责，这咳咳咳的多少天了，也不说送到医院去。

护工也是很委屈："我们也想送医院，可是我们跟她家属一打电话，人家问我们，发烧吗？盗汗吗？消瘦吗？我们也不能胡编，一说没有，对面就感冒感冒搪塞，还特意嘱咐我们不要没事就送医院，说什么医院没病都能治出病来。您说我们能不听她家属的意见吗？"

林母怒："什么东西，养活了都跟没养活一样，一群不孝的东西！"

4

林国栋不去找他妈说，王茜只能自己去。她找了一个借口，在上班时间来到养老院。

因为已经听信了吴玉华的一面之词，林母对王茜早就憋着一肚子气，王茜来了，正撞在枪口上。班都不上了，为了房子来自己这里，平时怎么不看她来？林母越想越气，话就带着浓浓的火药味。她让王茜有话直说。王茜一听，就知道自己晚了，吴玉华已经来过了。她想解释，但她说什么，林母都听不进去了。林母控制着自己的怒气尽量平和地对她说："你又没当过妈，你怎么知道看着自己孩子病得快死了是个什么滋味？你和国栋在美国吃西餐、住洋房、出门开着小汽车，你怎么知道一家三口住个六十来平方米老房子的难处？谁不想住个大点儿的房子？玉华那宿舍房子盖了快五十年了，还是苏联那会儿留下的，你就不替她想想？"

从林母的角度，她生气也是可以理解的。她还没有死，一个两个都惦记着这套房子，为了多得一些，互相攻击，都不会为他人想一点点，这让她怎么能接受。退一步说，就算她王茜怀疑吴玉华说了瞎话儿，为什么不来找她，和她商量商量？她眼里到底有没有自己？她念过书，有主见，可这做的是什么事？跟老人就总得讲个老理儿，书上那些新玩意儿，放在家务事儿上未必好使。这样把家丑外扬，跑到吴玉华单位闹，让别人知道，影响有多坏？大嫂可不是这么当的。

从王茜那里确认了这件事从始至终跟老大没有关系之后，林母的脸色才好一些。她答应想一想怎么跟吴玉华交代之后，再处理这房子的事。现在新时代，三从四德那套是不兴了，可有些时候，丈夫的话还是要听听的。这话，王茜当然听不进去，现在老太太治病，甚至林国栋吃饭都要靠她，跟她讲三从四德？她压抑着内心的火气，转身要回去，却终归咽不下这口气。她说："妈，不管这件事我做得对不对，但是一开始耍心眼、动脑筋的不是我，您秉公处理就行了。"

林母被这句话中的讽刺惹怒，她不会吃儿媳妇的这套："公道不公道，我自己心里有数儿！"王茜冷淡地告辞离开，林母看着她的背影，非常不满。

5

人要倒霉，喝口凉水都塞牙，王茜算是领教了。她刚回到公司，就被大老板Jimmy叫到办公室。

Jimmy面沉似水，问王茜的工作进展。王茜心里有些虚，这段时间，她后院起火，心烦意乱，工作状态不是一般的差。好在还有胡毕昆垫底，她还不至于什么都说不出来。但是，胡毕昆这面旗，也不是哪次都灵，Jimmy黑着脸说，她说去找Mr. Hu，可是他竟然在银座会馆看见了他，他们可不在一起。Jimmy对她的工作业绩很不满意，因为她在上班时间的外出频率有些高。

无奈之下，王茜只好说出实话，她丈夫的妈妈生病了，她偶尔需要去照顾一下。Jimmy摆出一副工作第一的面孔："这些也都是人之常情，但是工作毕竟是工作，而且如果你不解释清楚，会在你我之间出现不必要的麻烦。不要在未经允许的情况下外出，真有特殊情况，我是不会不近人情的。"

听Jimmy这样说，王茜不仅要道歉，还要道谢。心中的委屈，那就不用提了。刚从婆婆那里受的气，加上Jimmy劈头盖脸的批评，把王茜打倒了，她回到自己的办公室，低声啜泣起来。

但泪水并没有让她的郁闷得到疏解。晚上下班时，看到在门口等她的胡毕昆，她还是没好气。下班时间，门口来来往往的都是同事，王茜很配合地跟着胡毕昆上车，上车就开始指责胡毕昆不地道，让他帮忙圆个谎都不会，是故意的吧？

胡毕昆大呼冤枉："上周三我在蓓丽大厦开旅游业者年会，你说我能不去吗？我也是给人打工的。我也没见到Jimmy，都没跟他说话，可能是他看见我了，你挨说了？"

王茜垂头丧气，这个月奖金和全勤肯定全没了。胡毕昆跟她贫嘴，自怨自艾说这件事怨他，以后再说找他，他哪儿也不去。王茜也有些不好意思，让人家帮忙，还埋怨人家，自己是有些不识好歹了。胡毕昆却继续贫嘴，以图美人一笑："你埋怨我，我还挺高兴的，你跟别人也不过这个啊！这是一种荣幸。正好我给你带了点礼物，没想到成了赔罪了。"胡毕昆拿出一个化妆品礼盒，王茜不要，这一套在美国也要三百多块，合人民币两千多了。

胡毕昆不以为意，这也是人家送的，他不放过任何一个表情的机会："以为我有老婆呢，跟我说这是送给嫂夫人的。放我这儿也是砸手里，你用得着你拿走。"王茜还是推辞，无功不受禄。胡毕昆哪里容她拒绝，拿过她的包，不由分说塞进去："你当我是贿赂你啊？这点小恩小惠你也不放在眼里，再不要就是看不起我。"再推托就没有意思了，不是这套化妆品值钱，而是它来的是时候，让王茜能够不再想林家那摊子破事。当然，跟着胡毕昆出去吃饭，借酒浇愁，更让她找回年轻时候的潇洒和疯狂。

因此，这个晚上，在胡毕昆有意无意引导下，心事重重的王茜，一再放纵自己。她和胡毕昆在酒吧，喝一口龙舌兰酒，吃一口柠檬，再吃一口盐，这玩意儿她有十几年没碰过了，真是太刺激了。这样斯文扫地地疯狂，却是因为她快闷死了；但最终结果可想而知，这样的发泄，还是借酒消愁愁更愁。

胡毕昆也许不怀好意，但王茜顾不了那么多了，现在肯听她说话的人，只有胡毕昆了。在不知道多少杯龙舌兰酒之后，她把对林家的一肚子怨言都吐出来了："他们一家子都是浑蛋！我有时候想，他妈有本事就一辈子不认他这个儿子，大家都活得痛快！出事儿想起来了，拿我们家当提款机用；没事儿的时候，摆出个义正词严的脸色，跟卫道士似的，虚伪！"

6

放纵的结果，就是不可收拾。

胡毕昆硬把王茜送回家时，已经是晚上十一点了。大醉的王茜，在胡毕昆的车上就吐了。这件事的好处是，让想占便宜的胡毕昆偷鸡不成蚀把米；坏处就是王茜最喜欢的一套衣服，被她自己完全毁了。

一直等她回来的林国栋，看到她这个样子，又是气，又是疼。不能跟一个醉鬼计较，林国栋照顾又大吐一场的妻子躺下之后，给她脱了衣服，放到洗衣机中洗了。

宿醉的滋味真不好受，王茜半夜醒来，感到恶心，想去吐，不小心弄出声响，弄醒了旁边坐在椅子上的林国栋。她趴到马桶上，想吐吐不出来，跟她进来给她拍打后背的林国栋赶紧给她去倒水。王茜头很晕，接过水喝了一口，告诉丈夫自己应酬客户，才喝成这个样子。

已经是凌晨四点十分，还可以再睡一个回笼觉，王茜看到自己穿着睡衣，知道丈夫给自己换下了脏衣服，心底涌起一股暖意。她不想再吵，打算睡了，林国栋觉得过意不去，觉得她为了他家的事作践自己。真是哪壶不开提哪壶，提起这些烂事，王茜的气不打一处来，她犯得上为这作践自己？

看她还在赌气，林国栋不想跟她吵，就说明天母亲生日时，自己跟妈去提房子的事。王茜从林母那里受够了气，现在就是要她去住，她也坚决不去了。她不让林国栋提："我告诉你，房子的事情你一辈子不用和你妈提，你妈的生日我也不去，你们几个过吧！"林国栋不知道昨天王茜和母亲之间发生的事，还以为是自己惹妻子不高兴，就劝妻子，赌气归赌气，该干的事情还得干，无端端就不去给妈过生日影响有多坏？冤有头债有主，她想撒气，就朝着他来好了。

王茜冷笑："对，你妈没惹我。你妈是全天底下最好的妈，又公道，又明理，相夫教子，最后教出你这么个好儿子！"别人说自己母亲的坏话，没有一个人喜欢听，林国栋急了，让她不要放肆，不要借酒撒疯。看看人家吴玉华多大度，白天特地打电话来，嘱咐他们别忘了给妈过生日："她都能不计前嫌，你干吗这么小肚鸡肠的？"一听这话，王茜气得差点没有蹦起来，这个王八蛋是成心看热闹，不行，老太太这个生日，她一定要去，给她好好过。

7

林国强也接到了吴玉华的通知。

他虽然不能拒绝，心中却很是不痛快。给老太太做寿，做儿子的一定要买礼物，表示一下心意。心意是用钱来表示的，他没钱，接到这个指示，当然会不高兴。他翻看自己放钱的小抽屉，一边从里面拿出两百块钱，一边跟做饭的陈金巧发牢骚："真有闲工夫，也不知道干这打肿脸充胖子的事儿干吗，穷得都看见腚了，还得愣充场面。"而他，总是那个不讨喜的，他跟他们说，别白天了，白天他当班。但晚上不行，养老院有制度，老人七点之后不得外出，这是住养老院，还是关禁闭呢？陈金巧虽然觉得丈夫说得都对，可是，她还是劝丈夫，这也是没

有办法的事，谁让那是他妈呢？林国强只能点头。

林国强点头，还是因为他在点钱。盒子里不多的大小钞票，他已经点了好几遍了。为什么他要点好几遍呢？因为他发现钱数不对，话说这个盒子里，放的是他的份儿钱，他每天都往里放，也每一天都会数一数，好制订第二天的生产计划。可是，今天，当他抱着盒子再数的时候，他发现钱数不对。他脸上却露出了高兴的神情，因为钱多了，而不是少了。这当然不是老天爷显灵了，而是陈金巧的父亲知道女儿为了给小虎买衣服花了姑爷的份儿钱，给她邮寄来一千块钱。

老丈人这样心疼姑爷，林国强有些惊讶，上次欠的还没还呢，现在又给，而且，即使是花人家的钱给老妈买礼物，自己的媳妇儿也是不被允许到场，这让他心里更不好受。看着陈金巧一副无怨无悔的样子，林国强豪情顿生，他保证，一个月之内把他妈给扳过来，否则，他就不姓林。这话招来陈金巧的一笑："那些对我都不重要。你对我们好点比什么都强，国强，我下半辈子可都指望你了。"林国强看了她一会儿，照例贫了一句嘴之后，忽然把陈金巧抱在怀里。老天给了他这个女人，也算没有亏待他，不是吗？

8

吴玉华订的饭店就在养老院旁边，离养老院近，离城里就远。不过，再远，十一点半吃饭，也不是很着急，除非被什么事给拖住，要不一般不应该迟到。但是，王茜和林国栋还是迟到了。

王茜迟到的原因，是一件衣服。给老太太过生日，也是她跟吴玉华斗法的日子，她当然要穿得好，打扮得漂亮。可是，她最喜欢看起来还喜兴点的衣服，被林国栋放到洗衣机里洗了。这是蚕丝的，水洗之后，就废了。王茜那个气呀，上面不能水洗的标志那么明显，林国栋怎么会看不到？气急败坏的她，直骂林国栋废物。林国栋非常不高兴，他帮她洗衣服还洗出不是来了，有本事别吐在上面呀！

无论有没有本事，衣服都洗了，不能穿了，王茜只有换别的。在镜子前浪费了一个小时，王茜换上了一身黑白相间的衣服，显得十分利落。但她左看右看觉得不满意，又在脖子上系了一条有骷髅图案的围巾。已经十点多了，现在走，肯定迟到，林国栋再也等不及，拉起她直接出了门。

9

他们果然迟到了，林母以及林家其他人都已经到了。

林母坐在桌子当中，林月彤、林国梁、吴玉华和林国强陪着林母。吴玉华正在讲笑话："一只猫去给老鼠拜寿，老鼠在洞里不敢出去，忽然老鼠打了个喷嚏，猫说：'一千岁！'其他的老鼠就说了，它这么诚心诚意，你就出去见见它呗！老鼠说：'得了吧，它嘴上说得好听，实际上是憋着用我吃一顿呢！'"子孙绕膝，欢聚一堂，林母是真的高兴，吴玉华虽然自私、虚伪还有其他很多缺点，但是，能把老人哄得这么开心，也是一种本事。这不能不说人都是多面的，这一点上，无论是精明能干的"白骨精"王茜，还是实诚直率的东北娘们陈金巧，都比不上嘴比蜜甜的吴玉华。

今天，陈金巧没有来，破坏气氛的、惹林母生气的人，变成了王茜。而罪魁祸首，竟然是王茜精挑细选的那身衣服。

当林母看到了王茜这身黑白衣服后，脸已经撂下来了。在她转头看见了王茜围巾上的骷髅图案时，一下子站起来："王茜啊，你怎么没带两挂纸钱来？"大家被她这句话说得有点蒙，林母冷笑，在自己生日这天，穿这一身衣服，那不是给她戴孝呢吗？林母觉得晦气，一点过生日的心情都没有了："你回去问问你们家老人，你才吃了几年洋饭，不至于中国的规矩全忘了吧？给老人祝寿，有穿一身黑白的吗？更不用说脖子上还围着一个死人脑袋。"

王茜觉得匪夷所思："这是Channel去年发布的一条头巾，什么死人脑袋？"

林母可不知道什么是Channel，她只知道王茜对自己不满意，可要是对自己不满意，就当面提出来，当面锣对面鼓地说清楚。搞这套干什么，这不是成心添堵吗？

林国栋一把把王茜脖子上的围巾扯下来，一个劲儿地给母亲道歉。王茜不服气，她怎么知道还有这个讲究？她挑衣服，那是为了穿出来好看点，又不是为了穿出来成心气人的！林国栋连忙喝住她，让她赶紧给妈赔个不是。王茜还想为自己辩解，林国栋连忙脱下自己的外衣搭在她身上。王茜在众目睽睽之下穿外套，穿到一半忽然不想穿了，把衣服一扔就要走："算了，我也别在这儿碍眼了，你们吃吧，我走了。"林国栋赶紧上去拦住，说她不懂事，明明一点小事，拿出点态度来就完了，非要搞得不欢而散？王茜委屈得要命，怎么都是她的错？

林母看王茜还不服气，还要教训王茜，吴玉华在一旁帮腔，这下王茜更恼了。她直接对吴玉华开火："要是没你前几天说的那些话，今天也就没这些事了！怎么样？咱们要不要把事情摆出来讲讲？"眼看着他们这两个人就要在这里吵起来，林母站起身来，就往外走，还吃什么饭，丢人现眼！

众人劝不住，林母已经走到包间门口。林国栋快气死了，他要求王茜现在就向妈道歉。要不然，他现在就给岳父、岳母打电话，问问他们谁教她这样跟老人说话的。王茜站在那里，谁也不看，也不道歉。她凭什么道歉？骗子倒成了好人，她不过想说句实话，却成了不孝之人。既然她这样不孝，为什么还要道歉？林母忽然站起来，头也不回地走出了房间。林国强和林国梁、吴玉华追出去，林国栋大骂了王茜一声："你浑蛋！"也追了出去。屋子里只剩下王茜，她失声痛哭。

10

林家哥仨和吴玉华陪林母回到了养老院，纷纷劝慰着悲伤不已的老太太。林国强一点都不知道她们为什么吵，但他知道，今儿再怎么说不能哭哭啼啼的，生日还哭，不吉利。其余几个人附和，还要劝。林母却把他们都轰了回去，只让林国栋留下。

林国强把二哥一家送回去，今天发生的事，他还闹不明白，怎么大嫂和二嫂顶上了？怎么问，吴玉华都不说，只说让他和金巧日后也得防着点王茜，这个女人可是翻脸不认人，看她今天那表现！还留过洋呢，不害臊！林国强还是很狐疑，知道问也问不出来，就不再说话。

11

林母把林国栋留下，是让他给王茜带个话儿。她告诉儿子，王茜班儿都不上跑到她这儿要房子，她不知道玉华和国梁过得有多紧？搅黄了玉华分房的事，还管她要房子住，她急什么，是不是想逼死她？说到这里，林母眼泪花儿转："我当着国梁、国强没法提这个事儿，电视上多少兄弟为了个破房子打出花红脑子来，咱们家能不能别出这么现眼的事儿？你跟你媳妇说，让她别着急，踏踏实实等我死了，我有安排！"林国栋还能说什么，只能一连声地安慰、道歉。

12

但林国栋给母亲保证的，让妻子前来给母亲道歉，却不能实现了，因为王茜离家出走了。

当天晚上，林国栋破天荒地抽起烟来。他是真的头疼了，他不明白一向通情达理、精明能干的老婆，怎么能做出这样的事？她是真想拆了这个家？他问王茜："把全家人的聚会毁了，把我妈的生日宴也毁了，让我妈大过生日在房间里流眼泪，这就是你想要的结果？"王茜有她的理由和看法："这个局面也没什么不好，总比一家人表面上客客气气，肚子里一包坏水强。我信奉公平，就喜欢把事情放在桌面上，我最恨的就是搞一些暗箱操作、上不了台面的诡计。你以为今天这局面是我搞的，我告诉你，这才是你家的本来面目！是你自己在掩耳盗铃，自欺欺人！”

也许她说的是事实，可哪个家庭不是这样求大同存小异过来的？别人他可以不管，可自己媳妇儿，像一个泼妇似的，跟母亲吵架、顶牛，他接受不了。他觉得自己看透了王茜：“什么公平，你说得好听，其实就是自私！你图那套房子，连我妈的命都不顾，这套房子跟你有什么关系？凭什么就非有你的份儿？”王茜冷笑：“好啊，你说实话了。对，和我没关系，和刘雅娟才有关系。你们两个接着过吧！这就遂了老太太的愿！”说完，她抓起包就往外走：“我高攀不起你们家，林国栋，你别拦着我，我是说真的。我再在你们家兴风作浪，你妈会被我气死，而且在我看来，我要是再在这儿待着，我会被憋死！”

林国栋都绝望了：“你就不觉得你做的事有问题吗？难道都是别人错了？你不顾家里的大环境，只顾着自己那点小利益，难道够格当大嫂吗？”王茜有些歇斯底里了，这一切，她都不稀罕，包括这个男人，她吼了一声：“守着你妈过日子，当你的好儿子吧。”她拽开门就要走。林国栋瞪着她，一个字一个字地说：“你要是走出去，我绝对不会去找你！”王茜冷笑一声，这样最好，快步走出门去。

林国栋听着王茜离开的脚步声，仍然怒气冲冲，对着王茜的背影，他大喊：“那你就滚吧！”红了眼睛的林国栋，用尽力气喊出来的这句话，回荡在夜空中，久久不散。

13

暗夜中，王茜踉跄前行的身影，在夜风中茕茕孑立、形影相吊。

在宾馆开了个房间住下之后，王茜躺在床上哭了一个够。再多的眼泪，也不能诉说自己的委屈，她像个小孩子一样，一边哭着，一边给自己的父母打电话。

听了女儿的哭诉，茜妈茜爸怒不可遏：“不像话！这个老太太怎么搞的，偏心眼也不能偏成这样！她生个有缺陷的女儿，难道还成了功劳了？怎么好坏都不分？”他们劝了一下女儿之后，立即给林国栋打电话，让女儿等着林国栋给她道歉，说什么也不能咽下这口气！

于是，还没等林国栋给岳父、岳母打电话，让他们教育一下女儿，他就接到岳父、岳母教育他的电话。

茜爸茜妈认为，自己的女儿这样受欺负，如果林国栋不道歉，一定要离婚。

茜爸茜妈站在女儿的角度，分析这件事，肯定和前面林母、林国栋讲的不一样。在他们眼中，女儿可能是莽撞点，可是她出发点是好的，她是对自己的家庭负责，才管这个闲事的。现在她大半夜地出去，要是半路上遇到坏人怎么办？“让她滚”，这是一个丈夫、一个男人说的话吗？

林国栋只能一个劲儿地道歉，冷静下来，他觉得自己是有些过分。得知王茜在宾馆之后，林国栋答应立即去找她。但茜妈茜爸的教诲，还没有完，他只能心急如焚地听着，好在知道王茜没事了，他的心才定了下来，决心像岳父教他的那样，用做男人的艺术，处理这件事。具体一点就是，今天晚上把她接回来，好好谈谈，不考虑她耍性子，大事化小，小事化了，继续过日子。

可是，计划往往不如变化快，放下岳父、岳母的电话，他就接到了母亲的电话。他只能马上赶到养老院，而不能去接妻子了。

14

这么晚了，林母还找自己儿子的原因是，对面的植物人老太太死了。她非常害怕，不想在这里住下去了，她要回家，她有儿子，需要儿子的保护。

15

是林母发现老太太死了的。她好心地去帮这个可怜的老太太推整被子时，却发现她已经不呼吸了，身体已经冷了。

护工以及养老院的大夫来了，他们给老太太盖上白床单，把她推了出去。林母吓得直哆嗦，两眼止不住流泪。医生说，死因是感冒引起的心衰，人一下子就过去了，倒也没受罪。她的家人说明天就到，已经在飞机上了。

林母越想越怕，立即给老大打电话，她养大他们，不是要他们给自己每个月交点看护费，把她往这儿一扔就算完了。她不要自己临了，身边一个人都没有；她不要自己什么时候死的，别人都不知道。所以，她看着旁边空荡荡的床，抓起电话，就打给老大。

当时，林国栋正在接受岳父、岳母的教诲，电话一直占线。林母打了十几个电话，等了半个小时之后，终于接通，她流着泪对儿子说：“你把我接走吧，我不在这儿待了！”

林国栋只能马上到养老院去，就是接到岳父发来的王茜的地址，他也过不去了。给王茜打电话，她不接。林国栋只能先去接母亲，在路上给王茜发了一条消息：“我妈的同屋死了，她很害怕，我得去接她。今天晚上不能去接你了，我希望我们坐下来谈谈。”

躺在宾馆大床上、望着天花板的王茜，看到信息，面无表情地回复：“我最近不会回去，你好好考虑一下是不是要结束我们的关系吧！”发出了信息，王茜关掉了手机。出租车上的林国栋看完信息，把手机狠狠拍在座位上。

第十三章　张良计和过墙梯

林母要离开养老院，给了陈金巧一个机会，她要赶紧把自己的名分要回来，虽然她是剃头挑子一头热，可总得有个热的，事情才好办。林母要想离开养老院，好像必须要跟这个女人相处，但她能就这样就范吗？

1

林母为这个陌生人的离去这样伤心，除了兔死狐悲之外，她就是不想待在这里了。她不想临死时，也像这个老太太一样，死不瞑目，也像她一样悲凉、不甘心。想起这个老太太狠狠盯着这世界的表情，她不寒而栗。林母知道，老太太临走的时候，肯定是清醒的，她那眼神，分明是在恨，她恨她的儿女，恨这个世界，甚至恨自己为什么生养了这些狼心狗肺的儿女。怀着这样的心思，林母心底是彻头彻尾的凉，她对蹲跪在自己面前的大儿子，呜咽着："你们好狠的心，把老人扔在这儿，就算完了，一了百了了？我们为你们忙了一辈子，做了什么对不起你们的事儿，到死都不来看一眼？"难道人老了，就一定是累赘，就成为儿女的仇人？如果是这样，她还不如早死呢！她为什么就不死呢？活着受这罪，真是够了。

从来没有见过母亲这样的林国栋，手足无措，不知道该怎么劝。看着母亲像个小孩子似的孤独无助，他觉得自己的心都被揪疼了。当下就要带母亲回去，并向母亲保证："从今天起，您在哪儿我在哪儿，一天都不离开。"林母这才安定了一些，双手紧紧抓着儿子的胳膊，抱着他哭。

可是，这大晚上的，不能办理出院手续。更主要的是，他现在把母亲接出去，让母亲在哪里住呀？母亲不是他一个人的，他也要跟两个弟弟商量一下才好。林国栋当下就打电话给国强，跟他说了这件事，要他明天过来接母亲回去。

2

这个时候，林国强还没有睡，他正和陈金巧两个人吃饱喝足洗好了，躺在床上唠嗑。

林国强从养老院里回来后，又出去拉了一会儿活，回来已经不早了。罗虎早就睡了，陈金巧伺候丈夫吃饭洗漱之后，两个人就上了床。今天大嫂、二嫂和母亲的冲突，林国强觉得非常蹊跷。他把事情给媳妇儿学了一遍，陈金巧"喊"的一声："这回可是怨不着咱了！一天光说你怎么气老太太，好像他们全都是唱红脸的，光咱们唱白脸，这回咋样？这才叫日久见人心呢！"这话林国强听着不舒服了："气着我妈你倒美了，不带这么幸灾乐祸的啊！"

陈金巧："你当着我孝顺有什么用？谁领你的情了？"林国强指指上面："举头三尺有神明。"陈金巧拍了他一巴掌之后，开始猜测到底出什么事了。她觉得这次准是大事，按大嫂那脾气，一般事儿不能这么急眼的。可最近没再花什么钱，而且照吴玉华那性格，要是花钱他们还能有跑吗？最后一笔也就是赔的那房钱，不会是和房有关系吧？

林国栋的电话，就是这时候打过来的。一看是大哥的电话，林国强一个头两个大，准没好事。果然，又要他过去，这一过去不要紧，他又要损失几百，一个月没干别的事，光填坑了。林国强一翻身，拿被子蒙住头，只露出半个脸："真是拿我当出租使呢！光关心人家死了，怎么就不关心关心您儿子还活着呢？"

3

再怎么不痛快，就这一个老妈，为了她，也要过去。第二天一大早，林家三兄弟和吴玉华、陈金巧齐聚林国栋家，讨论把老太太接出养老院的问题。

林国栋主持会议："昨天王茜惹得妈不高兴，晚上又出了这个事，现在妈精神状况特别不好。我觉得，咱们不能让妈觉得我们都不孝顺，都不管她，要是这样下去，我害怕妈真的出点什么事。我决定把妈接出来。"

林国栋的这个建议，犹如一石入水，激起千层浪。大家纷纷抬头，你看看我，我看看你，明显是有意见，但是，没有人先说。林国栋不想浪费时间，既然已经都告诉大家了，他就认为大家同意了，那么，就应该讨论下一个问题了，就是谁来照顾妈。

林国栋已经想过这个问题，当然是三个儿子加上三个儿媳轮流照顾。他觉得这不是问题，可是别人却不这样认为。一向自以为很有影响力的吴玉华还是打头炮，她认为不应该把妈接出养老院，她的理由是：“妈搬进去也个把月了，虽说刚开始可能还有点不适应，但是现在看，妈在里面也没比在外边差多少，吃穿有人伺候，洗洗涮涮也有人帮忙，闷了还能找别的老头老太太唠唠嗑。她要是在家呢？守着一间空屋子，旁边又不能二十四小时有人，万一在空屋子里出点什么事儿，咱谁都不知道，真出了乱子，谁担着？”林国强举双手赞同，不能一点准稿子没有，今儿送进去，明儿接出来，这不是折腾老太太吗？至于老妈的不痛快，林国梁认为那都是暂时的，凡事都要讲一个客观情况，他们没有能力照顾老妈，就不能事事追求完美。六个人轮流照顾，不是不行，让妈两天搬一次家，也不合适。老年人图的就是个清净，来回折腾她受得了吗？

林国栋有些恼了，他觉得两个弟弟不负责任，不想照顾母亲。林国强不干了，他不照顾母亲？他们凑着钱给妈看病，凑着钱给妈交护理费，每星期到跟前伺候着，这还叫没用？他怪声怪气地说：“我要是比尔•盖茨准成，给妈找一百八十个保姆，我让她走路都不用自己抬脚，我不不是吗？”他一劳动人民，一天不出去奔，到晚上都得拉饥荒。想起今天又少挣两百，林国强的气又来了，死一个别人家老太太，他们家都不要的，就把自己儿子都拉上给她陪了葬了，这合适吗？

林国栋怒，妈最疼的就是这个老儿子，现在他这样胡说，不亏心吗？林国强丝毫不示弱：“妈最疼的究竟是谁，大家都明知眼露的，可气妈的那是嫂子，离家几年不回来的是你，最后我们倒落下一身不是，你倒担了个孝名。”林国栋听了这话，更是火冒三丈：“妈把你养活这么大，图的是什么名？你觉得我光为了这个名吗？我要这个名有什么用？用不着你了，你现在就滚蛋，妈不用你伺候！”林国强却不滚，他今天一定要说清楚：“你是老大，你什么都自作主张，今天过来这不就是通知我们一声，要把妈接出来吗？还商量什么啊？我知道你想让妈看着这家和睦，可是你这么搞，弄得人人敢怒不敢言的，这叫真和睦啊？有事儿不得大家商量着来吗？”

于是，这次变成了林国强和林国栋哥俩吵，旁人劝也劝不住。劝着劝着，林国梁也加入进来，他也是不想接的。林国栋更气了，当下就要发作，陈金巧却站了出来，她要把婆婆接到她那里去，她伺候妈。

所有人都很诧异。陈金巧很平静，就她一个闲人，不是她不想帮，是妈从来不许她上手。说到这里，陈金巧有些伤心：“毕竟我错在头里，可是总得有个完吧？咱妈又不是大宅门里那二奶奶，我又不是那杨九红，这疙瘩还带到棺材里去是怎么的？”林国强认为这是扯淡，以老妈那个脾气，光瞧着她就够眼晕了，再说了，这是陈金巧剃头挑子一头热，老妈让她伺候，那是太阳打西边出来了。陈金巧只想勉力一试："总得有个热的，那事情才好办。我又不怕累。我就是想赶紧把我的名分要回来，咋说，我是明媒正娶的。"以她跟婆婆的结，这事不容易。可是，事情就逼到这个份上了，死马也要当成活马医了，而且成与不成，就要看大哥林国栋怎么跟林母说了。

林国栋不是没有想过让陈金巧伺候妈，因为母亲强烈的态度，他只能把这个想法压下去。现在事情逼到这个份上了，母亲再不答应恐怕也不行了。把母亲交给陈金巧，总比交给外面人放心多了，对金巧道过谢之后，林国栋就想去接母亲。对半路冒出来的陈金巧这个棒槌，林国梁夫妇虽然心里骂，嘴上也不能说什么，只能先同意着，走一步看一步。

4

已经决定了，就没有拖下去的必要。当下，林国强开车，载着陈金巧和林国栋去养老院接母亲。林国栋让他们两个在外面等，自己先去做母亲的思想工作。林国强和陈金巧在小花园里等林国栋的电话通知。

林国强瞅着陈金巧，直问她葫芦里卖的什么药，让老太太踏踏实实待在养老院多好，一有个风吹草动就挪窝，怎么那么娇气呢？可是，陈金巧刚才那番决心，把林国强说得眼泪都要快掉下来了，他就是不明白老婆为啥这样做。陈金巧很得意："这事是一箭双雕，一方面，我要能和老太太把关系处好了，那是最好。自打她婚礼上这么寒碜我，我心里没一天痛快过。可是她毕竟是你妈，我能把她咋的？最好就是她知道我不是她想的那样，这次是个机会。"

陈金巧不说了，看着林国强，让他不要怪她，因为她也想要婆婆的房子。她们老家有这样一种说法，谁要是给老人养老送终了，那老人留下的东西，别人可也就不能再伸手了。不为别的，她心疼老公，最起码不用租房子了，瞧付个房租把林国强给苦的。陈金巧说得很诚恳："大嫂跟二嫂吵架，要不是为了钱，那肯定是为了房子。她们弄得脸红脖子粗，还惹得老太太不高兴，咱们就不能照着她们那么办。要是我把你妈伺候美了，她手里那房子，最少也得给你一大半吧？可要是我还跟她这么僵着，总顶牛，她能给你一片瓦就不错了！"

林国强搂过陈金巧，狠狠亲了一口，为媳妇儿这份心意，也为陈金巧这个心眼，林国强心满意足。可是，别忘了，这些算计虽好，却都是建立在林母同意让她伺候的基础之上。如果林母不同意出院，到自己家去，这一切都是空谈。眼看着林国栋已经进去大半天了，林国强和陈金巧都意识到事情不妙。两个人再也坐不下去，走到林母房间外，溜墙根儿。

5

果然，林母说什么也不同意。她就是觉得陈金巧没安好心。林国栋求她放过陈金巧，她一个儿媳妇能做到这步，不容易了！又有什么深仇大恨啊？但是，在林母心中，她和陈金巧就有深仇大恨。陈金巧所做的每一件事，都让她堵心挠肺、恨之入骨："她骗国强没孩子，逼着你掏钱，在家里摆娘娘驾，让国强给她洗秋裤，把个孩子领进咱们家，说话不算话，让国强帮她养孩子，我替国强冤！"至于结婚之后，陈金巧和林国强的幸福生活，林母只当做那是陈金巧骗国强的。她不能把个祸害留在家里。更让她添堵的是，她要是过去，天天看着陈金巧带的那个拖油瓶，还要不要让她活？

林国栋无奈之下，只好把自己现在的实际情况跟母亲说了。听到老大又要离婚，林母当下就不干了。纯粹是瞎闹，都多大了，再离，这日子还怎么过？林国栋说自己快要扛不住了，他被夹在照顾妈和老婆之间，非常痛苦。他在美国的房子要还贷款，车子要还贷款，母亲的医药费要交，护理费要交，这些钱都是王茜一个人在挣，她快支撑不住了，他也支撑不住了。林国栋看着母亲说："相濡以沫，不如相忘于江湖，我放了她，她放了我，这样我们就都好了，都自由了，就像两条鱼，全都回到江湖里去了，会比现在过得舒服！"让他不管母亲，打死他也做不到，他怎么能再跟几年前一样，面都不露，看着老妈得病没人照顾。

林母听了这番话，懵了。她真不知道，老大这样难。她一直以为，自己是一个非常优秀的母亲，不会给儿女添麻烦。可是，无论她承认不承认，她的存在，她的病，甚至伺候她，都成了儿子们的重担！她的眼泪流了出来，让她怎么相信这个谎话连篇的陈金巧？

6

正说着，陈金巧却推门走了进来，扑通跪在林母面前。她叫着妈，求婆婆给自己一个机会，把之前做的所有错事都补回来。就当是可怜大哥，也要同意让她来照顾。陈金巧跪在地上："今天妈不让我起来，我说啥不起来。妈，我也不用您认我，就希望您跟我回我们家，让我伺候您一段日子，给您看看我是不是天生的坏种，够不够给国强当媳妇。"

再不答应，真的就是老顽固不通人情了。林母看着林国栋、林国强和陈金巧，艰难地点点头。

7

说起来容易，做起来难。林母和陈金巧同住的日子开始了，无论是林母还是陈金巧，都铆足了劲，要达到自己的目的，虽然彼此心中，都不无担心。

林国强和陈金巧租的房子，并不大，虽然陈金巧把屋子收拾得还算干净，但也十分简陋。

把东西搬进去之后，林母第一眼就看到了罗虎的照片，问起这个孩子。林国强担心两个人马上就吵起来，赶紧岔开话题，要陈金巧去做饭。林母却要自己做，她说自己吃了一个月大锅饭，想自己做了。不仅如此，她还坚持以后每天早上她去买菜，要他们想吃什么，就跟她说，她喜欢上外边遛遛弯儿，在养老院关的，腿都快罗圈了。事情真是这样吗？姜还是老的辣，诸位以后就知道，林母这样做，是有她的原因，也是有必要的。

林母走进厨房，在厨房中忙活。林国栋在客厅里交代弟弟，要他做好心理准备，冰冻三尺非一日之寒，而且妈这次来，实际上不是那么太心甘情愿，是被逼来的。虽然林国强出力，但不见得就讨了好去。说难听一点，很可能是“阉了自己敬佛爷，佛爷得罪了，自己也疼死了”；说好听一点，就得对她耐心再耐心，有时候她要是不讲理了，权当她是个老小孩，别跟她较劲，哄哄就完了。谁让咱摊上这么一个厉害的妈呢！为了老婆的房子大计，林国强很配合，说自己早习惯了“孤独相随，我微笑面对”。林国栋不跟他贫嘴，给他放下四个字“戒急用忍”，然后就走了，他要去找王茜。

8

当再一次被老板Jimmy抓住打瞌睡之后，王茜充分认识到了，自己这段时间，是诸事不宜，万事不顺。又被训了一顿之后，她的心情糟糕透顶。这时候，林国栋打来电话，她没有接，不想再因为这个来电，继续被上司训，王茜直接给林国栋发了一条短信：“不要在我工作的时候发信息或者打电话，会造成很多麻烦。今天也不要来找我，我有很多事情还没有想清楚。”

确实没有赶上好时机，林国栋求和的步骤，只能先缓一缓。

9

该来的终究会来。就算林母看到陈金巧的这个拖油瓶怎么添堵，罗虎也是客观存在的，怎么也要见面。

傍晚时候，罗虎放学回来，就和林母直面相对。罗虎叫不出奶奶来，林母既欣慰又有些不屑，她不愿意认这个外姓孩子，没有任何关系最好；可是，这个孩子连基本的礼貌都不懂，又让她打心眼里看不起他。

小孩子不会来事儿，还不算什么，真正让林国强挠头的是，晚上怎么睡。他这两间屋子里，就一张大床和一张能当床的沙发，不能让母亲睡沙发呀，沙发质量不太好，说硬不硬说软不软，睡在上面，肯定不舒服。林母却是宁肯不舒服，也不跟陈金巧或者她那个拖油瓶睡在一起。她坚持睡沙发，她的理由是："硬板床也睡了一辈子了，不在乎这个。我晚上得起来好多次，最好让孩子和我别睡一张床。"最终，陈金巧压着性子，让林母自己睡沙发床，自己一家三口睡在一张床上。

林国强和陈金巧、小虎躺在一张不大的双人床上，小虎已经睡去，林国强和陈金巧都睡不着。陈金巧在担心和林母怎么相处，她对林国强说："今天你在家，明天你走了，剩老太太跟我在这儿，这可咋整啊？"林国强心中也没有底，没有那个金刚钻，就揽下这瓷器活儿，不好受，那也是自找的。但凡事有得必有失，一切都会过去的，林国强不想多想这个问题，他只想跟陈金巧活动，既然罗虎已经入眠，他也就不用把自己的精子捐给别人了，虽然据说捐了还能换点钱。

但是，剧烈运动的两个人，都没有看到，就睡在他们旁边的罗虎，两眼瞪得大大的。

10

形势比人强，王茜只有给胡毕昆打电话。胡毕昆有些受宠若惊，最起码表面上看来是这样。

两个人去吃西餐。食物很浪漫，情调很浪漫，就是话题不浪漫，王茜出来是跟胡毕昆谈工作的。老板一天二十四个小时催，王茜就是有想拖的心，也不敢。王茜想要搞定北旅，这样他们分部的压力一下子就能减轻不少。可是北旅的老曲，是个难缠的人物，提出了很厉害的报价，把利润都快让没了。

有要求，事就好办。这件事，胡毕昆不管有没有把握，都要让王茜以为自己手拿把攥。他觉得关键，还是在老曲，得在他身上用劲儿。他前两天还跟他打高尔夫球来着，这个人比较谨慎，说他贪吧，他也不多贪，毕竟他不缺钱；但是说他不贪吧，那又不准确，毕竟谁都得花钱。关键还得他看着信得过的人，他才会给方便。至于谁是他信得过的人，胡毕昆不言而明。胡某人要求不高，就是盼着他俩的关系能上升到一个新高度，不再满足于吃饭聊天。

王茜就知道，他醉翁之意不在酒，脸色变得不太好看："你没喝酒也醉了？"

胡毕昆一点都不在意，跟着贫了一句："这就叫酒不醉人人自醉。"

送王茜回家，发现王茜住在宾馆里，说胡毕昆不高兴那是假的。但是，长久混迹于商场的他，知道凡事不能操之过急，心急就吃不了热豆腐。可有这样的机会不用，那就不是胡毕昆了。

他用电视剧《三国演义》中的一句与时俱进的名言劝王茜，"良禽择木而栖，贤臣择主而侍"，这年头谁给谁守节，活得怪累的。他婚都不结，谁都不用管，也没有人来管自己，多洒脱。王茜让他继续洒脱，自己上了楼。

胡毕昆看她不会让自己跟上去，不撩拨王茜几句，他实在不甘心。他让她好好考虑一下自己的建议，女人还是要找个牢靠的肩膀靠一靠。现在这个社会很功利，很多事都讲究等价交换，就算不等价，至少不能差太多，这样才能有积累。王茜非常不喜欢他这种说法，把人和人之间很多很美好的东西都破坏了，这种东西才是让人能看到希望的。胡毕昆一笑："希望是在于将来，将来就等于不可知；而利益就等于现在，现在才看得见、摸得着，谁会拿看得见的换看不见的？除非他是实在没什么看得见的东西，才会把希望当成个自欺欺人的幌子。"王茜叹口气，很认真地说："有时候幌子挺重要的，让一切不那么赤裸裸。"胡毕昆夸张地看了王茜两眼："闹了半天你还挺形式主义的，好吧，那我走了，你抱着希望入梦吧！"

11

王茜知道，自己和胡毕昆毕竟不是一路人。从本心里，她还是喜欢林国栋这样的人。但是，喜欢容易，相守难，过日子，肯定会有争吵，有矛盾。想通了这一节，林国栋再打来电话时，她就接了。

电话是接了，态度还是不好。她不想回去，现在她真的感觉很轻松，至少不用回那个让她憋闷的地方，就让自己再轻松两天吧！林国栋试图说服她，告诉她这两天发生的事。他尤其强调，母亲听说他俩吵架，很不放心，要他无论如何把她劝回来。听到这句话，王茜突然从床上坐起来，这个人的脑子有病，告诉老太太他们吵架，这不是故意从中间挑唆，让老太太对自己印象更不好？

林国栋不这样认为："我妈是跟你有点误会，但她还是很看重你的，听说我跟你吵架，她把我大骂一顿。你不要对我妈有太深的成见，她这人，对事儿不对人。"王茜听林国栋还在那里张口闭口他妈他妈，气就不打一处来。她忍不住就朝他喊："你有你妈已经足够了，何必非和我过日子，你想没想过我要的不是你妈的态度，我要的是你的态度？"林国栋却觉得自己的态度很好，他一直在为这个家负责，她离家出走，而他正在争取让她回家！王茜气愤，她这样做，不都是他逼的？他什么都不知道，还在这里说、说、说。

王茜不想再听他说，挂断电话，直接关机，躺在床上，一个人流眼泪。林国栋再拨电话已经不通，他也倒在床上，气闷不已。

12

该来的总要来，陈金巧和林母就像火山一样，即使暂时休眠，也总要爆发。这次爆发，还是从罗虎开始的。

要说这次罗虎又闯祸，还真不怪这孩子。这次事情的起因，是罗虎的一篇作文。上次跟罗虎打架的那个孩子，因为把口香糖粘到前面女同学的头发上，而被老师叫到办公室批评教育，听到语文老师念罗虎的作文。这个孩子本来就想报复他，就趁发作文时，把他的作文贴到了黑板上，还在旁边写上“借读生说明”。

罗虎的这篇作文，写的都是他的真心话。标题是“我的爸爸”。

> 我有两个爸爸，可是又没有爸爸，他们一个都不要我。我亲爸爸本来说要我，要了没几天，又不要我了。我妈妈一开始说不要我，后来我爸爸不要，就又要了我，然后我有了第二个爸爸。我觉得爸爸没什么好说的，他们就像足球队员一样，把我踢来踢去……

罗虎进入教室，就看到同学们复杂的眼光，有同情，有取笑。他的自尊心受到严重打击，找不到罪魁祸首，就掀翻了一张课桌。看没有人站出来承认，罗虎就在同学们一片惊叫声中，掀翻了一张又一张课桌。

这次事情虽然不怨罗虎，不过他性子也太暴了些，别的孩子碰到个恶作剧，顶多吵闹两声，找老师，要不打一架，可是他把全班桌子都掀了。虽然孩子的心情老师可以理解，但家长还是要叫的，不然，这样暴力的孩子，以后还怎么管？

陈金巧看了儿子的作文，眼泪哗哗的。她抱着儿子：“你这傻孩子，妈啥时候不要你了？你咋这么大的气性？谁家孩子这么缺德，这不是往人伤口上撒盐吗？”

老师保证把这个贴作文的孩子找出来，狠狠批评教育，让他向罗虎道歉。但是，因为罗虎的成长经历比较复杂，孩子应该是受过伤害，做家长的，最重要的是不要让家庭问题影响到孩子的成长，尤其是孩子的性格，要不然以后吃亏的事情还在后面。老师要求家长一定要对罗虎加强爱护，老师在这一点上也有疏忽，不过既然出了这样的事，那就不能再听之任之了，必须得采取点措施。陈金巧连连点头。

13

知道陈金巧是被老师叫到学校去，林母就知道没有好事，她忍不住说了几句，陈金巧辩解，林母不耐烦，不再答理她，自己出去给大儿子打电话。

之所以不用手机在家里打，一则是她想出来透口气，二来是有些话不想让他们听到。这倒不是想说老三家的坏话，林母是关心老大。林国栋只说他和王茜和好了，林母不信。她还是在怪王茜，听说她不回来，林母就觉得她嫁入林家，是后悔了还是怎么着？还是雅娟好，林母想起这个就难过。林国栋更不想提雅娟，这也是忌讳。母子两个的谈话进行不下去，各自忧心忡忡。

好孩子是不会成天被叫家长的，林母早就认定罗虎不是一个好孩子，现在更是有了佐证。晚上吃晚饭，罗虎趴在桌子上写作业，林母看着电视，把声音关到最小，尽量不影响孩子，看到罗虎吸溜着鼻涕，用袖子擦，她很嫌脏，皱皱眉头。

林国强和陈金巧憋在卧室里说话。林国强对罗虎的事，不是很在意，孩子打架，那不是张飞吃豆芽——小菜一碟吗？他们小时候打架才凶呢，不也长这么大了？陈金巧可不想儿子长大了，也像林国强这样没出息。她把老师的话，按照自己的理解转述给林国强，强调要给儿子多一些爱。如果让他老觉得没人喜欢他，性格会起变化，叫什么形，好像叫“奇形”。林国强纠正，是畸形。就和那些生下来三只胳膊四条腿的一样，她是不能看着自己的小虎长成那样。她想让小虎跟着丈夫的户口，这样，就不是借读生了，城里的孩子，就是欺负小虎没户口。

林国强觉得这是一个馊主意，治标不治本，还不如让他学好了普通话转学呢！现在有政策，只要林国强是北京户口，罗虎就能一直在北京上完中学，又不是他不能上学，不用改户口。陈金巧也知道这个规定，上学是可以上学，但一直都是借读，小虎还要受欺负。

陈金巧把儿子的作文递给林国强，林国强看着揉皱了的作文，半晌无语。不是他不想给她办，而是他过得了他妈那一关吗？陈金巧不干了，她撒起泼来，说他结婚前说一套，结婚后做一套，要是不给她办了这个事，她就不跟他了。林国强一点都不怕她威胁，罗虎受欺负又不是他搞的，他要是歧视她们娘俩，他干吗还养着她们？户口这件事，并不像她想象中的那样好办。不用说她爸给的那几千块钱，就是几万，也未必能办下来。不说钱，说多了伤感情，但是，面对陈金巧的一哭二闹三上吊，林国强只能答应她想想办法。不过，他把话说在头里，老太太要不高兴，死活都不成。

14

林国强和陈金巧说好，陈金巧带着儿子出去，给林国强留出时间，让他做老太太的工作。

林国强买了鱼、鸡和很多别的蔬菜、水果。林母责怪他浪费，买这么多，她还要自己做。无事献殷勤，林母知道儿子有话说。这么些菜，这是想堵她的嘴呢。想堵她嘴，也不容易，自从搬到他家，她没吃过陈金巧做的一顿饭，没花过他们家一分钱，要是想让她这么认了这个媳妇，凭这顿饭可不行。

林国强目瞪口呆，原来，母亲在这里等着她呢。又是何必呢？一家人处得跟仇人似的。可是，要想母亲听自己的话，那可比母猪上树难多了。林国强不想在这上面惹母亲不高兴，直接说了自己想给罗虎上户口的事。

林母真真是觉得这个儿子脑袋里全是糨糊，人家娶个媳妇，怎么不得有点嫁妆，娘家不得帮衬帮衬。而自家儿子呢？吃亏上当赔钱帮人养儿子，和亲妈打架，这一件件，让她怎么能接受这个媳妇儿？林国强也十二分冤枉，二十多岁他也敢这么挑，自己四十大几的人了，都混到这把岁数了，有个女人乐意嫁给他，跟着他吃糠咽菜，还有什么好挑剔的？他很诚恳地对母亲说："您老觉得金巧要占咱家便宜，她占了一分钱了吗？上个月，还从娘家给我拿回一千来，钱数虽小，那是个人心啊。您用发展的眼光看问题好不好？"

林母嗤之以鼻，用发展的眼光看问题，就是把她儿子变成北京户口？这个女人图国强的，也就是这个吧，光这个北京人身份，在外地人看来，那值多少？如果罗虎的户口上在林家，那也是国强的儿子，将来就是他亲生儿子还得排在罗虎后面，多少年这都是祸患！

林国强一听母亲扯这么远，就一个头两个大，他说不过母亲，只能求母亲，让她看着金巧这段时间伺候她的份儿上，得饶人处且饶人。金巧也是当妈的，将心比心，她儿子让人这么欺负，孩子写个作文，写的都是"我有两个爸爸，两个爸爸都不要我"，就当可怜可怜她和她儿子吧。林母不为所动，这孩子姓罗，又不姓林，她自己还一屁股债呢，老大、老二，包括她自己，这是多少事呀！

林母话锋一转，这件事也不是完全没戏，她想把老屋给老大住，如果他要同意，帮了老大的忙，她就考虑考虑。林国强差点没有跳起来，妈这心眼儿太偏了！就算大哥要离婚，他们也不缺房子啊，他们在美国有几百平方米的大房子！再瞅瞅他们，四口人每天挤在茅坑那么大的地方，老妈这真是损不足以奉有余！林国强急了，嘴上就没有把门的："大哥离婚您就在乎，我离婚您就不在乎？"

林母觉得和这个儿子真的没话说了，就光会为了外人跟亲人急！放下一句“你们都是一群自私自利的白眼儿狼”拂袖而去，进屋关门。

林国强这只白眼狼被噎在那里，看着一桌子菜，一肚子气没处撒，抄起一只鸡腿，咬牙说：“我买你干吗！”他想扔，却没舍得，还是大口咬起来。

15

这个结果，陈金巧当然不满意，这不是成心欺负人吗？林国强没辙，他要陈金巧不要想房子的事，这件事还有一定的希望。陈金巧当然不甘心，她这口气当然只能撒在丈夫身上，晚上就把林国强赶出去，自己和儿子睡。林国强一万个不愿意，也不能在这个时候跟她吵架，在老婆和妈的夹板中，他还是消停些吧。所以，本着息事宁人的目的，他告诉母亲，金巧想儿子了。这又引起了母亲的碎碎念：“想儿子，她怎么不说好好教教她儿子，鼻涕用袖子擦，和人打架，没礼貌。”林国强听了实在厌烦，他忍不住堵母亲：“成了，您别念叨了，您不对人家儿子好，人家不对您儿子好，挺公道的！”

林母心中憋气，郁闷地重新躺下，胃痛袭来，她赶紧跑到洗手间，趴在马桶上开始呕吐。林国强已经翻身躺下，没有看到良久之后，从洗手间中出来的母亲，走路摇摇晃晃，虚弱得一头倒在沙发床上。

听着儿子的鼾声，看着儿子的背影，林母躺在床上，瞪大眼睛，默默流泪。

第十四章　我也会离家出走

虽然都很不痛快，日子还得继续。陈金巧继续忍着，想方设法做自己的孝顺媳妇儿；林母也撑着，拼着老命不领她这份情。可林母不知道的是，这样不放过自己同时也不放过别人的活法，并不能带来她所坚持的家庭幸福、儿孙满堂。

1

林国强偷出户口本、跟陈金巧结婚的事，一直是林母心中的一个阴影。这次，老三又跟她说户口的事，她怕再被偷，就直接把户口本拿给老大，让他给自己保存。她不想给他具体解释，只说放在他那儿她安心。不过这一节，和谁都不许说，而且谁要也不许给。

这里头肯定有事，是不是老三又要用户口本干什么，林国栋立即要去找弟弟问个清楚，让他别再给大家添乱！林母无奈，国强是鬼迷心窍！但她也不让老大管这件事，就这样像防贼似的防着老三，她知道伤他心，可是，她倒不想防着他，结果弄成现在这样。这几个儿子，谁怕伤她的心了？

林母不愿意跟大儿子说，她在老三家过得不好，非常不好。这里面有陈金巧的原因，也有她自己的原因。比如早上，林母老了，觉少，早早起来，给一家人把饭做好，却只叫自己儿子，那娘俩理都不理。一句话，干脆把那娘俩当成了空气。任凭林国强怎么劝，她依然我行我素。给他们做饭，她已经感到非常委屈了，还要她喂这位娘娘吃饭？

不是她想别扭，她也想一家人和和美美，可是看到那娘俩，她就来气，怎么也顺不过这口气来，你让她怎么能对这个二婚媳妇和她的拖油瓶和颜悦色？比如现在，她又看到坐在桌子前准备吃饭的罗虎照例用袖子擦擦鼻涕，她就有些恶心。

同样坐在桌子前的陈金巧，清楚地看到林母不愉快的表情，连忙拉着儿子去洗手。陈金巧一边洗一边还念叨："你既然来了城里，就得有个城里孩子的样子，别老邋里邋遢的，弄得浑身这么埋汰，让人说你乡巴佬。"陈金巧心中有气，搓罗虎手的力气就大，弄疼了他。罗虎非常不满，挣扎了几下："你以前咋不说我？"陈金巧瞪他："现在开始说也不晚。我跟你说，再用袖子擦鼻涕，看我不打你的手！"

洗手间外面坐的林母，看着陈金巧和罗虎，一言不发。林国强的表情十分尴尬。罗虎吃不下，拿了个馒头，跑进了里屋。

2

一大早就这样不痛快，这个日子真叫一个度日如年。大大咧咧四十年的林国强撑不住了，向母亲妥协，让大哥住老房子，他没二话了。他想通了，与其不识好歹，非要住那老房子，等老妈给自己来一个大窝脖儿，倒不如识相点。林母知道，这个儿子服软，那也是有条件的。果然，他还是想给罗虎办户口。林母根本不听他的片儿汤话，还是不吐口。

林国强郁闷："您说您来到我们家，屋子自己收拾，饭自己做，菜自己买，金巧想搭把手，你愣是不许，知道的明白是您不领情，不知道的还以为我们拿您当老妈子了，人心都是肉长的，您让别人怎么想？是我们不想跟您好好过吗？"林母不高兴，她都没使唤陈金巧，她还不乐意了？

陈金巧能乐意吗？明明四个人住在屋里，老太太好像愣是瞅不见她俩，跟金巧在家待一天，连十句话都说不上，这不像话。还有小虎，孩子有什么错，他是缺点儿规矩，可是那也不怨他啊！

林母听了这番话，心头火起，国强白天不在家，除了陈金巧，还有谁跟他念这些秧？这个儿子，当着陈金巧耳根子软。她是没说她好话，可也没说她坏话，还容她在眼前晃，她就偷着乐吧！

林国强可不这样认为，他觉得老妈就是一个老顽固，什么话到了她这里，只有两个字，不行！他要求不高，就是把自己这个白捡来的儿子变成法律上的合法儿子，对老太太什么都不影响，这都不行，他真是纳闷了："您这也太不通情理了！每天这么绷着劲，您不嫌累啊？您说，您来到我们这儿，我们好好待您、伺候您，我们愿意，何必弄成这样？"林母态度很坚决："说出大天来也不行！我没认他是咱们家人，他妈一早不是说没他吗？"

林国强还要说什么，罗虎忽然走出来："我不上这儿的户口，我还想回铁岭呢！"

罗虎是出来尿尿的，听到林母和林国强在说话，听大人说话的习惯让他停住了脚步。听见他们说他的户口，他忍不住，就进来了。罗虎的态度很坚决，他回到铁岭就不是借读生了，更不用讨好这个不会笑的老太太了。想到这里，他对着林母大声说："你不喜欢我，我也不喜欢你。"林母愣住了，她不知道说些什么好，陈金巧被吵醒了，从里屋跑出来，赶紧训斥孩子，怕婆婆不高兴，罗虎却很坚持，就是不道歉。林母不高兴那是当然的，只有乡下来的野孩子，才这么没礼貌。

可乡下来的野孩子虽然不礼貌，却知道谁对自己好，谁对自己不好，罗虎就觉得老太太欺负自己，还欺负自己的妈，是她先不对的。他想姥姥、姥爷，他就不明白了，自己讨谁嫌了，干啥都不想要他？陈金巧的眼圈湿了，她抱住孩子："没人不要你，你别胡想，听着没？"

3

虽然都很不痛快，日子还得继续。陈金巧继续忍着，想方设法做自己的孝顺媳妇儿；林母也撑着，拼着老命不领她这份情。

但林母的身体，已经是风中之烛，撑不了几天了。她不断干呕，还有很强烈的头晕，她自己很清楚，知道自己很快就会倒下，但她用一口气撑着，就生生咬牙挺住，一再拒绝陈金巧的好意。可她不知道的是，这样不放过自己同时也不放过别人的活法，并不能带来她所坚持的家庭幸福、儿孙满堂。

这不，接下来，她就尝到了自己酿下的苦果。

4

事情的起因很简单，林母因为头晕，到菜市场买菜时，错把五十的当成十块的给了小贩，回到家，她就觉得自己丢了四十块钱。

这肯定不是小偷偷的，有只偷四十的小偷吗？钱包在，整钱也在。四十是不多，可今儿四十，明儿四十的，也受不了啊！总得弄清楚是怎么丢的。老太太和陈金巧正说着，罗虎突然跑出去，林母对这个孩子的起疑，从这里开始。

接着，林母就发现了更多的证据，罗虎有一个新的铅笔盒，这是一个铁的铅笔盒，看起来不便宜。罗虎平时都用一个笔袋，这个铅笔盒肯定是新买的。林母问过国强，他没有给买。她又逼着林国强去问陈金巧，是不是她给买的。林国强不愿意，他觉得不可能是小虎偷的，他来了这么长时间，自己的钱就放在那里，一分钱也没丢过。小虎这孩子要强，不干这个事。林母不信，如果他不偷钱，这个铅笔盒哪儿来的？小偷小摸都有第一回，以前没有不代表以后没有。小时候偷小的，长大了就能偷大的！不管不问，才是对他不负责，她就是帮着管这个孩子，有什么不对的？

林国强被逼无奈，只好问老婆，陈金巧没有买，她也不知道儿子这个铅笔盒是怎么来的，但是她相信自己的儿子。

罗虎这个铅笔盒，确实是同学给的，就是那个把他作文贴到黑板上的孩子给他的。罗虎知道了是这个孩子之后，找他算账，孩子赔给他的。这样的说法，大人们当然不信，林母当下就说这孩子满嘴的谎话。罗虎气急，对林母大喊，坚决说自己没有撒谎。

陈金巧也不敢信自己的儿子：“还敢不承认，你又没长了三头六臂，他凭啥就那么怕你，你让他赔他就赔？”罗虎说的是实话：“他让我开过一次瓢，凭啥不怕我？”听说这孩子还打人，林母对罗虎的印象更不好了，她就认定了这个铅笔盒是罗虎偷钱买的。罗虎急了：“我才不稀罕偷她的钱呢！”林母听了脸色大变。陈金巧也急了，抬手打了罗虎一耳光：“你怎么敢这么和奶奶说话？”罗虎被打，不哭，就梗着脖子喊；“谁是我奶奶！”陈金巧面子上下不来，继续打他，被林国强拦住。罗虎把铅笔盒扔在地上踩扁，哭着跑进屋子关上门。林母不屑：“这就是你教出来的好孩子？真有规矩！”林国强看着这个鸡飞狗跳、母子痛哭的场面，欲哭无泪：“行啦，妈，您就消停消停吧！一天鸡飞狗跳的，您不嫌闹得慌？”

5

林母不嫌闹腾，她有她的坚持。可罗虎嫌，被人嫌弃被人欺负的日子他一天也不想过了。他含着泪，偷拿了家里一些钱，想离开这个他一点都不喜欢的地方。临走前，他还没有忘记，把那个踩扁的铅笔盒还给那个同学，并要他为自己做个见证，有人问起，就实话实说。看着这个城里孩子因为自己用砖头吓得唯唯诺诺的样子，罗虎非常不屑：“我觉得你们这种城里孩子，好像厉害，其实真差劲：别人一横，你们就软；别人要软，你们就横！”说完，他背上自己的书包，翻墙而出。离开学校时，他甚至都没有回头看一眼。

6

孩子很听话，按照罗虎要求的，报告给老师。老师知道事情不对，赶紧给陈金巧打电话。陈金巧一听，知道冤枉了儿子，怕儿子的臭脾气闹出什么事，连忙给林国强打电话。林国强真是一个实在人，听到这个消息，把坐在自己车上的客户轰下去，给了人家二十块钱，第一时间赶到派出所报案。

警察给他做笔录，知道人才走了一个小时，不禁恼怒："你这儿拿我打镲呢？不到四十八小时我们不立案，现在报了我们也没法出动警力。"林国强央求："孩子他妈急得直拿头撞墙，您必须得帮我们想想法子！"警察哭笑不得，刚走了没俩小时，谁知道他是不是出去玩了，万一晚上回来了呢？林国强不这样认为："那要没回来，我可跟您急，为人民服务怎么能讲条件？"警察认为他成心捣乱，出去玩的孩子多了，他们还挨个给找？到时间还不回来，就是想不让他们找，他们都得找，现在不到时候！林国强一看没戏，扭头就走，边走边嘟囔："我怎么遇见你这么一个肉头！"听见他说什么的警察叫他站住，林国强当然不站住，站住干什么，挨训也不是现在，现在他忙着找儿子。

还别说，林国强的这个报案还真管用，没出一个小时，警察局就打来电话，说孩子找到了。林国强是冤枉这个警察了，这位警察同志虽然觉得事情不靠谱，但他的职责不允许他有丝毫的疏忽，所以，他还是给火车站派出所打了电话，让帮忙留意一下这么个孩子。而罗虎果真在火车站，排队买火车票，他要回铁岭。铁路警察抓住他，把他送到派出所。他放声大哭："我没爸爸，我要回家！"派出所被林国强称为肉头的那个警察，听到了这句话，这才明白了什么。

等林国强飞车赶来，罗虎还很倔："我不回去，我要回铁岭，找我姥姥、我姥爷去。再说，你也不是我爸爸。"林国强蹲下身子，认真地对罗虎说："后爸怎么不是爸爸？你叫我一声爸爸，我一辈子都是你爸爸。"

林国强要罗虎对警察道谢，没有想到，这个警察还挺幽默，他竟然问林国强："我是肉头吗？"林国强态度那叫一个好："我是肉头，您是人民的好卫士，对不起。"警察看着罗虎："好好哄哄，下回再丢，四十八小时之后管找。"林国强拉起罗虎赶紧走，下次，没有下次了，坚决不丢了。

7

罗虎还在生气，既然下了决心回铁岭，他不会这么容易放弃。林国强觉得是冤枉了孩子，就郑重代表母亲给他道歉："我哪天说过不要你了？你觉着我是你跟你妈妈之间的第三者，是吧？有话好好说，不许玩失踪，我知道你受委屈了，是大人不对，我代表我妈向你道歉，罗虎同志，对不起。"

罗虎开始抽噎，林国强打开车门，要他上车。罗虎上车，林国强到另一边上车，结果罗虎却跑了出去。林国强发动了自己的车，回头才发现不见了罗虎。他朝前看去，有个孩子很像罗虎，上了一辆公交车。林国强大骂一声，踩油门猛追。追上公交车之后，林国强一咬牙，向左打一下方向盘，硬生生别住那辆公交车。公交车紧急刹车，发出一声刺耳的声音，停住了。司机一声咒骂，车上的乘客差点摔倒，也大声咒骂着。林国强打开车门，嘴里连声道歉，上了公交车，走到罗虎面前："你怎么回事，知道你妈多着急吗？跟我走。"罗虎眼中噙着泪，摇摇头："我要回家。"林国强气得两眼通红，抬起手来，就要打下去："你这害我丢多少人？给那么些人找麻烦，你还懂不懂点儿事，你这倒霉孩子！"罗虎一闭眼，准备挨打。林国强却把手放下，扛起罗虎就走，嘴里还不住继续给大家道着歉。

8

看到儿子终于回家了，陈金巧心头的一块石头才落了地。当下抱住儿子，心呀命呀眼泪啪嚓地猛亲。林国强把情况都告诉了林母，并要母亲给小虎道歉，这是没出事儿，出了事呢？有地儿买后悔药吗？林母站在屋里，手足无措。

9

这笔账，陈金巧当然又记在林国强头上了。半夜等罗虎睡着后林国强又要求欢时，陈金巧发作了。

这当然不怨林国强，四十岁了才娶到媳妇儿，这刚几个月，还属于恋爱的甜蜜期。可活生生的一个女人，躺在身边，只准看不准摸，看着吃不着，怎么不让他难受？今天他几乎是豁出命去，舍财又舍脸地给她把孩子找了回来，而且一根汗毛都没伤着，没功劳也有点苦劳，他就觉得媳妇儿应该表示一下。陈金巧的借口还是孩子，欲望得不到满足的林国强差点哭出来，孩子可天天都在一边，那他后半辈子要练葵花宝典？"欲练神功，引刀自宫！"陈金巧被他逗得终于笑了一笑。林国强以为她同意了，立即开始行动，却依旧被陈金巧奋力挣扎拒绝。

林国强"耍流氓"未果，还被一脚踢到床下，陈金巧板着脸训他："我可没你那么没皮没脸！我心里憋屈着呢，你别惹我！"林国强也恼了，这叫什么事？这些天她痛快也好，不痛快也好，那是他弄的吗？冤有头债有主，冲他撒哪门子邪火？陈金巧冷笑："不冲你冲谁？你光会向着你妈拉偏手，你护着我们娘俩了吗？你妈这么冤枉小虎，闹出这么大事，不言不语，黑不提白不提就过去了？以后还要继续冤枉是怎么的？"林国强觉得自己够公道了，他跟妈说了，让她跟小虎道歉。她没道歉，也没有什么大不了的。一个孩子，过两天忘了就完了，大人跟孩子最大的区别就是孩子可以不要脸，大人不能不要脸，小孩儿二皮脸一挂过去了，大人行吗？

他真是想把这件事压下去："我妈也知道自己错了，你就别没完没了了，这不也没出事吗？"陈金巧不依不饶，这件事不能就这样算了："出了事就晚了，我想起来都后怕！啥要脸不要脸，你们城里人可以要脸，俺们乡下人就不要脸了？"陈金巧越说越冤，越说越有气，把自己从林母那里受的气都发泄出来了。最后，她几乎在朝着外屋的林母喊了："不就是想我跟你离婚吗？离就离，我看谁没谁活不了！"

10

他们吵架这么大声，林母不可能听不到，何况她本来就没有睡着。陈金巧的每一句话，她都听得真真切切。听到离婚两个字，她无所适从地站起来，走到里屋门前，伸手要推门，却又转身回到自己床前，从柜子上拿出钥匙，朝门外就走，身上只穿着秋衣秋裤。

林母走到了大街上，凌晨的大街寂寥冷清得像一个墓地，昏暗的夜灯像哭泣的眼睛。晚风吹透了林母单薄的秋衣秋裤，林母浑然不觉。她也不辨方向，就一直向前走去。她的意识好像已经不属于自己，心中只有一个声音，她要走，要离开这里，要回自己的家。可是，她不知道，哪里是自己的家，眼泪不知不觉滂沱而下，她也不去管，有谁来关心她是不是流泪了呢？

她的头又开始晕了，恍恍惚惚地走到了马路中间，完全不顾飞速行驶而来的汽车。一辆汽车不得不在林母身前半米处，紧急刹车。车上的人气坏了，打开窗户破口大骂："你个神经病老太太，找死啊，这是你走的地方吗？"林母本就绷紧的神经被这个惊吓再次刺激，不由得呜咽着哭出声来。车上的人重新发动车子，犹自骂骂咧咧："神经病，家里人都死光了，也不管管！"林母看着车子一溜烟开走，一时不知道何去何从。

11

如果不是刘雅娟发现了失魂落魄的林母，不知道林母是不是还有命回到自己的家。

刘雅娟是出来倒垃圾的。这段时间，她婆婆刘金凤一直住在他们家，监督她。就是她改作业而没有倒垃圾，都要被数落一顿："你瞧你娶的这媳妇，整个一个'娘娘'。"

而这个“娘娘”不仅要管钱建功和钱母吃饭，还必须要在深夜把垃圾倒下来。刘雅娟不想为这点小事跟他们吵，拎着垃圾就出了门。她把垃圾扔到垃圾箱里，一抬头忽然看到了林母，林母穿着秋衣秋裤失魂落魄地往前走着，根本没有看到她。

刘雅娟大吃一惊，失口就叫了出来：“妈——”然后再改口，“大妈，您怎么穿成这样就出来了，您从哪儿来啊？”看到雅娟，林母可算找到了亲人，一下子哭开了，拉着雅娟的手不放。看着林母哭得伤心欲绝的样子，刘雅娟非常心疼：“您本来身体就不好，再冻病了可受不了，走，咱们赶紧回家。”

12

林家老房子历经了好几家的搬进搬出，一片狼藉。林母丝毫不以为意，就要睡在这里。对于发生的事，她没脸跟雅娟说，更不让她给家人打电话。刘雅娟只得帮林母收拾出一片可以睡觉的地方，趁她不注意，给林国栋打了一个电话。已经睡着的林国栋，接到电话，穿上衣服，立即赶来。

刘雅娟猜到了今天这一出大概是为什么，就劝老太太：“大妈，我劝您一句，老三的事，您还是认了吧。这么僵持着，大家心里都苦，我知道您是无心，可是当妈的，谁不护自己的孩子呢？您想，要是有人冤枉林超，我不也不干吗？咱们对事不对人，老三的媳妇确实一开始做得不对，可是后面她也没什么错处了，得饶人处且饶人，这样对大家都好。”

林母的眼泪又流了出来：“我心里的苦谁知道？弄个鼻涕拉碴的孩子管我叫奶奶，我打从心里不愿意，老三上了当，自己还不觉得，哪儿有这么笨的人！我那么想林超，想我孙子，一年两年见不着！”林母知道，林超还恨他爸爸，也恨她，恨林家所有的人。不怪这孩子，她自己也恨自己，恨儿子，谁让他们不能再管这个孩子，让他管别人叫爸爸呢？但她是真想自己这个孙子，做梦都想。她和雅娟一起把他带大，还记得他小的时候，刚会说话，就会叫奶奶的样子，真聪明，真叫人打心眼里喜欢。

林母陷入回忆中，只有想起这些，她的脸上才有了一些活气：“那会儿你们都忙，我天天带着他，他每天早上起床就冲我笑……”刘雅娟答应让儿子来看奶奶，也许看到孙子，林母的心情会好一些。但对儿子，林母还是没有好脸色，只是感谢雅娟，自己占了她这么长时间，家里肯定会有意见了。

刘雅娟告辞，林国栋送她。林国栋对刘雅娟，感激之中，还有几分尴尬。人都是这样，无论是心存感激，还是心中怨恨，面对这个人时，都会有几分不自然。如果可以，林国栋是真的不想见这个自己十分对不起的前妻，可是，他能不见吗？自己母亲又是被人家送回来了，自己儿子还像仇人一样，他无处可逃。

13

无论于己于人，刘雅娟都想让林超和林国栋冰释前嫌，她是打心眼里看不上钱建功，希望林超能更多像他亲爸爸。可是天下事很难遂人愿，就算她极力撮合，这父子两个还能和平共处吗？她心中没底。

比一只小白兔还善良的刘雅娟，之所以怨恨钱建功，那真是兔子急了才咬人。如果说钱建功肯跟带着林超的刘雅娟结婚，还有些感情、有些担当的话，那么被病痛和妒忌折磨的钱建功，现在就只剩下狭隘、自私和无情了。刘雅娟刚一进家门，钱建功就炸了。倒个垃圾倒一个钟头，他以为她死在外头了。听说她遇到林家那个老婆子，钱建功的心情更坏了，他阴着脸："然后你就乐不思蜀了？你缺婆婆是怎么着？"刘金凤上来帮腔，母子两个人一齐骂她，说她犯贱。刘雅娟听着钱建功的辱骂，悄无声息地走进屋子，一头栽倒在床上，表情凄怆。

14

话说林国强还不知道母亲离家出走的事，接到大哥的电话，睡得迷迷糊糊的他，一下子精神了。他跑出屋子一看，老太太果然不见了。他立即要过去见妈。当时林国栋已经快到林家老屋了，怕他来了母亲又受刺激，就不让他来，下来再跟他算账。

林国强先跟陈金巧算账，都是这老娘儿们吵吵的，这都叫什么事儿！他是伺候不起了，都是祖宗！陈金巧也知道，这件事又算在她头上了，她无限哀怨："又怨我，又怨我，我看出来了，你妈是想把咱们都逼死才算完！"

15

从林母的角度来说，是一点想把他们逼死的心思都没有。她一把鼻涕一把泪地跟老大诉苦："我也没想让那孩子一个人跑啊，她自己教出那么没规矩的孩子，能不让人疑心吗？"

林国栋看着自己的妈，心情很差："妈，不是我说您，您得好好想想您自己现在是不是有问题，您太主观了，您在心里一给别人定了性是坏人，那这个人不论说什么做什么，就都好不了。您说这次能怨人家金巧吗？幸亏没出事，这要是真出了事，孩子有个什么闪失，咱们家不得乱了套？咱拿什么赔给人家？"

林母和林国栋都知道，出了这件事，她是没法再跟陈金巧一个屋子里住着了，谁看到谁，都会不痛快。

林国栋在外屋的沙发上将就了一宿，他睡不着，看着这间凌乱的房子，自言自语：“就为这么个破地方，值得吗？”

16

林国强一大早没有顾得出车，就赶了过来。他也是一肚子苦水：“哥，你说，这能怨我吗？昨天晚上金巧哭半宿，咱这妈她就不是一般人，我不骗您，我现在看见妈头皮都发麻，我不是不想好好对她，她这不是折磨人吗？”

林国栋理解弟弟，但他不能接受这种讲话方式，母亲观念老了，总是在用自己以为对儿女好的方式来处理问题，却总是把事情弄糟。因为她不知道现在的人和他们那代不一样，现在的人，越强迫就越反抗。不过，他认为国强也有问题，无论如何，让妈穿着秋衣秋裤跑出来，他难辞其咎！

林国强认了，不是他不努力，也不是他不上心：“咱妈我是伺候不起了，再让她在我们家待下去，不是她就是金巧，要不就是我，非自杀不可。我知道你得找工作，可是我得活着。”林国栋也看明白这个必须接受的事实了，还是他伺候妈吧，林国强想到要跟母亲道歉，一头磕死的心都有，可是，那毕竟是自己的妈，不能永远不见了，他还要硬着头皮上楼去。

17

因为林家老房子太乱了，不能住人，林国栋把母亲带到了自己租住的房子。一心想让儿子和媳妇和好的林母，不愿意住。她住在这里，王茜回来，都没有地儿住。林国栋知道，要王茜回来，那还是没影儿的事。而且这里，怎么也比老三那儿宽敞。

弄成这个局面，林母心中无限凄凉：“这事儿也怨我，我怎么专门搅和我儿子的婚事，我这成了什么东西了？宠事儿的妖精？”心情不好，这样折腾，又休息不好，林母的病情加重。一直呕吐，吃得非常少，林国栋看了，心比针扎地还痛。其实，林母并不是很在意自己的身体：“妈还有几年好活啊，我就想死之前把你们几个安排好，也就净心……”老太太说到伤心处，眼泪又掉了下来：“可，你们谁都不懂我……”

18

林母不知道的是，她的这些儿女，不光是不懂她，还不懂生活为什么这么残酷，为什么总是雪上加霜。一个接一个的打击，劈头而来，让他们无力承受，无处躲藏。

被林母怨着念着的王茜，又必须面临一个打击，他们房贷的美国银行发来一封律师函，说他们已经拖欠贷款，如果再继续发生类似行为或没有在多少日之前补交欠款，他们的房屋将会被拍卖。

屋漏偏逢连夜雨，王茜心中的烦无以排解，自然将紧跟在她身边的胡毕昆当成了一根救命稻草。因此，她虽然十分担心，却又不得不接受了胡毕昆的邀约，并在他的坚持下，让他来到自己住的酒店房间。

胡毕昆拿下王茜这个堡垒的武器依然是美酒加工作业绩。知道王茜跟丈夫分居之后，他以为自己的机会来了。现在他又登堂入室了，他今天志在必得。

他带来了昂贵的美酒，八千多人民币一瓶的轩尼诗•理查，而且带来了王茜梦寐以求的大单子。他就不相信，这两样致命诱惑拿不下这个女人。可事实就是这样奇怪，几乎山穷水尽的王茜，就是没有让他遂愿。

在胡毕昆几乎强逼的情况下，王茜喝下了几杯酒，不过，都是牛嚼牡丹，丝毫没有达到胡毕昆希望的境界。因此，谈工作时，王茜还算清醒。胡毕昆知道，对于王茜这样的女人，逼急了反而不成，就不能急，他抛砖引玉，通过分析王茜要拿下客户的方法，委婉地说明了自己的想法。

王茜要拿下的这个大客户老吕，已经被一个叫南希的风骚女人攻破，现在她能攻下老吕的机会已经很小了，不如放弃。他建议她转投其他的进攻点，抢占一些她有得天独厚优势的阵地。比如飞马，也就是他。他们这个旅游季一共有三十个团要发，每团大概一百人，而老吕那儿，就算拿下来，也最多只有这个数量的一半。更何况，对他而言，她比南希更有优势。因为他喜欢她，生意给谁都是给，干吗不给自己喜欢的人。

话都说得这样赤裸裸了，胡毕昆也不再掩饰，直接要跟王茜喝交杯酒。他没有想到，王茜竟然还是拒绝："胡毕昆先生，我觉得你还不是很了解我的为人。如果用这个作为交易的条件，我不会同意的。我可能给你造成了很多误解，可是我真的不能做到那个南希的程度，我还是比较传统的女人。"

胡毕昆以为她在惺惺作态："传统在这个年头不吃香，你们老板把你派回国，也是因为你适应国内的情况，再说了，这种事情在全世界都是惯例吧？要是不了解，还搞什么公关？"顿了一下，胡毕昆有些悻悻地加上："要不是我认识你这么多年了，心里留着这么多美好的回忆，我就找个年轻的去了。你再仔细想想，这件事对你没有任何损害，你觉得我想破坏你的家庭吗？我还没那么卑鄙，说实话，我也只是想实现自己的一个夙愿，这个夙愿从我见到你开始就一直保持到今天了。”

王茜觉得他恶心，但还不敢过于得罪他，以喝多了为借口，让他离开。胡毕昆看王茜是来真的，不想把她惹翻，来日方长，他不相信这个女人能够逃出自己的手掌心。也许她需要好好思考一下，临走，他把酒放下，半是威胁半是告诫地说：“不过我用我清醒的那一半告诉你，我的大门随时向你敞开。直到我们和别的连锁酒店签订合同为止。旺季快到了，你要把握机会。唉，这么说话都生分了，咱俩可是认识多少年的朋友了，怎么谈上生意了？”

王茜强撑着把他送出门，关上门，第一件事就是把这一瓶酒全部倒进马桶。她把瓶子扔在纸篓里，躺倒在床上，仰面而泣。

19

打发走了胡毕昆这个瘟神，王茜今天的任务还没有完。她走出酒店，就看到林母坐在台阶上，已经等了她很久。林母怕进去找王茜，对她影响不好，就一直坐在外面等。说不心疼那是假的，虽然看不上这个婆婆，但最起码的尊敬老人，王茜还是能做到的。

所以，面对林母的道歉，王茜是真的承受不起；面对婆婆的恳求，她只能妥协。看着林母竟然作势要给自己跪下，吓得王茜赶紧答应，跟她回去。

20

而世间的事情，往往都被一根偶然的线牵到了一起，让世事变得错综复杂，让身处其中的人，应接不暇。

王茜和林母刚要走，就遇到了刘金凤。原来，刘金凤在这家酒店做保洁员。知道了王茜是刘雅娟前夫林国栋的现任妻子之后，刘金凤好像突然发现了一座金矿，亢奋得宛如一只马上要掐架的老母鸡。

刘金凤早就“认识”这个王茜，她非常关注这个美丽却整日板着脸装大瓣蒜的经理。之所以关注，是因为她认识胡毕昆，知道他的身份，当胡毕昆每天都来找王茜时，没事还要找事唯恐天下不乱的刘金凤，想不注意这个男人都难。

今天，她看着胡毕昆进入了王茜的房间，以她龌龊的心理，就把王茜想得龌龊了：“还经理呢！不也就是个轧姘头、搞破鞋的烂货，表面人五人六的，一肚子男盗女娼。”自认为看人有一套的刘金凤，说起这些来，比说评书的还有料儿：“这人呀，一撅屁股我知道他拉什么屎。那男的，手里有活；这女的，当然就赶着送上去了，知道这叫什么，这就叫潜规则。”在她眼中，这就是个笑贫不笑娼的年头，这些白领，还不如掏大粪的干净呢！

现在知道这个被潜了的经理，就是林国栋的老婆，她高兴得一蹦三尺高，赶紧跑回家，跟儿子分享这个乐子。钱建功听说林国栋的老婆偷人，当下喝几两酒庆祝，认为这是老天给林国栋那个乌龟的报应。

21

不说这对心理阴暗的母子怎么编排林国栋王茜夫妇，先说王茜回到家里，夫妇俩的决定。

看到王茜跟母亲回来，林国栋当然很高兴。又怕把母亲接回来，王茜不高兴，赶紧把这几天家里发生的事，一五一十地跟妻子说了一遍。王茜不置可否，只问他是不是打算伺候妈到底，不去工作了。林国栋吞吞吐吐，但他那个意思，确实是这样打算的。王茜还是冷冷的，告诉他房子要被收回拍卖的事。

林国栋大惊，这怎么办？王茜也不知道怎么办，她自己工作上的压力之大，心里之恶心，已经快把她压垮了，根本没有精力管这些事了。她告诉林国栋：“我现在需要你的支持，如果你还想维持咱们俩的家，现在你必须回美国，找工作。我是认真的。”林国栋也很为难，他也需要她的支持。他妈昨天晚上在吐，今天一共吃了两碗粥，还吐了一次，他预备明天带她去医院，再做检查。

王茜无语，她就知道是这个结果，这就是她不给他打电话的原因。她回来，是老人给自己道歉，她必须给婆婆一个面子。可他俩的问题还是没解决，而且可能一直都解决不了，还是继续分开得好，直到想出解决的办法，各自妥协或者一了百了。这也是没办法的事情，让她在这儿看着他尽孝，不管他俩的危机，她一定会和他过不去，到时候又弄得不可收拾！为了不伤林母的心，她要和林国栋配合演出一场戏。林国栋根本不想分居，可是他有什么办法呢？

听说王茜又要出差走，林母很不理解。王茜只好告诉林母，自己也没白回来，和国栋已经好了，林国栋在旁边帮腔。听说两个人真不吵了，林母放下心来，就让王茜走了，她没有看到儿子趁着转身的工夫，擦掉了已经流下来的眼泪。

第十五章　抓住你的小辫子

为了生活，人们随波逐流。只有当前面再没有去路时，才能下定决心，自己去走出一条路。

1

也许生活就是由一个个悲欢离合组成的。一个林家上演着分离；另一个林家，则上演着和好。

为了表示自己的父爱，林国强一心想做一个好父亲，每天都接送罗虎上学。而自从老太太搬出去之后，罗虎的心情自然是好了很多。当然，他还是不理解林国强的做法："你干啥不让我走？我回姥姥、姥爷那儿也挺好的。还有，我气你妈，你也不打我……"

林国强有他的苦衷："你走了，你妈就也走了，我是你妈的丈夫，是你的后爹，我是想打你，就你这么倔的孩子，还不该打？可是我不是你亲爹，我就不能打你，你慢慢琢磨吧。"林国强掏出一个新铅笔盒，递给罗虎，好言好语地劝他："以后性子别这么烈，凡事和你妈商量商量，别老让她操心。更不许动不动就离家出走，你要出点什么事儿，那不是要你妈的命吗？"罗虎点头答应，并顺着林国强的话，说不再踩这个铅笔盒，至少用一年。林国强笑了："你跟我在一块儿也有几个月了，这是你第一回说出点我爱听的话。"罗虎接着说让他爱听的话："户口的事，你不用弄。"可这事他说了不算，他妈说了算。刚八岁的罗虎却说出了大人的话："不用听我妈的，她是女的。"林国强哈哈大笑，这话让陈金巧听见，还不揍死他！罗虎也笑了，他知道，他妈不会的。

于是，这天，林国强和陈金巧又看到了罗虎的作文，题目还是《我的爸爸》：

我的爸爸是一个出租车司机。他有时候白天睡觉，有时候晚上睡觉，不睡觉的时候就开车。开车的时候很喜欢给客人讲笑话，大家都很喜欢他，我妈说他是个贫嘴。他不是我的亲爸爸，但是他这个人还不错……

不仅如此，罗虎还给林国强画了一张画像。画得真好，林国强当即决定，给这小子报个美术班好好培养，别荒废了他的天分。陈金巧一直有这个想法，却不敢也不能提出来，看到丈夫主动提出来，心中那个感激，就不用提了。这个实诚的东北老娘们，当下就提出，户口不给小虎改，就不改了，但要让他姓林。而且，她还作保证："该给你生孩子，我还是给你生。"她主要是想，小虎要姓了林，可能心里也好受不少。

这关系到认祖归宗的大事，林国强当然要跟妈商量商量。不出所料，始终如一的林母，还是不答应！

2

陈金巧的这个要求又被拒，林国强能够想象出老婆的黑脸和碎碎念（碎碎念：重复说着同一件事）。他赶忙买了一袋酱肘子，希望能够堵住老婆的嘴。不过，林国强并不是特别担心，因为他和小虎的关系已经改善了。这不，罗虎正在拿他的出租车做模特，在地上画画。出租车上坐着一个小孩，手里牵着几个气球，气球在车外飘着。出租车身上还写着车牌号，正是国强的车牌号码。林国强看着他虽然没有办法形容却知道很好的画，用林氏特有的方式鼓励儿子，要他将来成了专业的大画家大腕儿，得给他换辆大奔。可是罗虎同学不知道什么是大奔，不得不感慨乡下孩子的质朴，林国强解释，就是汽车中的战斗机。屋子里面的陈金巧听不下去他的贫话，让他把外面晒的衣服给拿进来。国强把衣服摘下来抱进屋。

把衣服扔到床上，林国强提高了手中的塑料袋，给陈金巧献宝："媳妇，今儿咱吃肘子，老字号的。一会儿我去买点甜面酱、大葱，这是绝配的混搭……"金巧低头择菜，不理他。林国强紧着劝："媳妇，你为了虎子，我理解。你是他妈，可她是我妈啊！她有时特一根筋，没什么文化，错了、对了的，你可别往心里去啊！"

金巧难得一回不坚持，她只是很挫败，自己总是热脸贴人家的冷屁股，都快成习惯了，怎么就不能改一改呢！不过，想开了，也就无所谓了，姓啥不吃饭啊？

国强高兴了，妈是老人了，一辈子的脾气秉性了，谁也拗不过她。他故意说好话讨媳妇儿高兴："妈她现在不同意改，以后她想改我还第一个不答应呢！媳妇，我跟你说，以后咱们一家三口。要好好地把日子过好，过得比我大哥、二哥要好，绝对镇他们！”说起来容易做起来难，这林国强忽悠有一套，过日子是靠忽悠来的吗？他们家跟大哥二哥可没法比！陈金巧不明白，林国强搁哪儿淘换来那么大的决心。

话说林国强并不是顺嘴忽悠，他一板一眼给媳妇儿分析：“就说我大哥吧，他虽然在美国成家了，可他不是大款，他也没孩子吧？”陈金巧一瞪眼，林国强想起来：“不对，他和他前妻雅娟嫂子有个孩子林超。可林超跟他，也不怎么对付。就这点儿上我大哥就特失落。这是个缺陷吧？再说二哥，就他们家的彤彤，不瞒你说，这孩子让我二哥二嫂给惯坏，太任性了。而且她还有先天性心脏病。这我二哥家也是不太圆满。那剩下不就咱们了吗？你看咱们一家多爽……”

金巧听不下去这个人在这里瞎数落了，说了一声：“你就在这爽吧！”就要送虎子去绘画班，正在处于讨好老婆关键期的国强，赶紧主动请缨，要开车送他去，连陈金巧要他休息，他也坚决拒绝了。

3

林母住到了林国栋家中，林国栋也不上班，专职伺候妈。这样的结果，除了林母心中担心王茜，总念叨林国栋让他去找工作之外，每个人都很满意了。因此，日子似乎平静了下来。

但这种平静之中，却酝酿着骇人的暴风骤雨。这风雨起自人心中的欲望和贪婪，想要求得自身的安宁和幸福，尚需从源头防治。而林家的这场足以毁灭每一个人的暴风骤雨，又是从吴玉华和林国梁开始的。

吴玉华这段日子没有太多精力去折腾婆婆，是因为彤彤的老师打电话告状了，说她考试总是在后十名晃悠，听课不专心，留的作业也不好好写。尽管彤彤是一个病患，但是母亲就希望孩子有出息，吴玉华当然也望女成凤。因此就想方设法，要女儿少打些游戏机，努力学习。奈何被惯坏了的彤彤，根本不听母亲的唠叨。吴玉华所有的招数，到了女儿这里都是白扯，加上林国梁的娇纵，林月彤轻松将母亲拿下，不知道这是不是卤水点豆腐，一物降一物。

女儿这里，还能开心活下去，就好；但是活下去，需要换心脏；换心脏需要大把钞票。钱从哪里来？母亲的房子是一棵摇钱树，夫妇两个非常默契地意识到这一点。

就母亲情况分析，他们得到房子的可能性并不乐观。现在妈回家，老大又住在家里。房子卖不了，老大前妻雅娟那又是颗定时炸弹，雅娟那个现在的老公钱建功，已经开始明着要分那房子了。老大的儿子林超也不小了，就算雅娟不要那房子，可林超是老大的儿子，他也姓林。钱建功不管自己有没有房都不可能给林超一套房子结婚用，为了林超，雅娟和老大就有可能成为一条道儿上的了。

思来想去，吴玉华还是觉得这房早卖了就没有这些事儿了，现在已经不是老太太在屋里没不没的事儿了，就算老人在屋里走了，现在这房也贵贱卖不了！老大往那屋里一住，老三没房都快挠墙了，再加上钱建功这滚刀肉，这通乱……

夫妇二人商量的结果是，既然事儿已经这样了，不管怎么样，这房不能给外人，而这外人就是钱建功。只要这房没钱建功的份儿，林家哥仨就好谈。吴玉华决定，自己亲自出马，跟林母聊聊，看看老太太是怎么打算的。

国梁提醒她："我可跟你说，说话可得注意点儿！妈和雅娟关系不错，别让老太太多心喽！"

4

林国栋看到了那封律师函。他注意到，这个函上，并没有说马上就要拍卖他们的房子，银行给了他们最后期限。他们还有一段时间，可以应对这件事情。王茜既然说让林国栋解决完这件事再讨论他们两个人的事情，林国栋就要跟她商量，怎么解决。他这边是指望不上的，母亲病着，两个弟弟一个比一个活得艰难。林国栋知道，王茜还是怪自己把家里的存款给母亲治病，所以现在没钱交房贷。

王茜倒没有这么狭隘，她只是想解决问题。但是，她这方面的情况是，她刚到一个新单位，同事肯定借不到钱。父母那里，她也没有办法张嘴，他们手里的那几万块也是养老用的钱，她父母对丈夫本来就有些看法。不说这些，就算他们疼女儿，把钱借给她，可万一她父母谁病了去医院，这急诊住院都得先自己交钱，就他们那几万块还不够交押金的呢！林家好歹还兄弟三个互相帮衬着，而他们家就她一个，以后的事，还多着呢。父母不指着她有多孝顺，也不能让他们再为自己付出吧？

说到这里，王茜觉得自己对林国栋已经无话可说了。她很失望，嫁汉嫁汉，穿衣吃饭，她呢？不仅倒贴上自己的工资，还要打父母棺材本的主意，这让她情何以堪？

林国栋听着她话音里都带着哭腔了，心疼加上愧疚再掺和进几分思念，他立即想过去见她，把她抱在怀中，好好安抚一下。可是，王茜不见他，相见不如不见，有情还似无情，该说的都已经说了，他们欠缺的，是解决问题的行动。而这行动，需要他来完成。

所以，当林国栋真的到酒店找王茜时，王茜只让保安告诉他，自己在开会，给林国栋一个闭门羹吃。

5

林国栋目前的困境，被林家的两个女人知道了。一个是林母，另外一个是吴玉华。虽然两个女人知道这个情况的途径不同，心情也不同，但是，她们俩都采取了行动。

6

林母是听到了老大和王茜的电话，对那封律师函起了疑心。她用林国栋无意中教会她的方法，用数码照相机把律师函拍下来，找到雅娟，让她请懂英语的同事帮忙把这封律师函翻译成中文。

听雅娟给自己讲了这封英文信的内容，再联系听到儿子讲的电话，林母清楚了老大的处境。毕竟是一只传统得有些愚昧、护家护到自私的“老母鸡”，了解到这一情况，她立即把责任全部推到王茜身上。她的理论是，房子是他们俩的，她干吗不向自己娘家借啊？

林母人虽老了，可并不糊涂，相反，她还很有些老年人的油滑和精明。她知道，王茜好些天不在家了，她不信她是出差了，肯定是跟老大闹别扭了，而且一定还和这律师函有关系。林母怨完王茜，又开始怨银行：“你说这美国银行怎么这么狠啊？人家买房、贷款，还没欠什么钱就要把人家的房子给卖了，这不整个一黄世仁吗？”

雅娟看到林母这个样子也不知道怎么劝好，只能听着林母在那里自怨自艾地抱怨：“快说了八百遍了，让他上班他就不去，王茜家是上海的，父母也是。就国栋那脑子，怎么算得过人家？他这一不上班。让人家一人儿把家撑起来，人家干吗？就算人家乐意，人家父母还疼自己闺女儿呢！”林母长叹一声：“国栋这事儿，让我死到临了儿，也不甘心！他不但对不住你，自己也没过上好日子。你说我们家上辈子哪炷香没拜到，让老大跟犯了邪一样？”

雅娟看林母越说越多，赶忙拦住她，她真觉得林国栋没有什么错，而且现在也不是评论谁对谁错的时候，眼下最关键的还是想办法还钱，那美国没什么人情可讲。律师函里说了，在期限内把贷款还了，就不拍卖房子。说到这里，雅娟提出，自己手头还有两万块，要借给林母，让她先应急用。

林母当然不能拿她的钱，她再没心没肺，也不能干这没羞没臊的事儿，她到现在都觉得对雅娟愧得慌。然后，林母又回到了老话题上："如果当时老大不出这破国，如果你和林超都能够跟着过去，现在一家子得有多幸福啊！我现在一寻思起这事儿就恨老大，恨那个不是人的东西，那上海狐狸精究竟是哪点儿好？她哪儿能比得上你？想起这些，我就气不打一处来。可话说回来了，老大现在也挺可怜的，好歹他也是我生的，人家都说母子连心，我就觉着说什么出差像是猫腻。雅娟，我看他们俩这么闹下去也好，干脆我就鼓动老大离了，然后……"

还是那句话，这世界上没有如果，说这些没有任何意义，雅娟打断林母的唠叨，劝她不要乱来，还是别破坏别人家庭，这事不能做。

林母回过神来，也知道自己过了，不再说下去。她期期艾艾地同雅娟商量，自己打算卖房。雅娟十分赞同："那房是您的，你想卖就卖吧，跟我没关系，你甭想着我。还有国栋的事儿，需要我帮什么您说话，千万甭客气。虽说，咱们现在不是一家人了，可我一直把您当自己的妈看，您也知道我这个人，不会说什么好听的话，您自己的身子更重要。"虽然雅娟这样通情达理善解人意，可房子这事，在林母心中，一直揪个疙瘩。雅娟明白，她只说一句话："您要是真把我当您闺女、当亲人，您就别再提这件事儿了！"

7

吴玉华知道林国栋和王茜的危机，则是因为钱建功。

厂家送给林国梁两盒营养液，林国梁要吴玉华给自己母亲送去。吴玉华留下了一瓶给自己妈，把其中一瓶给婆婆。但林母不在家，却好巧不巧，让她遇到钱建功。无所事事的钱建功，一双眼睛就是睡着了，也要盯着林家那套房子，吴玉华来了，他怎么能错过呢？

吴玉华不是善碴儿，钱建功更是有一条毒舌，两个人见面，就是针尖对上麦芒，听起来，比俩泼妇当街对骂还有过之而无不及。

钱建功："你们家最近可在咱这一片露大脸了！蝎子粑粑毒（独）一份，不，应该是头份。敢情这外国回来的就是想得开，真开放。吴大夫，你们家大嫂最近可玩得真洋……说实话，林国栋当年甩了雅娟，真不是东西……"

吴玉华："钱建功，你今儿早上没刷牙就出来了，你有病啊！你胡说什么啦你？"

钱建功："我还真他妈的想胡说呢！报应，我跟你说，我现在真替雅娟解气。吴会计，你想听这里面的故事吗？"

吴玉华："我没时间听你胡说八道……"

钱建功："嘿！我今儿还真是放了个响屁，免费送一条八卦新闻，首先这新闻标题是一副对联，上联是：当王八不丢人福如东海；下联是：戴绿帽挺好花寿比南山。横批是：忍者神龟！你知道这是谁吗？"

吴玉华不愿意听他骂街，一侧身要走："这是从你们家门上抄的吧？"

钱建功却追了上来，无耻地笑着："你说错了吴会计，今儿啊，我心情特好，不跟你一般见识。这对联是我送给我兄弟林国栋的。这好事儿啊，不出门，糟心的事儿我一定帮你家传千里，报应啊！当年把自己老婆甩了，现在老婆跟别人明铺暗盖！你们家这小大嫂子跟他们那儿的小白脸那叫亲，看来啊，你们老林家的媳妇好的都跑了，这穿鞋不系带的都留下了……"

无论和林国栋的感情如何，吴玉华也不能让钱建功这样寒碜大伯子："钱建功你别狗嘴吐不出象牙，我们家怎么回事儿，轮不着你满嘴喷粪，你这狗尿苔哪凉快滚哪儿去，什么东西都！"吴玉华气愤地快步离开，钱建功还在那里猥琐地笑："转告你家大伯子想开点，要想生活过得去就得头上顶点儿绿，呵呵……"

人虽然离开了，话还在耳边回响。坐到公交车上的吴玉华，越想越不对劲儿。她打给丈夫，问了王茜工作的酒店名称，直接奔那家酒店而去。

8

此时，王茜还要继续应对胡毕昆。为了生活，人们随波逐流。只有当前面再没有去路时，才能下定决心，自己去走出一条路。

胡毕昆这次是拿来一单欧洲来华的会议团，是规模很大的北欧团，抢手货，王茜当然求之不得，立即同意跟他见面，而且同意他来公司接她。这就被刚刚来到酒店的吴玉华瞧个正着。在吴玉华的眼中，大嫂王茜上了停在酒店门口的一辆豪华轿车，开车的是一个有钱人打扮的小白脸。

吴玉华的心，第一次生出了好奇这根弦。她不惜血本，拉开一辆出租车的门就上去，跟上了王茜坐的那辆豪华轿车。

9

对于王茜，胡毕昆虽然没有安好心，但要想得之、必先予之的道理，他也还是懂的。为博美人一笑，给这一单予王茜，也是不容易，他知道了消息以后通过总部，经过CEO的关系才把这单拿到手里，还把欧洲的同事给得罪了。虽然这番话不无夸张，但至少实实在在地把合同给王茜签了，而且没有要回扣。所以，当

胡毕昆提出要她陪自己吃饭时，王茜实在不能拒绝了。

跟在后面的吴玉华，却被当成抓小三的怨妇，司机师傅十分热心地给她支招："一会儿他们要开房，我教您一招儿，保证您受法律保护还把那小三儿给治喽！您不是有手机吗？等会儿话说得差不多了，您闯进房间拿手机把他们给录下来，趁那小三儿还蒙着的时候，您上前一通猛抽，然后打电话报警，跟警察做个笔录，这笔录里就有那小二和你老公。您要面对现实，挺住了听啊！我可是给您支了一巨牛的招儿，警察的笔录将来就是打官司当证据，要不您光自己拍的证据不成，这招儿可是小三儿的死穴。我他妈的最恨外面招人这事儿了，怎么样大姐？"

吴玉华听得哭笑不得，只能说："开你的车吧！"

10

别怪那个司机师傅误会，吴玉华这次干的事，还真像抓小三儿。

她跟着王茜和胡毕昆来到一间非常豪华的餐厅。虽然不是情侣主题餐厅，但情调幽雅，卡座隐蔽，真真是情人幽会的好去处。吴玉华找了一个离王茜不远、她能看到王茜而王茜看不到她的座位坐了下来。服务员拿菜单过来，吴玉华当然不敢点，就借口等人，研究菜单。

刚签下一个大单子，王茜是高兴的；但胡毕昆的企图，是个女人都能感觉出来，应付他，她又非常头痛。她打起十二分精神，拿出面对自己大客户的殷勤，来应对胡毕昆，却仍免不了被揩油。胡毕昆朝王茜身边挪了下，手轻轻地搂了王茜的腰一下。虽然王茜装作漫不经心地一闪躲开了，但吴玉华仍然很专业地用手机抢拍下二人这个亲密的姿势。

11

带着三分醉意，胡毕昆看着王茜的眼神变得非常放肆。奈何王茜就是不上道，一本正经。吃完饭，借口工作，就要回酒店。胡毕昆祭出他的必胜法宝，微笑着让王茜选择，是要那堆报表，还是要这单大合同。王茜没别的选择，只能跟着胡毕昆上了出租车。

他们出来的时候，已经下起了雨。吴玉华忍受着服务员的白眼，看了半个多小时的菜单之后，不得不出来，躲到酒店旁边的小卖部等着。这一等就是两三个小时，她眼看着下雨了，眼看着王茜和胡毕昆上了出租车，眼看着这雨没有停的意思。饥肠辘辘不说，还被雨阻隔在这个地方回不了家，吴玉华有些着急了。虽

然已经让丈夫早些回去照顾女儿，但她毕竟放心不下，丈夫对女儿根本不管，只要她不在家，那女儿就是一个为所欲为。急于回家的她，舍不得花二十块钱买新的劣质伞，心肠比较软的小卖部老板看她在这守了半天，给她一把露出好几根龙骨的破伞，她打着回了家。

12

按下因为打不到车，撑着破伞，全身被淋湿坐公交车回家的吴玉华不表，来看一下护送美人回家的胡毕昆是否得逞。

胡毕昆看王茜还要拒绝自己，到了酒店就要回去工作，有些气急败坏，说出的话，就不那么好听了。首先，他还是利诱："我把这单给你们公司，你拿到佣金后，离开你们公司到我这儿，我让你当副总。你可要好好想想，我们可是世界500强啊！"王茜当然不能羊入虎口，断然拒绝。胡毕昆接着动之以情："这么聪明的一个上海女人，怎么这么爱捣糨糊啊？我曾经是你的追求者，但你选了那个大孝子林国栋，这么些年你过得怎么样，你自己清楚。你从美国回来是不是跟林国栋和他家有关？宁嫁败家，不嫁孝子，林国栋要事业没事业，要情商没情商，经济上就更别提了。你这么年轻，跟林国栋为什么？他那张绿卡，你不也有吗？我太为你惋惜了，林国栋不能给你想要的一切，他根本就不懂得女人的心。我一直喜欢你，不，我一直爱你。为了你，我可以付出一切。答应我，明天我亲自来你们公司签合同。"

这样的甜言蜜语，任何一个女人听了都会动心，王茜也是女人，她也会动心。可是，她还是拒绝了。要说她没有犹豫，那是假的。但要让她现在就背叛林国栋，投入别人的怀抱，无论从情感上还是理智上，她都不能接受。其中的原因，一方面，她确实对林国栋还有感情；另一方面，她对胡毕昆太了解了，会说的不如会听的，他的甜言蜜语她又不是没有领教过，他的生活状态以及他的爱情，她又不是不了解，她除非脑子进水了，才会被他的表象所迷惑。女人这一辈子，当然想要锦衣玉食，但这是第二位的。第一位的，女人打心底里想要的，还是一个真心对自己好的男人，一个把自己放到心坎里、捧到手心里疼爱的男人。林国栋虽然有这样那样的毛病，但是王茜清楚，他爱自己，他对自己忠诚，全心全意对自己。反观胡毕昆，他虽然有钱、有貌，还会讨女人欢心，但他有爱吗？虽然，说起这个字来，他眼睛都不眨，但王茜清楚地知道，爱情，对他来说，那是一件非常奢侈他永远也不懂的东西。

基于这些原因，王茜一如既往地拒绝了他的相邀："胡总，我一直很尊敬您，把您当成兄长和工作中的导师。我有什么做得不好的还请您指教和帮助。但是，今天，我必须做完那些报表……”看着王茜礼貌地朝自己笑了一笑，转身就走，胡毕昆脸上闪出一丝恼怒。

13

同样的一场雨中，既有吴玉华这样恼怒的行者，也有王茜和胡毕昆这样矛盾斗争的搭档，更有温馨感人的父子情。

照例，林国强又来接罗虎下课。这次，罗虎画的是静物——石膏的圆锥体和正方体。林国强不会看，但还是像模像样地夸：“嗯，不错，这方的，尖的，画得都不错。”

就在他们快到家时，天上突然下起了雨。雨很大，密密的雨帘笼罩着整个城市，昏黄的路灯在雨中犹如情人的眼眸。不过，罗虎没有心情也没有学会欣赏眼前的美景，他只担心下车后，自己画板上的画被雨淋湿。林国强专心开车，一副胸有成竹的样子告诉儿子，他有办法。

车停了，雨还是很大，林国强脱下衣服，抱着罗虎就下了车。于是，大雨中出现了这样一幅画面：

国强光着膀子抱着虎子，虎子头顶着画板，国强的衬衣罩在画板上面，衬衣蒙住了虎子的身体，画板下虎子紧紧地攥着那张画纸。林国强就这样抱着罗虎，往家里走去——他的双脚踩在雨水里，雨水落在他的头上、脸上、胸膛上，他浑身都被淋透了，可虎子在衬衣和画板下的身上没有一滴水，手里的画也是干干的。

这就是林国强的办法，很傻，但很管用，他自己全身上下都湿透了，可小虎的画真的一点没有湿。

林国强这个很傻的办法，终于感动了罗虎。他第一次真心叫了林国强爸爸。他还有些不好意思，并没有直接叫，而是冲着他妈喊：“妈，你咋啦？还不给爸找套干衣服啊？”金巧一怔，国强却知道，这个孩子终于接受自己了。他特高兴，大笑着喊：“儿子，快给爸把二锅头拿过来我先喝口！”虎子痛快地答应着，从桌上拿二锅头，来到国强跟前，递给他。林国强看着这个可爱的倔小子，让他再叫自己一声。罗虎害羞，但还是叫了。国强美得快不知道自己姓什么了，他接过酒瓶，打开盖猛喝了一口，竟然作起诗来：“这叫人间自有真情在，喊了爸爸真不赖！”刚说完，却不受控制地打了一个大喷嚏，鼻涕也流出来了，金巧和虎子都笑了。开心笑着的陈金巧，赶紧拿纸给他温柔地揩去脸上的鼻涕。

14

大雨中，吴玉华乘坐公交车回家，她翻看着自己拍下的照片，心中有些兴奋，也有些说不出的复杂，虽然她不承认，那种感觉叫做幸灾乐祸。她给林母打了一个电话，特意问了一下王茜是否出差回来。在听到否定的回答之后，她脸上浮现出一个充满讽刺的笑容，撒谎骗丈夫出差，却和别的男人鬼混，这要是叫婆婆和老大知道了，她还能继承林家的房子吗？

林国梁对她这种幸灾乐祸非常不满意，那钱建功想那间房想疯了，整个一更年期加狂犬病，他的话能信？吴玉华撇了撇嘴，让他不要着急："林家谁都不说干吗偏说老大媳妇啊？我们都不怎么清楚老大媳妇工作的单位，钱建功不可能胡咧咧，造谣恶心人没有说这么清楚的。"吴玉华把手机放到国梁面前，调出那些照片，照片上是胡毕昆挨着王茜坐着，胡毕昆的手还摸着王茜的腰。

吴玉华："这是在谈工作吗？哪有单位请客并排坐着还搂着人家腰的？那餐厅特有情调，里面吃饭的都是一对对的。"林国梁仔细看了看，这照片只截取了那一瞬间，确实怎么看怎么不对劲。

吴玉华有些得意："不对劲的还在后面呢！我这打扮提着那盒营养液不能在人家那高级餐厅待着，就躲到对面小卖部等。这一等，就是好几个小时，天也黑了，雨也下起来了。一男一女在那高级包厢里头并排吃饭，喝红酒，好不容易出来了。这男的没开自己的车，俩人打出租车走了。我打不着车，跟不上他们。这俩人能干吗去？"吴玉华顿了一下，故意卖了一个关子："我就故意给你妈打了个电话，说我们同事要去美国，想找王茜咨询一下，你妈说王茜出差根本就没有回来。"

林国梁也意识到问题的严重性，王茜一直以出差的名义不在家，大哥肯定不知道，他觉得这事应该跟大哥说一下。这事当然不能说，要是问他怎么知道的，那不把吴玉华露出来了吗？而且，这种事儿让自己的弟弟说出来，他那脸往哪儿放啊？林国梁于心不忍："可老大蒙在鼓里，也不成啊！不管怎么说，不能让老大吃这亏。"还是吴玉华想得周到："这事儿可不能说，没有捉奸在床，老大媳妇到时候再来个死不认账，那老大以后还不得恨死咱们啊！"

国梁又想起了一个问题："老大媳妇出差这事根本就是没影的事，那这些日子老大媳妇住外边了？唉！这女的胆可真大啊！"他感慨，这老大就不应该找这么个媳妇。吴玉华冷笑："雅娟好，可你们老大不喜欢，自己选的怪谁啊？"这可是大实话，林国梁没有话反驳她。再说句大实话，这事能够全怪林国栋吗？

15

吴玉华莫名其妙地打来电话问王茜，本来心里就犯嘀咕的林母更加怀疑了，问老大问不出来，就打电话给老二，问到了王茜的工作地址。林国梁装作不知情，关心地问一下大哥。林母就告诉他老大美国的房子要被拍卖的事情。

这个新情况，林国梁当然要第一时间汇报老婆。吴玉华这才“恍然大悟”：“怪不得！老大他们美国的房子要卖了，老大媳妇赶紧找个有钱的小白脸当下家，老大这次可要人财两空了。”她倒不担心这个，她担心林母会不会要把她那房子卖了给老大添窟窿，这老太太可什么事都干得出来。她立即叮嘱林国梁这几天勤往他妈那儿跑着点，别人家把钱都揣兜里还犯傻呢！

16

吴玉华这种担心真不是多余的，林母对老大，本来就多爱一点，愧疚多一点。现在发现他们遇到了这种危机，当然要竭尽全力去帮助他们。这不，她当下就找到王茜，问她和国栋闹矛盾，是不是因为那封律师函。

王茜犹豫了一下，她不想再隐瞒婆婆，但她要说出来，她有些担心林国栋责怪自己。可林母都来了，肯定要听实话，她只能开诚布公：“妈，既然您知道了，我就跟您说说吧！国栋回国前已经失业半年了，您住院后国栋回来，国栋希望照顾您暂不回美国，我同意了。我正好有个机会来国内上班，也就在国内生活了。现在经济不景气，美国的房子跌得很厉害。我们的房子要卖，就要比买的时候便宜一半。美国生活消费很高，我们俩买了房子后也就没什么存款了。国栋失业后，家里主要是我来工作。妈，我没有埋怨国栋的意思，美国现在失业率很高，很多人都失业了，这是普遍现象。国栋这人心眼好，有责任心，知道孝敬老人，是个靠得住的男人。我对国栋的孝心很感动，我也支持他。”

这是王茜第一次跟婆婆谈心，听到她的心里话，林母也很受感动：“茜茜，是我们家对不起你，让你受委屈了！自从你和国栋结婚开始，我们都没有帮上你们。我这一住院，国栋又花了不少钱。”

王茜的态度很端正，一家人，这样做也是应该的，她就是不满意国栋有什么事儿都不跟自己商量，想做什么就做什么。她很诚恳地对林母说：“我和国栋是两口子，两口子是不是应该同甘共苦？可国栋很少考虑我的感受。就拿这封律师函来说，我问国栋怎么办？他就逃避，既不解决又不面对。可到时候如果没有钱，他们真的会把房子收走拍卖的。”王茜又说自己父母也没有钱，但还是想帮助自己，可是她怎么能再拖累父母呢？她的眼圈红了："我爸妈工作了一辈子，到晚年，我不但没让他们过上好日子，还让他们卖了市中心的房搬到郊区去，我这女儿心里太难受了……

林母的眼圈也跟着红了，一个劲儿地道歉："哪个妈都希望儿女过得好，你的大恩，我们林家会记得。茜茜，我保证国栋绝不会有下次。什么事儿，都看在我这半条命的老婆子面子上，行吗？你放心，房子的事儿，和你们俩生活上的事，我必须让国栋自己面对，让他好好地跟你过你们自己的日子。我代表我们林家给你道歉，茜茜，你回家吧！"

王茜看着林母，停了一会儿，慢慢点了下头。

第十六章　好婆婆坏婆婆

说到底，好婆婆坏婆婆，哪有一个统一的标准？你认为的好婆婆，在另外一个人眼中，可能是一个必须被送到养老院晾起来的恶老太婆；而她心里恨不得用刀剐了的恶人，在我心中，可能是千年才修来的好母亲。

1

林母决定卖房子，却也不是那么容易。刘雅娟不说什么，可她控制不了钱建功。

整日看着这套房子的钱建功，只要看到中介模样的人，就上去问人家是不是看林家的老房子，因此，当林母找来中介时，钱建功第一时间就知道了，并坚决不让卖。

钱建功面红耳赤的，明显是一副酒后的样子，他拿着一根棍子挡在门口，朝着门口的人堆吼道："我棍子可不长眼，谁进来棍子抡谁，别怪我丑话没摆前头！"

林母被钱建功堵在门里，用手往外推着钱建功，她年老体弱，也推不开钱建功。面对那几个中介的抱怨，林母只好隔着钱建功朝门外的人解释道："这房子跟他没关系，等他走了，给你们看。"

钱建功朝着后面的林母瞪眼："谁说没关系？这房子也有我老婆的一份儿。你们林家还真不把刘雅娟当人看呢！说卖就卖。雅娟不敢吱声，我来替她出头。"

几家来看房的房客也抱怨中介和林母，说白白耽误了他们的时间，说老太太要卖、女婿不让，应该商量好了再卖，这不折腾人吗？

人们总愿意从好的地方理解别人，听他们把钱建功理解为自己的姑爷，林母没好气地说："我这辈子可没这样的福气，能多生个女儿招这样的极品女婿！"

钱建功真的是修炼出来了，无论中介、房客和林母说些什么，他都不在意："她家天塌了地陷了跟我没关系，但是这房子要是动了，跟我家就有莫大的干系！"他挥舞着棍子连威胁带吓唬这些人。林母觉得不好意思，往外推钱建功："我不会让你们白来一趟。钱建功，你再不走我就报警了，喝酒犯浑回家犯去，别跟我这儿撒疯。"

这里闹出这么大的动静，引来许多人围观，楼道里都堵满了人。刘金凤和林超也闻讯赶了过来。

但无论林母说什么、怎样说，钱建功借着酒劲，横着棍子就是死活不走。林母一抬眼，看见了刘金凤和林超，像见了救星，忙喊刘金凤，让她把自己儿子弄走。刘金凤本着看热闹的心情，没有意思要劝走儿子，看见林母当着众人的面这么叫唤，有点下不来台，只好假惺惺地走上前去拉扯钱建功，实际上是煽风点火："别在这儿碍人家的眼！这房子尽管看，真的要卖了还得雅娟签字同意呢，你这会儿急什么眼呢？"钱建功看到母亲，更长势了，大声嚷嚷着这房子要卖必须他老婆同意，驱赶众人更理直气壮了。

中介和房客们见这阵势，便打消了主意，准备退去。林母看着人要走，急了，要人们不要走。谁也不想花了钱还引火上身，走得毫不留恋。没有热闹可看了，看热闹的人也渐渐散去。

钱建功得逞，得意扬扬地把棍子杵在地上，和母亲交换了一下眼色，刘金凤朝他暗挑了一下大拇指，以示奖励。林母这才能够出来，追出门去，却只看到中介和客户已经下了楼道。

林母气急攻心，回过头来责骂钱建功："就这点能耐都使在这儿了，有本事你就天天蹲在我家门口守着，别回去了。"钱建功有恃无恐，理直气壮："老太太您也别酸我，这房子当初是用雅娟的一间房子换来的，你们老大去美国泡了妞，把雅娟甩了。你们林家要是敢当着雅娟的面，说对得起天地良心，我把头割下来给你们当凳子坐。"林母想反驳她，却张不开口，一阵眩晕袭来，她抱住头，一手扶住了墙，才没有摔倒。看到这一幕的林超，赶紧上前扶着奶奶，就要给二叔他们打电话。

刘金凤一看林母犯病，赶紧扯了扯钱建功，示意快撤。她让林超在这儿陪会儿奶奶，有事叫人，自己扯着儿子要走。钱建功则和她表演起双簧，故意装作手软脚软醉酒要跌倒的样子，被刘金凤扶着，两个人走出了楼道。

林超看着奶奶苍白的脸色，非常担心，就要打电话。林母按摩着太阳穴，强撑着，不让他打电话，让小超扶自己回屋。林超把奶奶扶进屋，让她坐在床边，自己给她倒了一杯水："奶奶，别卖房子了，留点东西给您自个儿吧！您跟我妈一样，到头来吃了亏都不会落好。"林超嘴里蹦出这种早熟的话来，让林母吃惊不已。

2

打了一个大胜仗，钱建功母子今天高兴得没边了。钱建功老觉得自己亏，被人欺负，林家以为他钱家是个"软柿子"，不发点威，他们还真以为他是"病猫"。

说起来，能够这样得意，钱建功也不容易。为了这一天，这房子钱建功见天盯着，就防着林家卖房子。若要人不知，除非己莫为，钱建功这样折腾，就是以他小人之心度林母的慈母之腹，以为她出租房子不成，想偷偷地把房子卖了，然后把一大笔钱揣自己兜里。他当然不允许这种事情发生，不说清楚，达不到他满意，他就总在这里搅和，他们休想卖得出去。反正他耗得起，他可以天天在这楼下喝凉茶、下棋子且玩儿着呢！要是林母装病讹钱，钱建功更不怕，他让她管雅娟要。他是雅娟的老公，讹他钱不就是讹雅娟钱嘛，他就要看这老太太下不下得了这口。

这无赖母子的如意算盘拨拉得虽然很精准，奈何关键的那一环不在他们手中。刘雅娟怎么可能支持他这样瞎胡闹呢，这不是要把老太太往死里逼吗！

听她这么说，正在吃饭的钱建功把手中的碗往地下一摔，瓷碗在地上四面开花，钱建功用手指着刘雅娟就开骂。他做这一切，还不都是为了她和她的那个儿子？刘雅娟蹲在地上默默地收拾破碗片，并不领他的情，他就不应该去闹！这不是没事找事吗？他们活得好好的，都不想跟他们家有什么联系，他偏偏一而再再而三地去惹是生非！

钱建功刚消缓一些的脸色又黑了起来，说到底，这个媳妇还是向着林家。钱建功不是善人，自然不会说出好话，也不会有好心。他专拣能捅刘雅娟心窝子的话说，他逼问她："难怪被林国栋被他们林家，涮了你一道又一道，敢情你是专为他们林家当雷锋呢！"

钱建功知道，刘雅娟就像茅坑里的石头，又臭又硬，她是被吓不住的。在钱母的眼色下，他开始"好好"跟刘雅娟说话："我要你去分这个房子，是为了我自己吗？这个钱分回来，到底不还是落在你儿子身上。我教你生孩子，你也放不出个屁来，我就拿小超当我自己亲生儿子待见。过个一两年考大学了，这吃穿用学费，哪样不得落在我和你身上？羊毛出在羊身上，这林家的钱拿到你的手里，到头来不还是得用在他们林家的孩子身上吗？"

这话，听起来好像是为他们娘俩考虑，实则完全不是这么一回事儿，钱到了钱建功手中，那才是给它们找了道，都换成黄汤，再化成肥料出来了。林母的难处她帮不上，心中还很惦记，更不会拿儿子去要这生活费。既然钱建功承认这是她的事，她就跟他说清楚，房子的事，她不掺和，也不让他掺和。她也不怕离婚，嫁给谁她都不会去要。

看刘雅娟死硬，钱建功气又上来了，两个人又顶了起来。这时林超从房里走了出来，说出自己的意见，那房子没卖，就让林家安安稳稳地住着，他们也不去生事儿：要是真的卖了，那钱林家该给，是他们欠的！

林超说这话的时候铿锵有力，钱建功乐了，觉得林超站在自己这边，林超表情冷淡地推开了钱建功的搂抱，对母亲说："我也不想要这钱，只是不想看见你处处吃亏，什么好处都让别人捞走了。"扔下这句话，他回了房间。刘雅娟看着儿子的背影，不知所措。钱建功则喜笑颜开，得意扬扬。

3

林家其他人知道林母要卖房，是在被林母叫过来开会时。

吴玉华和林国梁很着急，差点跳了起来。夫妇俩都不用串词，就一搭一档立场鲜明地反对起来。他们问是谁撺掇林母的，好端端的卖什么房，咱们家现在又没到砸锅卖铁的时候，都不跟他们商量一下。

已经知道吴玉华为了这套房子把自己送到养老院的林母，对老二和他媳妇儿很防备。这次开会，她的主要注意力放在他们俩身上，陈金巧和林国强，她自信能搞定。因此，不管老二他俩说什么，她都不吐口，也不解释，就是一句话："我自己的房子，我愿意卖就卖！"

林国梁和吴玉华不敢硬来，只能告辞出门。两人一走，林母便要陈金巧明儿一早买点新鲜的猪头肉，拿来炖的那种，给她孙子炖。傻里傻气的陈金巧一听这话，面有喜色，连声说好，她家小虎子就爱吃这猪头肉！林母口中的孙子却不是罗虎，她说："你家小虎爱吃就多买点儿，我多炖点儿。除了小超的那份儿，剩下的就给你家小虎子吃。"

陈金巧这才明白过来，情绪便低落下来，林母也不安慰她，实话实说："反正炖好了剩下的大家一起吃，什么小超虎子，锅里有就大家一起吃，哪有那么多讲究？"

4

话虽这么说，理也是这个理，但陈金巧就是不高兴。这句话一直在她心中翻腾，越琢磨越不是味儿。她心中别扭，只能跟林国强发泄。虎子姓罗，跟林家没有关系，但国强是老林家的，现在他们又搬回了这林家老房子，如果这房子卖了，他们住到哪里去呢？

开了一天车，林国强很累，对她老惦记着母亲的房子，有些不耐烦。他虽然头脑简单一些，但也知道，为了这套房子，他的二哥二嫂，绞尽脑汁使尽浑身解数在折腾。他早就看不顺眼了，房子卖掉就卖掉，一干二净的，省得大家念想！他不贪不占，卖自己的力气吃饭，光明磊落，绝对不做那种见天惦着妈的那点棺材本的人！

陈金巧本来就委屈，听林国强板着脸大声朝她喊，更难受了，眼泪就下来了："我陈金巧嫁给你也不是说看上你家在城里有房子，是看上你这个人。我嫁给你，落着啥好名声没？是有大鱼大肉还是荣华富贵？你妈到现在都还在挤对我，不把我当成你们家的人，左一口孙子，右一口孙子，让我去买猪头肉炖给孙子吃。我还以为这些天尽心尽力伺候你妈，金石为开，终于认小虎做孙子了，还没来得及高兴呢，人家说了，是炖给她亲孙子吃的，锅里剩下的，小虎也可以吃。你们家那亲孙子都管人家叫奶奶，早到别家去了。她也不想想现在跟谁过，是谁鞍前马后伺候她？"

林国强一看媳妇哭了，便软了下来，赶紧哄，他就这么一说，他妈到这份上了，也没多少活头了，还跟她计较这个干吗？小虎她认不认都是他儿子！

认不认孙子，认不认媳妇儿，归根到底还是为了房子。陈金巧觉得林母对国强太差了，临到头了一点东西不给他留下。靠他俩的收入，就是拼死拼活干上几十年也没法落下一套房子下来。林家老大老二都有着落，就他们没着落，老太太还不帮护着点儿，这老妈也太偏心了。林国强转身搂着她，他很乐观，搬出去也一样过，除了房租，靠自己挣的，他也能养活他们娘俩。

女人图的也不多，有一个男人搂着自己，说"我养活你，不用担心"，也就够了。陈金巧这个实诚女人，更是欢喜得要给林家当牛做马。林国强当然不需要她做牛做马，只要做他的女人。他被陈金巧撩拨得心痒痒，刚才的疲惫和困意一扫而光，翻身压在她身上，搂着美娇娘，宁愿风流死。可是，老天爷就是喜欢跟人开玩笑，媳妇儿愿意了，劲头上来了，林国强的小弟弟不行了。它怎么就不行了呢？累的？阳痿？还是在外面打了野食回来动不了了？说实话，林老三自己也整不明白，但陈金巧说的第三条，那是绝对不可能的，因为他要打野食，也只找陈金巧，他心里眼里只有陈金巧。

这样的甜言蜜语，哪个女人不爱听？陈金巧没有把这次不成功看得多严重，准备给他买些补肾的药来熬，补补更健康，林国强要求不低，他还想要自己的娃儿，不然，他不会放过她。陈金巧笑，这又不是她一个人能干的事；林国强也笑，那他也努力，两人又滚进了被窝里。

5

当林家和钱家为一套房子打得不可开交时，没有人注意到，林家的长房长孙林超这段时间不太正常。即使把他当成心尖子的林母，也只是知道自己的宝贝孙子喜欢吃猪头肉而已，包括他母亲刘雅娟在内的长辈，没有人关心过他在想什么，为什么不高兴。

林超十六岁了，上高一的他，心中常有一些莫名的躁动。在紧张的学习之余，他感到烦闷、气愤，看周围的人都不太顺眼。尤其是林家那一竿子人，尤其是他从来不承认的生父林国栋。青春年少的他，还不懂得恨之切、爱之深的道理，他只知道，自己不得不跟老钱这样的人生活，自己不得不忍受母亲被人欺负的这一切，完全是因为林国栋。一般把孩子的这种时期，称为青春期，而林超正处在叛逆、躁动和茫然的青春期。更为准确地说，他还真不是简单地为赋新词强说愁，他没有那么闲，他的情绪，被一个叫赵珊的女孩牵引已经很久了。

赵珊是新疆人，来北京借读。活泼、能歌善舞的赵珊，自然而然地成为男孩子喜欢或者暗恋的对象。而林超单亲而早熟的性格，和赵珊独自在异乡求学的经历契合，两个人由刚开始的相互理解、相互支持、相互安慰，上升为一种惺惺相惜的知己。内心细腻的林超常常给赵珊默默做一些事，比如上网给她偷菜、偷熊猫，或者给她买一顶帽子什么的。做这些事，林超并不想得到赵珊的感谢，更不觉得累，反而默默享受这种为喜欢的人付出的甜蜜。这种青涩、神秘却无比诱惑的情愫，犹如一股暗流，激荡着林超十六年的人生。如果，当然，这只是作者出于一种成年人的假设，如果不是赵珊要回新疆，那么林超同学可能和同窗赵珊携手走完高中三年，相互支持、鼓励着考上大学，开始他们不是“早恋”的爱情。可是，老天从来不会按照人类的如果行事，它偏要给林超和赵珊来一场十八相送，当然是现代火车版的。

6

十八相送之前，两个人还是比一般同学好些的同学关系。比较好的同学关系，就是两个人经常网上聊天，一起玩游戏，互相帮助。林超参加短跑比赛，赵珊给他买他爱喝的汽水，给他加油；赵珊父母因为生意做不下去，还欠了很多债，要回老家上学，林超经常安慰她。其实林超说的是真话，他羡慕赵珊和父母一家在一起，团团圆圆，她的父母不会丢下女儿不管，愿意把她带在身边，关心、照顾，即使不富裕，一家人在一起，共渡难关，也很幸福。

经过他的安慰，赵珊好受多了。听到林超说要去新疆看她，愣了一下，林超觉得自己说错了话，赶忙接着说："不是我一个人，我还会叫上班里的几个同学，大家一起去新疆看看，顺便看看你。"赵珊这才明白，莞尔一笑，转身离开林超，专心去给他当拉拉队。

林超站在起跑线上，等待着比赛开始。时间还未到，他向上跳了几跳，做一些准备运动。不经意间却是他一直都控制不住地，看向赵珊的方向，他脸色突变，想都没想，拨开人群冲了过去。

赵珊正被几个男生围困在操场一个角落中，脸上满是惊恐。几个男生流里流气，嘴里不干不净，还要动手动脚，一看就是在欺负赵珊！赵珊喊叫着，要冲出他们的包围，几个男生起着哄，不让她走。

林超以百米赛跑的速度冲了过来，挤进了他们中间，把赵珊挡在身后，跟那个为首的男生针锋相对，毫不妥协。

远处的短跑比赛已经开始了，观众席中发出一阵一阵的欢呼声。那个追求赵珊的男生刚想说什么，林超的班主任跑了过来。林超临阵不参加比赛，班主任不放心，追过来看看发生了什么事。那几个高年级男生见老师过来，使劲瞪了林超一眼，放下一句"小子，你有种"就走了。

林超和赵珊并没有把这件事告诉老师，他们这个年纪的孩子，相信自己能够解决自己的事儿。他们解决的办法，却是那样简单，让成人们不能理解和接受。

那几个高年级男生果然不会善罢甘休，放学时，他们截住了林超和赵珊，要一个说法。其实这几个男生不放过赵珊，也是因为那个领头的男生追求赵珊被拒，这个男生死缠烂打，赵珊不胜其烦，不仅把他的情书交给他的班主任，还不理他的相约，让他白等了一夜。现在看到赵珊和这个小白脸非常亲密，妒忌让他发狂，死死拦住赵珊，非要她把话说清楚。

在自己心上人面前，林超当然不能示弱，他扔下自行车，上前就给那个握住赵珊车把的男生一拳。几个男生看这个小子竟然敢先动手，怪叫着冲上来，冲着林超拳打脚踢。林超跟他们扭打，但对方人多，他被打得多、打人少，明显处于弱势，但他还是一副死不认输的样子，跟他们对打。

罗虎同学所经历的那一幕，再次上演。被打趴在地上的林超，用脚撂倒了为首的那个男生，随手摸到了路边的一块砖头，飞身上前把他压在地上，伸手就要

拍下去。这个男生真害怕了，用两手护住了自己的头，眼中有了恐惧和乞求。林超看到了他的眼睛，愣了一下，拿着砖头的手停在了半空，没有拍下去。他狠狠地警告这个男生："以后不要欺负女孩子，不要强迫她们做不愿意做的事情。"男生忙着点头答应。林超站起来，丢掉砖头，很有绅士风度地伸手拉起了这个男生。这个男生有些诧异，犹豫了一下，还是伸出了手，握住林超的手，从地上站了起来。

围观的人露出赞同和佩服的眼光，赵珊也看着林超，眼里闪烁着别样的光芒。一场少年间的恶战就此结束，林超成功英雄救美。

7

按下林超这里和赵珊感情上升了一个层面不谈，再说吴玉华。

林母决定卖房子，吴玉华和林国梁要想方设法阻止，因为房子卖了，钱分了，他们能分到的，吴玉华早就算清楚了，最多也就是六分之一。这么点钱，他们当然不甘心。要想得到最大利益，首先第一步，就是要先稳住林母，让她先不卖房。

可林母当然不听她的，用脚指头想，林母要卖房，是要给老大还房贷的。吴玉华认为，这都是王茜捣的鬼，当下第一个就去找王茜。

王茜看着吴玉华拉着个脸，知道来者不善，当即也不瘟不火地开战："这么早候着，怕是无事不登三宝殿吧。"既然王茜打开天窗说亮话，吴玉华也不藏着掖着，直接告诉她老太太张罗着要卖房子的事，肯定是因为有人使用了苦肉计。吴玉华的话里充满讽刺："有人看着老太太半截埋进土里，不挖点好处不甘心啊！让老太太拼了命地连这点棺材本都翻出来了，这种不厚道的事情，怕是家里人都要折寿的吧。"

王茜虽然不似吴玉华这样惯常撒泼使浑，若打起嘴仗来，那也是舌枪唇剑毫不逊色。她冷笑着："别以为人前妈长妈短地叫着，背后就不做阴损的事情。之前老太太半截还没埋进土里的时候，有的人就忙着盯着房子挖好处了。做这样事情的人，难怪家里的孩子受罪。"

吴玉华被说到了痛处，脸一阵红一阵白，急了："大嫂，就明说吧，你要是想打老太太那点棺材本的主意，门儿都没有，我们不同意。林家的财产为什么要拿给你们填窟窿？"

王茜完全占了上风，不紧不慢、居高临下地表明自己的立场："我们有窟窿是我们的事儿，我没有打过你们林家一分钱主意，也没有问老太太伸手要过半毛钱。你们林家的事儿我不管，要卖要租都是你们在折腾，我不想过问也不想听。”

吴玉华对她话里的不屑恨得牙根都疼，却拼命压住这恨意，痛快地说：“行，行，大嫂你高风亮节，我们小肚鸡肠好吧，希望你们高风亮节到底，别来做背后折寿的事情。”

王茜恨她心思龌龊，言语尖刻：“别一大早在这里折寿来折寿去的，不做亏心事，不怕鬼敲门，你还是顾着家里那个正在遭罪的吧！自己多积点德，别费那么多工夫在破事儿上。”

王茜说完，扬长而去。吴玉华气得浑身哆嗦，朝她的背影吐了口唾沫：“装什么洋蒜，呸！”

8

王茜的保证，并不能让吴玉华放心。吴玉华了解婆婆，刚强如林母，并不是轻易能改变主意的人，单凭王茜的“不要”，并不能阻拦林母的“给”。当务之急，还是釜底抽薪，让林母这房子卖不了。

这就需要钱建功这个浑人了。吴玉华去找钱建功共谋，没有一点犹豫。这并不奇怪，为了利益，能屈能伸，是吴玉华这等人必修的功夫。敌人的敌人就是朋友，吴玉华笃信这个原则。至于这个朋友的保质期有多久，那就不是吴玉华考虑的问题了。

话说吴玉华利用钱建功，也是有原则的，仅限于不让林母卖房子。只要房子不卖，钱建功一毛钱也拿不到，这是吴玉华给林国梁的保证，肥水不流外人田，钱建功就是那个外人，这是不容置疑的。

钱建功和吴玉华不对眼，一直都不对眼，非常不对眼。道理很简单，同性相斥。请注意，这里所说的“性”，不是指性别，而是专指本性、性格。钱建功在吴玉华那里占不到便宜，吴玉华也在钱建功面前占不了上风，两个人见面就掐个你死我活，互相看看都是黑眼丁，实属正常。

所以，当钱建功遭遇吴玉华，就像看见鬼一样，装作没看见。但吴玉华就是故意来让他看到的，他往左走，她就在左边挡着他；他往右走，她就在右边挡着他。

钱建功不高兴了，龇起了牙：“嘿，今儿真邪门了，好狗不挡道。”吴玉华也不怒，反倒笑了，这一笑倒让钱建功心里发毛，吴玉华冲他吼冲他哭，他都不奇怪，但是冲他笑，这可是大姑娘坐轿——头一遭。

他斜睨着吴玉华，知道她肯定是为了房子的事，当下不跟她废话，直截了当地说："什么都不用说了，没把房子给我家雅娟分清楚，你们甭想卖这房。"吴玉华要的就是这句话，她笑嘻嘻地把自己的"好意"告诉钱建功，老太太还没说房子怎么个分法，搞不好卖了钱，他们谁都是一分不得，全填到老大美国那个窟窿里去了。钱建功就喜欢看别人家掐架，一听这话，喜上眉梢："嘿，有意思。这样说来，你今天是求我来了？"

吴玉华当然不承认，这是对他也有好处的事，要是拦不住老太太卖房，他们分不到，雅娟就更甭说了。钱建功不信这个邪，不是来求他，那找他干什么来了？没有好处的事，他是不稀罕干的。钱建功不傻，如果跟老太太谈好了条件，他也不拦着林母卖房。

吴玉华一下子抓住他的七寸，关键还是在那个条件，一说"分"，大家才都有份儿。钱建功从鼻孔里"哼"出一声来："行，吴玉华，这回我看在雅娟的面上，就给你当回枪使。"

吴玉华笑了："别说得那么难听，你好我好大家好……"但是，这两个冤家是百分百看不得对方好的，他们心中打着共同的小算盘，恨不得对方马上消失，脸上却都皮笑肉不笑的。

9

自打上次林超在钱建功面前，帮了林母一次之后，林母就知道，自己这个大孙子，还是关心自己的，心中那个美就不用提了。当下就叫陈金巧买肉，自己给孙子炖了，要送到学校去。

陈金巧买肉时，顺便买了一些东西，偷偷藏在冰箱里。林母当然要拿出来看，看过之后，她忧心忡忡。陈金巧买的是鸡睾丸，鸡睾丸泡酒，是男人壮阳的秘方。这个好像地球人都知道，陈金巧还偷偷摸摸、神神秘秘的，林母活了几十岁了，她们翘个尾巴想干什么她能不知道吗？不过，她告诫陈金巧："别补得过猛了，男人补太猛了，伤身体。"陈金巧低头"哦"了一声，便从冰箱里拿出那袋鸡睾丸，放到水盆里洗，虽然这是男人她妈，但是，他们夫妻的房事，她也说不出口。

她说不出口，林母还不放心，没看到不知道也就罢了，现在知道了，就忍不住要关心。她只能开口问陈金巧："我家老三，那个，没什么问题吧？"陈金巧的"老脸"红了："还不知道，这段时间都不行。可能是家里的事儿多，他整天开车也累……"

林母听着，便又操上心了，要他们去医院看看，这事儿，说轻也轻，说重也重，老三还没孩子呢！陈金巧倒没那么担心，她觉得这段时间，闹事太多了，他累得慌。林母一下子没心情了，要陈金巧趁空再去买些韭菜、驴肉回来，她来给做。陈金巧真觉得没有必要这样兴师动众，补过头伤身体。

林母也知道自己有些急于求成了，她又本能地把责任推到陈金巧身上，认为老三不行，跟她们吵架有关。她抛下自己这张老脸，让陈金巧主动一点。老三四十才娶上媳妇，而她结过一次婚，这方面经验比他多点。这话，陈金巧听着不高兴，林母想要孩子也不能这样着急，就是国强行，也不能要孩子呀。现在经济不稳定，要钱没钱，要房子没房子。他们都说好了，等生活稳定下来，再要孩子。

林母听了这话，心里第一次对陈金巧感到舒服，也就第一次跟陈金巧好好说话，说说她自己心里的话，以一个老人对后辈的态度。她说，房子和钱，都是慢慢攒起来的。这城市里生活的人都得一步一步来，没有一步到位的，除非家里老子很有钱。她对自己这个儿子，虽然不是很满意，但她很清楚儿子的优点，国强人好、老实，认准了一个人，不会有二心。既然儿子认定了要跟这个女人过一辈子，她就希望陈金巧多关心照顾他："既然你们都说到了生孩子的份儿上，将来你生的就是我林家的孙子。我就是再有气现在也是半截身土埋着的人，烦不了你们多长时间了。你将来是和我儿子，和我的孙子过日子，无论我对你态度怎么样，你都是林家的人了……"

陈金巧听见林母这么说，不免踏实下来，有婆婆这句话，她这段时间的努力，值了。

林母点头："老三这件事就拜托你了，我这当妈的，这事儿朝他张不开嘴，能治好他的，就只有你了。无论如何，得把他这病给弄好了。他前半生都一个人过了这么多年，总不能后半生没有香火……"

陈金巧这才体会到林母对这个儿子的关心，可这关心，她怎么感觉离她那么远呢？她搞不明白，这个婆婆到底是好还是坏呢？

10

说到底，好婆婆坏婆婆，哪有一个统一的标准？你认为的好婆婆，在另外一个人眼中，可能是一个必须被送到养老院晾起来的恶老太婆；而她心里恨不得用刀剐了的恶人，在我心中，可能是千年才修来的好母亲。林母就是这样，她这个在三个厉害儿媳妇眼中的恶婆婆，刘雅娟却总把她当做母亲，想着念着。

林母做好了猪头肉，盛在保温瓶中，亲自给孙子送到学校。也许老天爷可怜

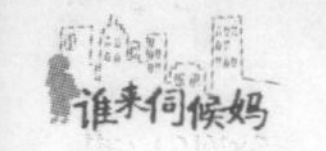

林母对雅娟的思念，也许老天觉得刘雅娟这样的儿媳妇难找，让她们母女俩在这里遇上了。

刘雅娟心疼老人，让她不要送了，打个电话，自己去取。能见到自己的孙子，跑再远，林母也不会累，要是叫雅娟去拿，她不就没借口见孙子了。她亲自炖了肉，亲自过来，这才能让小超觉得，她这个奶奶，没有抛弃他，还在想着他。

听了这话，雅娟一时两眼泛红："妈，家里三个媳妇都说您不是省油的婆婆，都说跟您难对付。可我嫁在你们林家，可从来没觉得您是个难相处的婆婆。到现在，我也还是说您是个好婆婆。"

林母心中一酸，眼圈也红了："我也说你是我见过的最好的媳妇，可惜国栋没那个福气，自己糟践自己。"家里那几个儿媳怎么说自己，怎么看自己，她倒不是很在意："我给人当婆婆，也不指望着人家说我好。她们不说我好，是因为她们从我这里没有得到她们想要的好处，一家子人就这么算计来算计去的。大媳妇王茜是个清高的上海女人，不屑于跟我们这些小市民沟通；二媳妇精明过头，处处算计；三媳妇糊糊涂涂，会算小账不会算大账，盯着脚指头走路，这几个媳妇我都清清楚楚。"她之所以下决心卖房子，也是为自己的儿女打算，房子卖了，在她活着的时候把这笔财产给分清楚了，大家都好；要不然，等她将来不在了再分，这几家肯定会为这房子打起来。

林母的这份心，刘雅娟怎么可能不知道，钱建功跟林母去闹，她一丁点都不同意，但是，她也没有办法。林母拍着雅娟的手，这些她都清楚，就算老钱那个浑人总是把雅娟搬出来，她也知道不是雅娟的意思。但是，她也要把话说到前头，这房子卖了，肯定有雅娟的一份儿钱。林家亏欠她太多了，不能再占她的便宜。

无论自己家还是钱家这些事，林母都看得清清楚楚，她知道，这钱要是不分好了，钱建功和刘金凤更不会给雅娟太平日子过。按照她的本心，如果她有能耐，她想把这套房子都给了雅娟，可是她没那个能耐，生的这几个儿子，一个比一个让人操心，处处伸出手去都需要钱。她觉得，这房子不卖是不成了。雅娟心眼好，她更不能亏待，但也只能把本来属于她的钱给她，就当买个太平日子吧，省得刘金凤和钱建功两人又像抓着什么把柄似的糟践她。说到这些，林母又回到老话题，都是国栋的错！要不是他对不起雅娟，她哪用得着吃这么多苦？

刘雅娟还要劝，林超吃饭回来，骑着自行车从她们身边走过。林超看到妈妈和奶奶了，但故意没停，直到母亲喊他，才不得不停下来，用脚点着地撑着车，静等着刘雅娟和林母走过来。

刘雅娟快步赶了上去，责怪儿子不懂事，见着招呼也不打一声。林超倒也不是故意这样做，是因为他不想让他们看到自己的脸——刚打完架的他，脸上有伤，让她们看到了，事儿就热闹了。所以，他扭过头去不让她们看自己，但三个人面对面站着，这么明显的伤势，不看到是不可能的。林母和刘雅娟都大惊，这伤，一看就是被别人打的。林超当然不会跟她们说事情的经过，林母抚着孙子的脸，心疼不已。刘雅娟摸出手机来，要给老师打电话，问到底是怎么回事。林超不耐烦地拦住了母亲，说自己只是一点皮外伤，不碍事，让她们不要大惊小怪。说完，接过母亲手里的保温瓶，搁在自行车的前面车筐里，骑上就走，他还有课。已经骑出一段距离的林超，没有忘记跟奶奶道谢，并让她早点回去！

看着远去的林超，刘雅娟和林母无可奈何。这个倔犟的孩子，受了欺负都不跟家里说，林母把原因又算到林国栋头上，嘴里又开始念叨。刘雅娟一边劝她，一边拦住一辆出租车，不顾林母的反对，给了司机一百块钱，让他把老太太送到家门口。

11

林母担心孙子，下了出租车还在念叨。她不知道，她的麻烦事，可不止这一件。她自以为全心全意为儿女好的决定，只是一相情愿。

关于房子，吴玉华怕夜长梦多，连夜召开家庭会议，把人都召集到林国强家，就等着老太太回来了。

人来得这样全乎，都不给林母一个喘气的机会。林母心中有气，她憋着气说道："好，好，我也要给大家交代个清楚。"她迈步向前，突然一阵眩晕袭来，晕了过去。

第十七章　又是离家出走

因为您，我知道自己应该要做一个什么样的人，一定不是像您这样不负责任、带给别人痛苦的人！我说了，就会努力朝着这个方向去做，未来是什么样子我确实没有办法预计，但是我会努力去实现我的承诺！

1

林家的家庭会议，直接开到了医院。林母被送到急诊室里急救，众人等在走廊上，林国栋焦急地走来走去。

已经是半夜了，王茜工作了一天，又在这里守了半夜，感到非常疲惫。因为这次是吴玉华召集的，忍不住抱怨，大晚上非要把人叫过来，这下可好，把妈给气晕了！她对林国栋没好气地说："以后你们家的事儿你们自己去决定吧，我没有任何意见要发表。这天天对着一堆事儿，我都快脑瘫了。"

林国栋心疼媳妇儿，她明天还要上班，都在这里守着，也不是一个事儿，就让她先回去休息。林国栋站起来，送她出去打车。吴玉华看着嫉妒，冷嘲热讽就来了："哎哟喂，还是我们这个美国嫂子金贵，妈还躺在里面呢，她倒挺不住了！"林国梁不耐烦，让她不要管太多，能把自己的事儿管好就不错了，原本就不该招她来。吴玉华被林国梁抢白了一顿，看着老三和老三媳妇都在，不好当场发作，当下便忍气吞声，上前捅捅林国梁的手肘，低声让他跟自己出去一下。林国梁以为媳妇要发飙，便提高了声音，问她要干什么。吴玉华有点气急，对他使了个眼色，还是压低了嗓子说有事儿。这次，林国梁领会了领导意思，跟林国强说了一声，走到走廊的拐角处。

2

吴玉华是要林国梁盯着老大，不要让他溜了。林母在急诊室里面躺着，看样子多半又得住院了。人家王茜多精，这个节骨眼上把大哥拽出去了。她要是把大哥给硬拉走了，待会儿要是妈住院，这住院押金还不得咱们掏啊。

林国梁还没有明白吴玉华算计什么，掏了不也得最后大家平分嘛！吴玉华狠狠掐了林国梁一把，说丈夫就是一个猪脑子："先掏出去的钱，就像是泼出去的水，覆水难收。到时候老大、老三随便找个什么借口，拖延一下不还我们，这钱不就不了了之了，你好意思天天开口管他们要啊？"林国梁这才恍然大悟，赶紧下楼去追大哥。

3

王茜和林国栋刚出急诊楼，并没有走多远。夜凉如水，王茜穿得单薄，不禁打了个冷战，抱住了双臂。林国栋的双手环了上来，搂住了她的肩膀，给了她一个温暖的怀抱，并柔声安慰她说，待会儿上车就不冷了。

王茜被这久违的温馨触动了，委屈地抬头看着林国栋，眼泪流了下来。看到妻子流泪，林国栋吓了一跳，搂着她到旁边阴暗的花圃处，忙问怎么了。王茜抱紧了他，抽抽搭搭地说："你都多久没抱过我了？从美国回来到现在，每天家里不是这事儿就是那事儿，医药费、贷款、拍卖，不是吵就是打，我心里都快结冰了。"

林国栋心中也很愧疚，这段时间发生的事情太多了，他确实没有好好地照顾妻子，还让她跟着受了不少委屈，他郑重地向妻子道歉。一句对不起，更让王茜情绪失控，她把头埋在林国栋怀里放肆地哭了起来："我都快顶不住了，我们已经跟身无分文差不多了。在美国的房子再交不出贷款，马上就要被银行拍卖了，你们家还都以为我们发了大财，拔根汗毛也要比他们腰粗。事事都指着你，你还要打肿脸充胖子。

林国栋给妻子擦眼泪，一个劲儿地道歉，并说自己尽快去找工作。王茜痛快地哭了一通，发泄了情绪，心中郁积的怨气少了一些，无限疲惫地跟林国栋说清楚自己的态度："现在你们家是你唱红脸，我变成了白脸，有点儿什么风吹草动，就以为是我调唆的。我就是你们家的炮灰，你们家的事儿，我本来就不想掺和，真的不想。"

林国栋并不知道今天早上王茜和吴玉华之间的冲突，听得莫名其妙，但还是答应妻子，不要她管，自己来管，一边安慰着她，一边扶着她离开了花圃。

两人离开后，林国梁从树丛阴暗处走了出来，看着两人消失的背影，神情若有所思。点着一支烟，没抽几口，就看到送王茜回来的林国栋。简单说了两句，林国梁把烟扔在地上，用脚踩灭了烟头，跟着林国栋进了急诊楼。

4

两个人刚拐进楼道，就听到急诊室里面呼天抢地、吵吵嚷嚷的声音。林国栋一惊，冲进了急诊室。

原来，清醒过来的林母听说还要住院就翻了脸，不顾众人的阻拦，非要下床出院。她对冲进来的儿子说："刚才医生都说了，检查结果暂时没什么事儿，就甭待在这儿了。回自己家里多舒坦，咱们快点回家。"医生则建议住院观察，林母晕倒，是因为她血糖稍微偏低。虽然其他的检查指数暂时还没有什么问题，不过鉴于她做过癌手术，出院还是有风险的。

林国栋觉得应该听医生的，林国梁怕花钱，不想母亲再住院。吴玉华当然也是这个想法，但吴玉华让林国梁开口说话，林国梁却说不出口。不用林国梁说，林母也绝对不会住院，再花那么多钱，那才真是要了她的老命了。

林国栋无奈，把医生带到一边，详细询问自己母亲的情况。知道真的是暂时没有太大问题之后，才同意让母亲出院，但必须打完点滴，补充一下血糖。

林母一听林国栋这么说，便平静下来，嘴里还絮絮叨叨的："这点滴一上就好几百块钱出去了，就为个低血糖。"国强不爱听："妈，有病就得治。这低血糖也是病啊，咱可不能阴沟里翻了船，这大病没去了，到头来栽在这小病上头。"

站在他身后的陈金巧狠狠捅了一下他的腰："啥去不去的，多不吉利。"林母叹了一口气，躺在床上，看着床前挂瓶里的药水滴进输液管里。

5

林母输完了液，已经快一点了。林国强开车，林国栋和陈金巧、老二夫妇把林母送回家。

下了车，林国栋背着母亲上楼，林国强和陈金巧在旁边搀扶着，林国梁和吴玉华走在后面。这时，林国梁才有机会把自己听到的事告诉吴玉华。吴玉华非常惊讶，老大家都火烧眉毛这程度了，难怪妈这么猴急地要卖房，还不是急着给他们贴那个什么美国贷款。

她绝对不能让这样的事发生，事不宜迟，迟则生变，吴玉华坚持要林母把事情跟大家说清楚。林母看着精明算计的吴玉华，知道今天再不说，这个媳妇就会把天搅翻了。刚才的点滴，给了她一点精神，反正这个家庭会议早晚也得开，就趁今儿开了吧。

这房子她是生不带来，死不带去，千金散尽，总归是要留给这些儿女的，晚分不如早分，分清楚喽，大家心里好落定，免得她哪天突然两腿一蹬，去见了毛主席，留下这不清不楚的，将来惹事端。

听着母亲这含悲带愤的话，林国栋心中的酸楚自不待言："为什么要急着卖这个房子？我们家还没到山穷水尽的地步。妈，医药费的事儿不用您操心，有我们三兄弟给您担着。"

林国栋要打肿脸充胖子，林国梁可不干，他说得很直接："担着？大哥，咱家就您最出息了，我现在是泥菩萨过河，自身难保了。现在这老的小的都病着，只怕天还没塌下来，我就已经扛不住了。"林国强没吱声，吴玉华就替他说，他也不同意卖房子。

出乎她意料的是，这次林国强没有被她牵着鼻子走："二嫂，这你可想错了，我还真无所谓，全看妈的意思，妈愿意卖就卖，愿意留着就留着，我二话没有。"从林国强这里讨了一个没趣，吴玉华也不在意，问陈金巧的意见。听见二嫂喊她，金巧有点受宠若惊，刚要说出自己的意见，林母却假意咳嗽了一下，示意她不要说话。本就没有什么准备的陈金巧看见林母的示意动作，把想说的话生生咽了回去，改口说自己和国强一样，都随妈的意思。

现在就只剩下吴玉华了。她仔细观察过大家的表情之后，跟林国梁对了一下眼神，不直接回答，而是问林母，卖了房子，她老人家怎么着。

林母早把她看清了，当下不再看她，朝着大家笑了一下，说出自己的打算，也算是自己的遗产分配方案："这房子原本有雅娟的一间，人家从来没向咱们言语过半句，做人要公道。卖了房子以后，三分之一是她该得的。"看到林国梁和吴玉华不满的神情，林母很坚持："就是拿走三分之一，也是我们家占着便宜了。要不是我们家现在这么困难，咳！雅娟就拿这三分之一，雷打不动。剩下的要分一半给国栋，就是国栋也拿三分之一。"

给老大三分之一的原因，除了陈金巧，大家都明白，林母不再多解释。剩下的三分之一，才由国强、国梁两兄弟平分。也就是说，老二和老三家各拿到六分之一。对这个结果，吴玉华当然不满，非常不满，她张嘴就要说话，被林母堵了回来，这是她的房子，怎么分，难道还要她吴玉华来说？

既然对这个分配结果不满意，那就不卖。林国梁提出，房子不卖了，他的理由冠冕堂皇："妈，您生养了我们，现在我们都能独立生活了。您生的这几个儿子虽然都没做什么丰功伟绩，但都不是'啃老族'，没指着您卖房子分那点儿钱活着，干吗非要着急上火地卖了它？怎么说，这好歹也是我们的家。您在，家在，我们心里也有个依靠！逢年过节的我们三兄弟拖家带口都往您这儿一凑，多热闹！这才是真正意义的家。您现在还活生生地在我们跟前呢，就把这家给分了，这算是什么事儿？这跟剜我们的心有什么区别？不同意，说什么我都不同意，您就是把整个房子都分给我，我也不同意。"

这番话听起来，真的很打动人，要说林母不心疼，那是你不了解她。但她更了解自己的这个儿子，这番话背后的原因，她不愿去深究，她只是说，自己已经决定，没什么商量的余地，这房子，她是卖定了。

看事情就要这么定了，吴玉华再也忍不住了，把自己以为的林母要卖房子的理由公布出来："我们家不需要，老三也不需要，真正需要卖房钱的人是大哥，不就是为了还他那美国房贷吗？反正大哥、大嫂都回来了，银行拍了就拍了呗！至于让家里伤筋动骨、砸锅卖铁地去保那个房子吗？他那边房子保住了，我们这边的家都给端了，得不偿失啊！"全家人都被吴玉华的一番话震惊了。

林母真的动怒了，她大声呵斥吴玉华："我的房子我做主！我要给老大还贷款那也是我的事儿，轮不到你们在这里指手画脚！"

林国强这才知道大哥家里出了事，刚想说些什么，有人敲门。

能在这半夜三更敲门的，除了自己人，没有别人；就是自家人，如果没有火烧眉毛的事，也不会这么晚贸然上门。屋里的人都是一惊，猜测着门外是谁。

门开了，门口站着气喘吁吁的刘雅娟，林超不见了。

6

林超为什么又离家出走了呢？这当然和林家、钱家以及钱建功脱不了干系。

林超下了晚自习回到家中，刘雅娟给儿子上药。钱建功真叫鸡贼，他竟然跟踪刘雅娟，看到了林母和她说话的情况，觉得老太婆肯定跟她说了房子的事。刘雅娟一听他问这事，看他碗里吃着人家的肉，还惦着人家锅里的东西，就烦得不得了，对他也没有好气。刘雅娟要他不要去烦人家，老太太答应给自己一个交代，就一定会给。钱建功不干，要问清楚她打算给多少，先小人后君子，红口白牙地说会给一个交代，到时候钱到手，给几万块钱意思意思，那也是一个交代？刘雅娟听他这话，磨得耳朵都起茧子了。她就纳闷了，钱建功也算是个男人，非要逼得人家穷途末路才甘心？

钱建功可不怕她嚷嚷，他就是姓钱的，不谈钱干吗使？他看刘雅娟一个劲儿地帮着林家说话，开始朝她开炮："你少在这儿跟我装，叫我甭去管，是不是老太太今晚跟你说了要分你多少钱，你故意不告诉我？你是想把钱偷偷揣自己兜里吧？我还告诉你，明儿我就上老太太家问去。"刘雅娟愤怒得控制不住自己，差点就说要跟他离婚。她不想再看他这张脸，扔下筷子，进了房间，重重地关上了房门。

钱建功一愣，过了几秒钟才回过神来，跑到卧室门口冲着里面大骂："你冲谁掉脸子呢？还敢摔我们家门了，就你这二锅头，还想翻天了不成？也不想想自己什么货色？连个蛋都生不了的老母鸡，还敢跟我掉脸子摔门。"

门开了，露出了刘雅娟愤怒的脸，她要他闭嘴，他不要脸自己还要呢！钱建功暴跳如雷，抬手就要打刘雅娟。手抬到半空，却被人抓住，林超挡在了两人的中间，用手阻挡了继父，他狠狠瞪着钱建功："不许打我妈！"

要论打架，钱建功没准儿还真打不过林超，正愣着，门开了，刘金凤下班回家了。她走上前来拉架，让他们不要打了。钱建功借势把手落了下来，但嘴里还是骂骂咧咧。林超被他甩到一边，他拿了件外套，闷头走到门口。刘金凤问他干吗去，被钱建功拦住，他爱干吗干吗去，都是狼心狗肺的东西。

林超一声不吭地拉门走了出去，刘雅娟不放心，一边喊着，一边追了出去。但林超走得很快，刘雅娟追到马路上，已经看不到林超了。

刘雅娟把林超可能去的地方都找了一遍，也没有找到林超。她实在着急，想看看他是不是到奶奶这里来了，这才跑了过来，没有想到，林家的人都在。

7

林家长房长孙失踪，家庭会议必须散了，大家都出去找孩子。林母也要去，被林国栋拦下了，她这身体，要是再出事，那真正是天下大乱了。

8

在这个偌大的城市找人，那还真如大海捞针。林国栋叫住已经慌了神的刘雅娟，让她找林超的老师和同学问一下。刘雅娟这才被点醒，带着林国栋去找林超比较要好的一个同学。在这个同学的带领下，他们一一找到林超可能去的地方，还是没有找到林超。看着刘雅娟越来越着急，这个男孩子才支支吾吾地说，林超可能去车站送赵珊了。今天，赵珊要回乌鲁木齐，林超可能会去送她。

9

林超确实去送赵珊了。

原本他是不想来送她的，他们都说好了，赵珊考回北京的大学，两个人再见面。可是，林超也不知道怎么回事，就是控制不住自己，还是跑到了火车站。

列车马上就要开车了。乘客们找好自己的位置，安排自己的行李。赵珊却望着窗外，含着期盼搜寻着什么。可是，她失望了，站台上除了车站的工作人员，再没有其他人了。赵珊离开窗口，上了自己的床铺，他不会来了。

可正在她失望地想起身拿出一本书来读时，林超却突然出现在她面前。赵珊惊喜，上前握住林超的手。跑得满头大汗的林超笑了，他是一个男子汉，自然言必信行必果。沉浸在喜悦中的两个少年，没有注意到，火车已经开动，等赵母提醒，林超再想下车，已经不可能了。于是，林超同学只能实现他的现代火车版千里相送，送赵珊回乌鲁木齐。

10

林国栋和刘雅娟赶到火车站时，这列开往乌鲁木齐的火车已经开走半个多小时了，他们当然没有看到林超。

又找了一个多小时的林国栋和刘雅娟报了警，可是，失踪不到二十四小时，派出所不受理。刘雅娟急得直哭，整整一个晚上了，他一个孩子，能到哪里去？她觉得都怪自己，如果自己不跟钱建功吵，孩子也不会离家出走；如果儿子有个三长两短，她还怎么活呢？林国栋苦笑，要怪就只能怪他，这一切的一切，他都是始作俑者。

正在这时候，钱建功打来电话，刘雅娟厌恶他到了极点，不想接。林国栋劝她，可能是关于孩子的事，刘雅娟这才接起来。果然，是关于小超的消息。赵珊的爸爸给家里打来电话，告诉他们小超去新疆的事。

得到这个消息，林国栋和刘雅娟才松了口气，但是，长这么大，儿子从来没有出过远门，一去就是这么远，而且，他身上还没有带钱，做父母的都不放心，当下决定，去乌鲁木齐把孩子接回来。

11

两个人约定好时间，回家去准备行李。林国栋要先跟母亲去说一声，怕母亲已经睡了，他没有打电话，亲自到母亲家里，去跟母亲道别。

折腾到现在，已经是第二天早上了。林母并没有睡，一方面担心孙子，睡不着；另一方面，是林国梁不让她睡。

话说林国梁和吴玉华也跟着找了半宿，累得快趴下了。但是，他们帮忙找孩子，是有他们的目的的。林母主意一落定下来，房子卖了就这一两天的事儿，耽误不得，事不宜迟，迟了他们就只能拿那六分之一。为了这个目的，两个人不顾一夜没睡，兵分两路，吴玉华去找老大，林国梁去找林母。

12

为了让林母改变主意，吴玉华不管不顾，孤注一掷，让林国梁给林母看了自己手机中拍的那些照片。她要揭露出王茜的真面目，让林母做事要慎重，这么着急卖房给他们还债，到最后他们房子保住了，大哥有可能反而落得人财两空。

林母戴着老花眼镜，仔细看着王茜和胡华昆的照片，表情凝重。林母不敢相信，林国梁在旁边煽风点火："人心隔肚皮，三思而后行啊！我昨晚嚷嚷着不同意卖房，就因为有大哥在，我不好跟您明说这个事儿……"

还是小超的事要紧，林国栋来得正好，他告诉了母亲儿子的消息之后，脚不沾地地回家拿行李。林母告诉老二，自己要考虑考虑，这件事，先不要告诉大哥。林国梁答应着离去，路上给吴玉华打电话，告诉母亲这边的进展。

吴玉华跟着林国栋出来，不管林国栋心急如焚，步步紧追："你们好歹让妈留个窝，总不能真的卖了替你们还了贷款，继续让妈住养老院吧？"林国栋听了不禁停下了脚步，这话像刀子一样刺得这个孝子的心流血："我没有让妈帮我还贷款的意思，也从来没开口让妈卖咱家的房子。弟妹，别说你不同意，我也不同意！你放心，我的问题我会自己解决，绝不会连累妈……"

吴玉华还想往回找补："能帮的我们一定帮，一个好汉三个帮，一个篱笆三个桩，更何况是手心手背不离分的亲兄弟呢！"林国栋没有心情听她这空话，只是问他们怎么知道的这件事。吴玉华一时被噎住了，只能尴尬地说，没有不透风的墙。林国栋再傻，现在也知道这个弟妹是什么居心了。他冷冷摆脱吴玉华的纠缠，快步上楼回家。

王茜还在床上睡觉，被林国栋的开门声惊醒了，跟他打招呼。林国栋没有应她，阴沉着脸走进卧室，从门后面拖出一个箱子，打开衣柜，往箱子里装衣服。王茜一个激灵坐了起来，问他要去哪儿。林国栋这才沉着脸告诉她发生的事，并且冷冰冰地拒绝了王茜的关心，他的事他自己解决，不用她来操心。王茜对他发这么大的脾气，很是不解。林国栋几乎是吼着告诉她，自己母亲要卖房给他们还美国的贷款，这都是因为她把他们的事告诉了林母。王茜也很火大，婆婆来找自己，难道要对老人撒谎？林国栋根本不听她的解释，放下一句："我现在先去把林超找回来，剩下的事情回来再说。"拎着箱子，头也不回地出了门。

13

林国栋赶到火车站时，刘雅娟已经到了。让所有人大跌眼镜的是，钱建功也来了。钱建功一听说林国栋要陪着刘雅娟去接儿子，当下就翻了脸："小超现在是管我叫爸，我去也轮不到他去！再说了，一路上孤男寡女的，谁知道会发生什么事？"

刘雅娟不耐烦地推开他，拉着箱子就出了门。她可没空跟他掰扯这些事儿，把小超找回来才是正经。没有想到，钱建功追了出来，他也要去。

于是，由林超的两个父亲和一个母亲组成的寻儿三人行，正式向乌鲁木齐开进。

14

林国栋走了，他不仅没有为王茜解决任何问题，反而凭空添了一份乱。王茜不仅要承担巨大的工作压力，还要独自解决美国的房贷问题，真是苦不堪言。但作为一个清楚、明白的知识女性，王茜苦虽苦，累虽累，但对一些事，她还是有自己的原则的，君子有所为有所不为，这个道理她懂。像胡毕昆这样的蜜糖毒药，虽然能够暂时止渴却贻害终生的道理，她看得很明白。所以，虽然受制于胡毕昆，但她绝不会逾越了那条底线。这些是吴玉华之流永远不能明白的。

而胡毕昆呢，却丝毫不放弃，也不气馁。一方面，他确实喜欢王茜，初恋的美好，让他留恋不已；另一方面，越是得不到的，越弥足珍贵。他一天得不到王茜，一天就不会甘心放手。所以，当看到王茜疲惫不堪的脸色时，他立即又贴了过来。

王茜由着他把自己扶到休息室休息，身心俱疲的她不想思考林国栋，更不想应付胡毕昆。奈何胡毕昆既然已经嗅出了自己喜欢的味道，是不会轻易离开的。他假装关心："林国栋这小子给你找罪受了吧？"

王茜没有心情跟他探讨这个问题："没有。他忙得很，没空给我找罪受，你别瞎操心了，管好你自己就成。"

胡毕昆讨了个没趣，但还是不甘心，继续追问："忙什么也不能把你落空了呀，你看你这段时间精神恍惚，女人是要拿来疼的，尤其是像你这么优秀的女人。"

王茜故意跟他拧着说："男人的生活不是以女人为主，是以家庭和事业为主，什么疼不疼的，顾不上。"

知道了林国栋还在找工作之后，胡毕昆觉得机会来了，他要给林国栋找工作。这真是黄鼠狼给鸡拜年，没安好心。王茜谢过他的好意，婉拒了他的建议。喝完了杯子里的水，王茜恢复了一点体力，站了起来，把杯子往胡毕昆手里一放，走出休息室。胡毕昆看着手里王茜留下的杯子，上面还有她的口红唇印，胡毕昆就着她的痕迹，把杯子里的最后一滴水喝完了。

15

人前还硬撑着，回到办公室，独自一个人时，王茜就撑不住了。她是一个女人，而且从小娇生惯养，这种四面楚歌的环境，她怎么受得了？犹豫再三，她还是给母亲打了电话，要父母帮助自己还房贷。

本来就十二分看不上林国栋的王茜爸爸断然拒绝。一个女人嫁给一个男人，就是嫁给一个阶层，就必须要为这个阶层所遇到的问题埋单。家里遇点什么事儿，天就塌了。林家老太太一病，林家几个儿子就瞎了，弄得林国栋要钱没钱，要工作工作找不着。他们林家的天塌了就塌了吧，还连累了自己的女人。跟着这样的人，还怎么过日子？林家不卖房子，不就是教他们卖房子吗？这个节骨眼上林国栋不找工作，不想办法，甩手去了新疆，这样的男人靠得住吗？王父不管，他们的房子让银行收了拉倒，让茜茜跟林国栋一拍两散，省得女儿跟着他受苦，三条腿的蛤蟆找不着，两条腿的男人到处都是，茜茜还年轻，不怕找不到。

王茜只能对着母亲哭，她真是没有办法了，那是她和国栋的家，她舍不得。茜妈理解女儿，可是老头子不同意，她自己也拿不出这么多钱来。而且，她觉得丈夫说得有道理，如果林国栋不能担当，在一起生活也没有什么意思。实在不行，就等着银行把房子给拍了，她和林国栋现在关系也不稳定，留着那房子将来分家的时候也是个问题。

本来就很烦的王茜，现在更烦了，他们俩的事情她会自己解决，现在她就是发愁房子的问题。茜妈认为，这根本就是一回事，患难夫妻见真情，他们这一患难，林国栋什么事儿都撇给妻子，他失业多久，王茜就养了他多久，林国栋担当不起家庭责任的话，还是趁早散了的好。自己女儿嫁给他，不是为了吃苦受罪。听到母亲也这样讲，王茜无话可说，她不知道，面对这些人的轮番轰炸和林国栋的逃避，自己还能坚持多久。

16

世上的事，向来都是几家欢乐几家愁。林国栋这里火烧眉毛，矛盾重重，林老二家却是夫妇一心、合力断金地盼来了一个好消息。

吴玉华这样的人，在单位的口碑可想而知，她利用上班时间干私活，大、小活儿都接，是医院有名的吸金王，要不是大家都知道她有一个患先天性心脏病的女儿，大家也不会睁一只眼闭一只眼地对她。她自己的滋味也可想而知。所以，当林国梁跑来告诉她，女儿的手术有戏了，那个澳大利亚专家要在香港的圣玛丽亚医院待一阵儿、让他们准备好钱赶紧过去时，吴玉华真的是欣喜若狂，夫妻俩在吴玉华的办公室里，就高兴地抱着转起圈来。

可是，激动过后，就必须面对现实，术前得准备好二十万，术后的护理最少要十几万，这是最少的。也就是说，他们至少也要拿着四十万过去。就这，还是便宜的呢！彤彤这个病，拖了不是一年两年了，十几岁的身体，几十岁的心脏，现在能治了，他们两个能不急吗？可吴玉华算了一下自家的存款，就光是术前的二十万都不够，还差六万。当下必须要先交二十万给医院，才能排手术。至于术后的那部分，时间缓一缓，还可以想办法。两个人一合计，这六万，如果能落实在林母那套房子上，就没有问题了。可林母说了，他们只能分到六分之一，还远远不够。

吴玉华咬牙切齿："哼，六分之一，当打发要饭的呢！我要的至少是一半。"这当然不是吴玉华的疯话，她有主意了。林国梁听她说完，断然否决："那不是坑了妈吗？将来要是兄弟几个知道了，我还有脸没脸？"

吴玉华不管他那一套："你是要脸还是要女儿的命？再说了，我们从妈的手里买过来这房子，说到底不还是在你们林家的手里吗？"林国梁不能买，也不让吴玉华买，还是想一想别的办法吧。可不是吴玉华看不起他，就他那半斤八两，想破脑袋能想得几十万现金出来吗？吴玉华也非常委屈："你以为我愿意做这些招人骂的事儿吗？女儿的一辈子还很长，她才多大啊！我们不为她想，谁会为她想？你还怪我……"吴玉华跌坐在椅子上，自顾自地哭了起来："彤彤从出生到现在，满身的针眼，吃了多少苦头了，好不容易等到机会做手术，要是这钱没准备够，那是我们的责任，我们对得起女儿吗？"

林国梁的眼泪也掉了下来，自己的女儿，他怎么不心疼？也罢，为了救女儿的命，对吴玉华，他只能睁一只眼闭一只眼了。

17

按下老二两口子这里昧着良心计划夺林母的房子不表，再来看一下新疆寻子三人行的情况。

因为有电话，林国栋三人很容易就找到了林超。又因为林超要上学，林国栋他们找到林超之后，一天也没有停留，买了票，马上回北京。

赵珊父母带着赵珊，到火车站给林超送行。两家人都很客气，相互感谢之后，寒暄道别。如果不是林超惊世骇俗的表白，这场千里相送，也只是小孩子的一场玩闹，没有什么特别的。

林超和父母都上了火车，火车鸣笛，马上就要开动了，赵珊和林超还在依依惜别。大人开始催促林超，林超恋恋不舍地跟赵珊道别，一边走，一边还频频回头。在车厢入口验票的时候，林超突然折返回去，把林国栋、刘雅娟吓了一跳，阻止不及。林超跑到赵珊面前，有些结巴地对赵珊说："我可以对你承诺，如果你愿意爱我，我会一直等你！你考不回北京，大学毕业以后，我也会来接你，六年、十年，我相信我可以做到。"林超当众一番表白，让赵珊及其父母都愣住了，赵珊不知所措，没有搭腔。

林超期待地看着赵珊，但是她没有反应，他失望地开口道："赵珊，你别觉得尴尬，你要是心里没我，没有关系，我们一样还是好朋友，将来我一样会真心祝福你。"追上来的林国栋和刘雅娟、钱建功也被林超这番表白给镇住了。林国栋表情尴尬地上前去拉林超，对赵珊父母打圆场："小孩现在电影、电视看多了，满脑子幻想。别说六年、十年，就是过了今天，都不记得昨天是怎么想的了。"

林超却像被侮辱似的瞪着林国栋："不，我说的是认真的，我以我十六年的生命和人格做担保！我会为我说出的每一句话负责！"几个大人都愣了，赵珊也尴尬不语。林家大人拉着林超离开，赵珊父母也拉着赵珊离开。在车门入口处，林超回头看着赵珊的背影，很是落寞的样子。他的一番表白，就这样石沉大海，他很不高兴，闷闷不乐地坐在自己的床铺上。

钱建功一拍他的肩膀："得嘞，小子，天涯何处无芳草，采来采去无数草，反正都是草，将来等你负责的女人说不定排成一个连呢！"

他的另一个父亲林国栋则正色教育他："男子汉大丈夫，承诺代表诚信，你现在才十六岁，不知道承诺的价值和意义，将来的路很长，你自己都没有办法预计到未来，轻易地许下诺言就像是一时的失言，一切都太早！"

林超打断了他的话："我跟您不一样，因为您，我知道自己应该要做一个什么样的人，一定不是像您这样不负责任、带给别人痛苦的人！我说到，就会努力朝着这个方向去做，未来是什么样子我确实没有办法预计，但是我会努力去实现我的承诺！”儿子冷冰冰的言语让林国栋哑口无言。

火车徐徐开动了，林超绝望地看着外面的景物由慢到快，渐渐后移。突然，车窗被重重地拍击着，赵珊在跟着火车跑。林超激动地扑到窗前，听到赵珊大声喊着：“我会等你，我爱你！”

林超狂喜，不顾一切地大声回应：“我一定回来接你，等着我！”

赵珊的身影在列车的加速中慢慢远去了，林超还趴在窗前，看着她的身影消失，久久不愿意挪动。林国栋把脸转到了另外一边，眼睛却湿润了。在蒙胧的视线中，窗外的景色在火车的飞驰中一划而过。

第十八章　越穷越见鬼

缺什么别缺德，有什么别有病。她闺女病了，她得救她的命。是闺女治病重要还是道德重要？这年头，她真不知道这道德到底还值几个钱。

1

说归说，骂归骂，赌气归赌气，毕竟是自己的亲生女儿，毕竟是看不得女儿伤心。王父还是取出自己养老的钱，转给女儿，让她去还银行。对女儿的婚姻，王父也只剩下理解、接受和叹息了：“儿大不由爹娘，你和国栋的事情我也不会强行干涉，只是希望我的女儿能好好想想怎么过。我和你妈都这把年纪了，没什么别的心愿，就是希望我们唯一的女儿平平安安地过好下半辈子，不要吃苦受累。”王茜泪流满面，想说什么，却哽噎了。

王父却也不能就这样出了钱还让女儿受委屈。他直接打给林母，告诉她，自己已经把钱交给了王茜，让孩子们去还美国的房子贷款，让林母留着自己的房子养老，说到底还是个家，做老人的都能理解。

林母虽然只是一个工人，但要强，亲家公的这话外之音，她怎么听不出来？她说：“您可臊死我了，这本来就应该是我们国栋该负责的事儿。把你们的养老金都掏空了，于情于理都是我们林家不应该。亲家公，您放心，这个钱现在是您垫上了，这是我们林家欠您的，等缓过这阵子……”王父打断了林母的话，他不是要她还钱，他既然愿意给孩子出这个钱，就没想着要回来。他只有一个要求，让林母劝劝儿子，让他尽快找工作，毕竟他们两个人的日子还得往下过，单靠茜茜一个人工作撑着这个家不是长久之计。这何尝不是林母千方百计想让儿子做的？林母当然满口答应，对王父表示感谢之后，放下电话，一脸惆怅。

2

这边，王茜在父母的帮助之下解决了问题。同样是要筹钱，林国梁则没有那样幸运了。他给自己平时非常不错的一帮哥们儿打电话，但真没有出吴玉华所料，一说到借钱，这些哥们儿全躲了。会来事儿的就给个一两千打发了，干脆利落的不是说家里人病了就是装修房子、买房子，一分钱拿不出来。林国梁非常心寒，这些所谓的好哥们儿，平时从自己这儿整批的货物以员工内部价拿出去，哥长哥短的，那叫个亲，到了关键时刻都变成“哥只是一个传说”了。

借不到钱，可女儿只有这次机会，他们当然不能放弃，吴玉华气苦：“嫁给你林国梁，往里吃的是白菜，往外掏的是白粉。吃了草，挤出奶，还说我是狼心狗肺，你有没有良心啊？”林国梁垂头丧气，缴械投降：“白菜也是菜，狼心也是心，狗肺也是肺。都是我的错行了吧？都按你说的做行吗？”都到这份儿上了，他还有别的选择吗？只能同意老婆的计策。

吴玉华安慰他：“房子不过是从你妈手里转到了我们手里，从地上跳上草席上的事儿，本来就没什么区别。”林国梁没辙，也就给自己找借口推脱：“是你积极维护国家财产行了吧？是我林国梁不识好人心行了吧？”他们也是被逼上梁山，就当妈是送给孙女的救命钱吧！可是，这样缺德的事，总不可能由他们俩出面吧。吴玉华又“哼”了一声，她早就料到了这个结果，出面买房的最佳人选她都找好了。

3

吴玉华找的这个人，是刘金凤。除了她，不做第二人选。

吴玉华为什么有这么大的把握？不是她如何聪明，而是她清楚刘金凤的弱点——贪财。人为财死，鸟为食亡，利益所驱，没有永远的敌人，更没有永远的朋友。吴玉华从自己出发，深谙这个道理。她请刘金凤到茶馆喝茶，面对刘金凤的蔑视，她毫不在意，谈笑风生。

刘金凤说得没错，吴玉华请她喝茶，肯定不会是天上掉的馅饼，应该是挖好的陷阱。但能让刘金凤把陷阱当成馅饼，而且是夹肉的馅饼，也是一种本事，不是吗？

刘金凤听说林老二夫妇要自己出面从林母手中买房子，很是奇怪，既然他们两口子不想让房子落到别人手中，何必找她来绕这么大圈子？他们绕圈子，是他们想最多出低于市价一半的价钱来买，他们出面，能跟他妈张得开这个口吗？而这唱白脸的、当恶人的，如果是刘金凤，就顺理成章了。虽说这房子还有雅娟的一份，但是雅娟跟钱建功并不是一条心，这钱她拿不拿先别说，就是拿到，跟钱家有没有关系那又是另一回事儿了，怕只怕钱建功到头来弄得个鸡飞蛋打。好歹她是雅娟的婆婆，更是林家长房长孙的奶奶，如果她同意，事成之后，他们给她三万块钱好处费，这怎么着也是肥水不流外人田。刘金凤冷笑，她不信自己能从吴玉华的牙缝里抠出肉丝儿来，那还真是太阳打西边出来了。这说的比唱的还好听，他们把算盘珠子打在自己亲妈身上噼啪山响，等老太太把身上的油都让他们榨干了才闭眼，还真的是孝子贤孙啊！

吴玉华不理会她的冷嘲热讽，开口说道："您要是觉得不合算，那我们就再找别人出面，反正有钱能使鬼推磨，这种不吃力又讨好的事儿，有的是人爱做。"被吴玉华这一下欲擒故纵，刘金凤有些沉不住气了，三万块钱对她来说，诱惑可是不小，但吴玉华和林国梁可不是什么好人，她要仔细着别被他们算计了。她就不明白，这林老二就不怕自己告诉老太太？

林国梁把脸一抹，也不要它了："要是怕，我们就不找您了。您要是觉得这几万块钱挣得不值当，就到老太太跟前嚼个舌头。老太太要真是转了主意不卖，别说我们了，就是原本要分给雅娟的那份儿都未必会有！您自个掂量掂量！"刘金凤琢磨着，手指不停地抚摸着杯子。林国梁和吴玉华看见刘金凤的表情，估计事成，得意地对视了一眼。正在这时候，刘金凤突然开口道："我要五万！"

4

王茜急于想告诉林国栋这个好消息，但林国栋的手机总打不通。一直密切注意她的胡毕昆，又找了一个理由，约她出去见最具有潜力的客户——张总。如果能签下他的单子，本季度的奖金能翻一番。王茜想推辞，胡毕昆不由分说地拽着她就走，就去吃个饭，奖金可以翻一番，何乐而不为呢？

5

此时，林国栋和林超、刘雅娟等四个人已经回到北京，到了北京站。林国栋的手机没电，所以，王茜打不通电话。钱建功晚上睡觉时着了凉，一路拉肚子，下了火车还在急着找厕所。林超一直照顾他，不知是故意跟林国栋赌气，做给他看，还是真的跟老钱亲。

趁着钱建功上厕所的工夫，刘雅娟给林国栋两千块钱。他们一家的路费都是林国栋掏的，现在林国栋也不容易，她不能像钱建功那样不懂事，有便宜就占，她不喜欢欠人家的。可是，林国栋欠她的，这辈子都还不清了，这钱他怎么拿得起？

刘雅娟不干，强硬地把钱塞到了林国栋的皮包里。两人正在为钱拉扯中，林超气喘吁吁地跑了过来说，钱建功跟人打起来了。

6

原来，钱建功着急往厕所跑，撞到一个人，他不仅不道歉，还骂人。被撞的人气极了，拉住他讲理，说着说着，两个人推搡起来，眼看就要打到一起了。

林国栋赶上前去，跑到两人中间用身体挡着，一连声地给被撞的那个中年人道歉，说自己这哥们儿在火车上一路拉肚子，情绪不太好。情绪不好也不能耍横，中年男人正要理论，待看清楚眼前之人后，惊喜地叫了出来，原来是故人。

这个男人是林国栋之前的同事，姓鲁。熟人相见，分外激动，刚才剑拔弩张的气氛马上就松懈了下来。钱建功得了空儿，捂着肚子，继续往厕所跑。刘雅娟也过来，三个人叙起旧，都看着林超，下一代都长成大小伙子了，不免欷歔一阵。小鲁以为林国栋三口出来玩，林国栋尴尬地不愿意多谈自己的事，就开始谈工作。没有想到这一聊不要紧，还给林国栋找了一份儿工作。林国栋去美国之前就是印刷厂里最有出息的人，他那技术活儿，在这行里称第二，没人敢称第一。小鲁现在开了一家印刷厂，急需林国栋这样的技术人员给把着技术关。两个人留了电话，说好以后联系，就分手了。

这边钱建功阴着脸，和刘雅娟、林超一起回家，不提。林国栋则先要去老三家，给母亲报一个平安。

7

自从接了王茜父亲的电话之后，林母就一直郁郁不乐，即使听说林国栋回来了，也提不起精神来，几乎没有吃什么东西。

林国强看不下去，就劝母亲："您这是干吗呀？大嫂家里垫钱那就让他们先垫着呗，也不是咱们家逼他们那么做的。"

林母长叹一声："我一辈子不让人家占便宜，也不想占人家的便宜。咱们家没有逼着他们出钱，是他们自愿的。可是，将心比心，人家要不是看在王茜嫁给国栋的情面上，凭什么把棺材本都拿出来倒腾？国栋是个男人，他不但是我儿子，可也是人家的丈夫。该当家的时候就得当家做主，不能总让王茜一个人都背着，人家父母没有当面骂我们就已经是很给面子了。"

陈金巧有些不服气，她父亲，还不是没钱腾出钱来给自己！林母的脸色沉了下来，这能一样吗？陈金巧自知失言，赶紧低下头吃饭。正说着，林国栋回来了。

得知孙子安然回来之后，林母就告诉儿子，王茜她爸把他们的贷款给还上了。林国栋心中涌起一种复杂的感情，感激有之，愧疚有之，还有一种说不来的莫名惊恐。但眼下，他必须收起自己的情绪，安慰母亲。他比任何人都了解母亲，母亲一辈子要强，一辈子对别人不想拖不想欠，临了倒欠了一大堆人——雅娟、老大、金巧她爸、王茜家里，桩桩件件，都像一颗大石头压在母亲心里头，她没法心安，总认为这都是自己把他们兄弟几个给拖累了。但是，这一切，怎么能怨母亲呢？母亲把他们辛苦地拉扯大，子女不仅没有报答，连给母亲看病的钱都拿不出来，他们三兄弟太不争气了。

林母说起王茜她爸对老大的要求："做人要做得堂堂正正，不要让别人戳脊梁骨。男人让女人来撑家，总归是让人家戳脊梁骨的事儿，咱们这心里头能安生吗？尤其是人家王茜的父母，主动出面解决了钱的事儿，替你们保住了在美国的家，你也应该马上作出实际行动，让俩老人安心。"

话都说到这个份儿上了，林国栋别无选择，他答应母亲，马上就去找工作。

8

这个晚上，心里难受、憋屈的不仅是林国栋，还有陈金巧。

吃完饭，林国强用自行车带着陈金巧回家。这人啊，往往看得到别人黑，看不到自己黑。林国强觉得为了自己生活平静，有必要教育一下老婆，不要那样大嘴巴。他自己固然嘴巴也不小，但娶了这个东北大老娘们之后，他觉得自己长进了很多。教育老婆做一个好媳妇儿，成为他的重大责任。

他了解母亲，林母是一个巨好强的人，一辈子不想占人家的便宜。她做人做得磊落，要不是落难了，她不会接受别人一个子儿的。现在，她却要接受别人的钱，无论是陈金巧爸的钱，还是王茜爸的钱，对林母来说，都是很大的压力。所以，他跟陈金巧说，不要再提钱的事，不要让母亲心里再难受。

陈金巧不服气，同样是林家媳妇，她爸也给钱，怎么林母不仅不说还，分房子也不多给点。敢情人家王茜当媳妇就比她高贵啊！自己丈夫也是，连话都不让说，就兴让她委屈！亏她还想着法子地给他补这补那的，一门心思地想给他生个孩子。她怎么这么不值钱？倒贴给林家还不算，连句好话都没得到。是个人都给自己脸色看，陈金巧越想越有气，她不再理林国强，几乎是一路小跑地回了家。

金巧一生气，后果虽然不是很严重，但哄起来也有些麻烦，林国强紧追慢追没有追上，进了家，还吃了一个闭门羹。陈金巧气得直哼哼，不是说自己小心眼吗，那就不要跟这个小心眼过；他妈就是尊老佛爷，他还想当祖宗，说句大实话，都应被集体镇压，她这个小心眼，是不是要给他一点颜色看看？

9

夫妻之间，争吵也好，和解也罢，都需要双方作出妥协，才能拥有和谐。王茜向父亲求援，还了房贷，林国栋不是不感激。他也许是一个孝子，但绝对不是一个好丈夫，所以，这次，他一定要向妻子负荆请罪。可是，王茜给他这个机会吗？

王茜还和胡毕昆在一起。胡毕昆是了解王茜的，她遇到事情内心脆弱时，表面上就越张牙舞爪；而表面上平静无波时，说明一切事情都在掌握之中。胡毕昆看着她一天到晚恍恍惚惚的样子，知道王茜这次麻烦很大。她越是麻烦，他越高兴，不是吗？

胡毕昆说的那个重要的客户一直没来，也许他根本就不会来。王茜知道吗？也许；但她能不来吗？不能。因为这是她的工作，这是胡毕昆要她来的。谁让她受制于他呢？但是，即便如此，胡毕昆费尽心机讲的笑话能逗她笑，他抹了蜜的甜言能够让她暂时忘记忧愁，她还是一如既往地坚持自己的底线——不为任何原因出卖自己的心。于是，当胡毕昆想方设法灌醉她，把她带到房间里欲行不轨时，她拼得最后一丝清明，一口咬住他的耳朵，把压在自己身上的胡毕昆推下去，抓起床上的包就冲出屋去了。

王茜冲出了走廊，朝前跑去，走廊里空无一人。胡毕昆惊慌地跑上来拦住了她，王茜用袋子砸他的脑袋。胡毕昆低声哀求，向她道歉，王茜刚想大喊，胡毕昆抓住了她，用手捂住她的嘴巴，把她拖回了房间。

可他没想到，走廊里的摄像头已经捕捉到了这一幕。保安找上门来，询问情况。王茜的酒已经醒了大半，知道差点铸成大错，胡毕昆是个王八蛋没错，可现在她不敢也不能因为这个丢了工作，毕竟他是自己的上级。想到这里，王茜只能打碎了牙齿往肚里咽，顺着胡毕昆的话，说他们是夫妻吵吵嘴，老婆发脾气，冲自己耍横，才咬了自己的耳朵。保安走了，胡毕昆郑重其事要道歉，王茜虽然不想跟他闹翻，也怕他继续欺负自己，正好，林国栋的电话又锲而不舍地打过来了。王茜心中的委屈别提了，当下哽咽着叫他过来接自己。

林国栋飞车过来，王茜看见他就“哇”一声钻进他怀里哭了起来。林国栋吓了一跳，看着自己憔悴、受伤的妻子，心疼得不得了。王茜让眼泪滑下来，只能告诉他，回来的路上差点被人抢了包。得知妻子没有受伤虚惊一场之后，林国栋

才放下心来，他立即诚心诚意地道歉，并说自己明天一大早就去找工作，再也不会让她一个人担着这一切了。

这次，林国栋并没有说了不算，他真的找到了工作，就是去今天在火车站巧遇的前同事小鲁那个小印刷厂上班。这对林国栋而言，是真正的大材小用。这也是他没地儿可去、先解决生存问题的结果。但是，被林国栋认为是雪中送炭、真正把自己当成大佛来用的小鲁，却又是一个陷阱，跳入这个陷阱之后，他的人生再一次被迫变了样。

10

刘金凤要买自己的房子，林母真的被吓了一跳。刘金凤还是打着林超的名义来买的。她说，雅娟这人实诚，开不了这个口，她刘金凤就来唱个白脸，她这样做，当然也是为了林超。林超今年十六岁，再过几年，大学一毕业，就到了娶媳妇儿的年龄了，做老人的，得给他准备好安身立命的房子。钱建功和雅娟，一辈子也就领那么点儿工资，这房价见天涨，等到林超要结婚买房的时候，谁给得起那么大一笔钱啊！她用自己曾经给战友做思想工作的真诚对林母说："我真不怕你笑话，雅娟嫁进我们钱家，也没给我们添个一儿半女留个后，这当然也不能怪国栋，我们也都认了，就把林超当成亲孙子。我们不为他想，那还能有谁为他想呢？"

雅娟和林超，一直都是林母的心尖子，刘金凤这句话，就好比打蛇抓住了七寸，让林母说不出反对的话来，这房子本来就有一半是雅娟的，留给外人还不如留给孙子。但听刘金凤说她们能拿出一半的价钱时，林母还是很惊讶，这么大的事，她要好好想想，她一个人也做不了这个主，毕竟还有三个儿子的意见呢！

刘金凤也不逼她，只是让她见着雅娟也不用提这事儿，雅娟脸皮太薄。林母明白雅娟的为人，无论如何她不会让雅娟难堪的。这就是刘金凤的法宝，也是林国梁和吴玉华夫妇找刘金凤的主要原因。

刘金凤去找林母时，吴玉华和林国梁两口子就等在外面。要说这两口子，处心积虑的也不容易。听说林母要考虑一下，吴玉华觉得是林国梁把照片给林母看的原因，现在按不了牛头喝水了，林母不给老大还钱，这房子，就不用卖了。

11

这次，吴玉华又想错了。王茜父亲垫上的钱，林母是一定要还的。卖房子儿女不同意，她就卖了自己的那块墓地。

当吴玉华拎着两只土乌鸡来找婆婆，想说服她让她卖房子时，就看到林母正用一个袋子将一大沓钱收好，她两眼都放光了。林母西山那块墓地，是林父活着时预备下给老两口用的，现在人死了，都烧成一把灰了，不用占那么大地儿。可这么多钱，都给王茜家，吴玉华气得差点休克：“卖房子、卖墓地，就为了大哥那个房子，要家里倾家荡产？是活人重要还是他的房子重要？”

无论吴玉华怎么生气，林母下定决心要办的事，就一定要办好。她把六万块钱交给王茜，先还给她爸妈一些，表示了林家的诚意，剩下的再想办法。王茜推辞，老太太把自己的墓地卖了，她爸妈要是知道，也不会心安的。林母坚持，都是父母心，她做人一辈子，但凡能自己担当的，就不愿意拖累他人。再说了，如果不是她病了，国栋要回来照顾，她们的经济状况也不会落到这种地步。人走了就是一把土，什么墓地不墓地的，眼睛一闭不睁，什么荣华富贵、什么风光大葬全都没有意义，还是先顾着活着的人吧！王茜实在推托不过，便接了下来，并就自己以前的态度，向婆婆赔礼。

一直支着耳朵在厨房偷听的吴玉华，看到王茜拿走了钱，气得当即摔碎了一只碗。闻声而来的王茜拿来扫帚，蹲下身子扫地上的碎片。吴玉华心中不痛快，故意找碴儿：“这是不是三十六计里面的欲擒故纵啊？一会儿离家出走，一会儿房子要被拍卖，过一会儿又什么娘家垫钱，不就是逼着老太太卖房、卖墓地来填钱吗？什么时候房子都比活人尊贵了？我还真就不信了。”

王茜反省自己，觉得自己之前对林家态度不好，因此对吴玉华就有了一些忍让，耐心给她解释。奈何吴玉华已经红了眼，张嘴就要咬人：“连这种死人钱都敢收，我可做不出来。”

王茜气急，但是又不敢大声，怕林母听到，但也一点都不憷吴玉华：“你三番两次地针对我，别说不是为了钱的事情，你就是看不得自己没占到便宜。我敢以上帝的名义发誓，没有做过任何手脚。老太太给我的，我乐意收着，这是我跟婆婆两相情愿的事情。不像有些人，以己之心度他人之腹，我可没那个智力天天计算着自己怎么能得到好处。”王茜把扫帚一扔，转身出了厨房，留下吴玉华气得龇牙咧嘴、咬牙切齿，发誓一定要报仇。

12

吴玉华是小人，而且是为了钱不择手段的小人，她绝不能眼睁睁地看着这钱落入王茜的口袋。

首先，她还是拿王茜和胡毕昆的那张照片说事。这始终是林母的一块心病，

只要这个母亲不是傻子，谁也不能眼睁睁地看着儿子戴绿帽子。可是，光靠这个照片，她也不能就这样定了王茜的罪，而且毕竟人家爸妈作出姿态来了，咱不能这么占便宜。还她父母钱，也是求一个心安，至于他们俩将来的事儿，她可能看不到，即使看到了，也是有心无力。

吴玉华趁机给林母做工作，要她卖房子。她也不跟婆婆耍花腔了，直接说："不怕贼偷，就怕贼惦记，人心隔肚皮的。别以为是上海来的就人品高贵，她三番五次地离家出走，再出什么幺蛾子谁都不知道。今天您卖了墓地给他们还钱，别说美国的房子，就是这套房子她都要占份，说不准将来大哥会鸡飞蛋打。咱们就眼见着大哥吃大亏了，还不如早点将这房子处理了，省得起纷争。"

早点处理，这句话说到了林母心坎上，她是不愿意活着看到儿子们为了房子撕破了脸。也许早点处理了，既可以还了儿子给自己出的医药费，又可以把房子留给孙子。

13

林母刚一吐口，吴玉华就把两千块定金给刘金凤送过来了，当然，还有一纸协议。听说要签委托书，刘金凤不乐意了。这你知我知天知地知的事儿，还用写出来吗？吴玉华是做什么的？她是整天跟钱打交道的会计，什么疑人不用、用人不疑的那套早就过时了，如果不立据为证的话，只靠口说，到时房子过户了、刘金凤不认，她可怎么办？反过来也是一样的，到时剩下的四万八她赖着不给，刘金凤也不干呀。小心驶得万年船，在这上面，吴玉华一点都不含糊。

刘金凤不想签合同，还真想留一手，林家老太太是看在她面子上才肯这么低价卖出的。要是她自己去要下来，她吴玉华拿她也没辙。刘金凤小看了吴玉华，她当然有辙了，她都替刘金凤想好了，刘金凤自个儿手中拿不出这笔钱来，所以她不担心这个。要是事情顺顺利利办下来，刘金凤顺顺当当挣上五万块钱，她也顺顺当当得到了房子，大家都有好处。至于这样做是不是忒损了，是不是让林母死不瞑目，就不是她考虑的问题了。缺什么别缺德，有什么别有病。她闺女病了，她得救她的命。是闺女治病重要还是道德重要？这年头，她真不知道这道德到底还值几个钱。

话都说到这个份儿上了，刘金凤想要拿钱，就要跟吴玉华合作。所以，她不再腻歪，爽快地在一式两份的委托书上签了字。吴玉华收起了委托书，刘金凤收起了两千块钱定金，两个人都很满意。可是，就在她们两个自以为神不知、鬼不觉正在得意之时，一个注定要让她们的诡计流产的人来了。

14

刘雅娟开门走了进来，三个人都吓了一跳。刘雅娟是给婆婆送油来的，看到吴玉华在这里，她非常惊讶。吴玉华是什么人？看到刘雅娟她也很惊慌，但是她眼珠一转，立马就是一个理由，她说自己和钱母在路上遇到，钱母拉她上来聊一会儿天儿。

刘雅娟当然不信，但她做梦也想不到，吴玉华和刘金凤串通要算计林母的房子。在小区街心公园中遇到遛弯儿的林母时，她并没有主动提起这件事。倒是林母实在忍不住，告诉了她刘金凤买房子的事。

刘雅娟一听，就知道这里面有问题："妈，您可想好了，我从来没有想过要分您的房子，我婆婆也从来没有跟我提过她要买房的事儿，连老钱都不知道，她哪儿来的钱？据我所知，就是低于市价一半的钱，我婆婆也拿不出来。她除了那点退休金，怎么可能会有那么大一笔钱，还要给现金？"刘雅娟立即想到吴玉华在刘金凤家里的事，就告诉了林母。

林母一听，也知道这事蹊跷，她们俩在一起干吗？刘金凤买房子，是不是和吴玉华有关系？

看到刘雅娟的那一刻，吴玉华就知道林母有这一问。但她要是露出马脚，那她就不是吴玉华了。她言之凿凿："谁这么烂心肠来散布谣言？太恶毒了。妈，您怎么能想到我跟刘金凤有关系呢？她买房又不是我买房。到底谁说的？让她出来对质，我身正不怕影子斜。"

林母当然不能叫雅娟出来跟她对质，只是让她不要吵，这事儿就别再说了，房子卖不卖她还没决定呢。吴玉华又开始担心林母反悔了。

15

婆婆卖了墓地还自己父母钱，老公也找到工作了，王茜的日子好像苦尽甘来了。事到如今，林国栋也只能认了。墓地都已经卖了，说什么都没有用。他就想趁着母亲的身体还好，赶紧挣钱，把欠母亲的赶紧还上，别的什么都是空谈。

但世间事，屋漏偏逢连阴雨的时候多，心想事成的时候少。林国栋越着急挣钱，越挣不到，不仅挣不到，还把母亲墓地的钱心甘情愿地送给了吴玉华。

16

事情的发生，是源于林国栋的被抓。

原来，找林国栋干活的那个小鲁并不是什么好人，他并不是真心找林国栋来给自己做技术总监，而是要他来给自己做替罪羊的。小鲁这个印刷厂，专门印刷盗版书刊。印出来的盗版书，由于是林国栋签的出货单，所以，警察查封这批书时，把他当做负责人带走了。

林国栋进了班房，王茜和林母都乱了分寸，只能求助于还有些人脉的林国梁，让他去走走关系，花点儿钱能把人弄出来。这又给了吴玉华可乘之机，她找了几个人演了几场戏，把王茜刚拿到手还没有焐热乎的六万块钱装到了自己口袋里。托人找关系是要花钱的，无论人捞不捞得出来，都是要花钱的。要是不花钱，大哥真的被判刑了，有她守活寡几年的。

钱到手的吴玉华笑得开心，这六万块钱就是天上掉下给彤彤的馅饼，为了女儿，她豁出去了。其实，吴玉华这样狠心地把王茜的钱都拿过来，还有一个原因，就是她最恨王茜，因为王茜坏了他们很多事，活该，这钱就是她赔自己的。

17

王茜把钱给了吴玉华之后，林国栋真的被放出来了。

林国栋被放出来的原因，当然不是因为吴玉华花钱找关系托人捞出来的，而是公安局找到了那个小印刷厂的厂长，他都认了。但林国梁一口咬定六万块钱都托人情办事用了，当初开口叫人办事的时候就给了，给了好几个人，现在也不可能去问人家要回来了。王茜倒不是很在意，没了就没了吧，跟钱比，丈夫更重要！只要人好好的，钱还是可以挣回来的。

林国栋也没有想到是自己黑了心的弟弟昧下了这笔钱，还真以为是花出去了。他懊恼地捶打着自己的脑袋，这不是糟践妈的钱吗？而这六万块钱是母亲拿来还给岳父、岳母的！钱没还成，他们也一无所有了。于是，林国栋决定，自己要回美国挣钱。他们现在身无分文，贷款要继续交，妈的医药费也要准备好，所以，他必须要找工作，而且还是要高薪的工作。

林母虽然很不愿意让儿子走，她不知道哪一天就闭眼了，能不能见到儿子，还两说呢，可是现在的情况，她能拦着不让他去吗？她只能故作高兴，让他放心地去。

第十九章　是馅儿总有露出来的时候

林国栋高高地站在护栏前，俯视着一层层下楼的林超，仿佛看一个可望而不可即的美好，正在离他远去。

1

林国栋要走，伺候妈的事，就要落到老二和老三头上了。看到房子没戏，而且害怕和林母再一次朝夕相处，陈金巧没有像之前那样积极了，她踩了一下刚要说话的林国强，抢了他的话头：“妈要是愿意跟我们过，我们没有意见。我们那间破平房，一家四口挤在一起，就是怕委屈了妈。”

其他人还没有说话，吴玉华开了口，让林母住在她们家。这真是太阳打西边出来吗？当然不可能。吴玉华这样决定，还是为了自己。女儿从香港做手术回来，需要请个护工或者保姆看着女儿，而他们两个都上班，以林母现在的身体，照顾女儿绝对没有问题，这不又省了一笔保姆费了吗？再说，林母住在她们这儿，老大会每个月都寄钱回来，他们就替林母收着了，进了他们的口袋不就是他们的钱了吗？这又省钱又挣钱的两全其美的方法，听得林国梁喜笑颜开，他不由感叹：“天大地大还是老婆你最伟大。”

但是，人算不如天算，吴玉华这如意算盘，被林母的吐血事件消灭了。接到林国梁的电话时，林国强刚送大哥到机场，林国栋还没有上飞机呢！

2

吴玉华千算万算，漏算了一点，林母这身子，看着像好人一个，其实随时都可以发病。这不，给彤彤做着做着饭，就吐血昏倒了。

林国梁埋怨老婆，吴玉华当然不干，为什么把老太太接过来，他不是不知道，而且，他也没有说什么。可现在，就为省那点钱，贪图那点便宜，让老太太

在自己家里病倒了，这下屎盆子扣下来了，他们说不清啊！

林家老大、老三埋怨老二两口子，吴玉华也不听这个。对于陈金巧的质问，吴玉华一句话就给她噎了回去：“妈这病你不是不知道，从你们结婚那天出事妈住院，人家大夫就说了，以后妈随时都有可能出事。”意思很明显，林母现在病危是老三两口子整的。林母得过癌症，虽然切除了，但不能生气，这癌症患者一生气随时都有生命危险。

林国强不干了，这不是成了含沙射影了吗？老妈生病跟他结婚有什么关系啊？完全扯不上的。扯上扯不上的，反正林母上次住院可是在婚礼上被送到医院抢救的。陈金巧是个实诚人，但实诚人并不等于傻，她听吴玉华有意无意地总提此事，就知道她没安好心：“嫂子这话可让我毛愣了！这刚说完妈的病是我们结婚整出来的，现在又说我没伺候妈，上次妈住院，我对天发誓，我要没想伺候妈，我不得好死。”

吴玉华当然反驳，林国梁也帮腔。就这样你来我往，林母还在急诊室中抢救，这几个人就在外面吵上了。

林国栋的到来，才让这场争吵告一段落。林母这次是食管胃底静脉曲张破裂，需要做内窥镜手术，如果手术解决不了出血的话，恐怕就危险了，初步被诊断为残胃癌病发。也许林母的身体素质还算好，也许老天爷可怜她还没有安排好儿女的事，现在走了，会死不瞑目的，所以，她又被抢救过来，送到ICU观察，暂时脱离了生命危险。

手术费吴玉华先垫上了，重症病人有陪护，不用家属陪床，十二点以后要清人，什么时候转到病房现在还定不下来。林国栋美国肯定是去不了了，他让弟弟、弟妹们先回去，自己在医院盯着，转到病房再说。

陈金巧这个大实在人，想着大哥刚出完事，又往前冲，心中不落忍，就想自己留在这里。意思是不错，可话说出来，就有点不好听。林国强又忍不住要教育自己的老婆。眼看着两个人又要吵起来，林国栋赶紧让他们回去，自己等一等王茜。

3

国梁和国强、金巧、吴玉华一起回家。虽然从王茜那里已经拿了六万块钱，吴玉华还是难消心头对王茜之恨。林母都这样了，她还没有露面，吴玉华的气就来了：“经理就好似经理啊，做什么都跟咱这小老百姓不一样！看人家大嫂多沉得住气，妈这手术都做完转到了ICU了人家还没露面呢！”她又拉上陈金巧，说她真是个称职的儿媳妇，婆婆怎么样单说，只要家里一有事，金巧每次都第一个到场，金巧就是孝顺！看着陈金巧嘴上谦虚，内心高兴，吴玉华又接着说："一家子过日子，过的是个和谐，不是是非。这在外国待时间长了，眼里除了钱以外对老人孝不孝顺就两说了。我们家国梁没这本事，要是他也娶个留学生，两人在美国过日子，这伺候老人的事就都省了。"

林国强也跟着起哄："要都去国外，那是好，有大奔开，有上下两层的豪宅住。但饮水思源，如果要没父母，这些人打哪儿出来啊？从石头缝里蹦出来的？过去说不孝有三无后为大，现在应该改成不孝有三不伺候为大。"

吴玉华高兴，林国强借机教育老婆，也表现出林家对王茜都很不满。但常言说冤家总是路窄，说曹操曹操就到了，在电梯处，他们和往里走的王茜碰了一个正着。

王茜刚才在开会，现在来晚了，看他们几个的眼光不好，也就不跟他们多做解释，往里面去看婆婆。

几个人看着王茜进去，继续刚才的话题。陈金巧觉得她身上的香味老重、刺鼻子。吴玉华附和："人家是美国大经理，有钱、有身份，出门就得讲究喷香水。"林国强还是不以为然，从儿媳妇这个角度看，经理跟二嫂、金巧一样，只有工作之分，没有高低贵贱之分！大嫂在外面是经理，进了林家门就是媳妇！不管到什么时候儿媳妇就是儿媳妇，婆婆就是婆婆！林国梁却拖着怪调唱："不是我不明白，这世界变化快！"

4

吴玉华话外的意思，林国强和陈金巧两个人这次也听明白了，没有糊涂。吴玉华真是会抡笸子，明明林母在他们家出事，还说是他们结婚时落下的病根，而且还不明说，给他们玩含沙射影。一码归一码，他们结婚是跟林母有点矛盾，可当时医生没说是残胃癌啊！这么长时间之后，在他们家得了残胃癌，他们不埋怨她，就够对得起她了。

现在也不是埋怨的时候，陈金巧担心的就是医药费，需要他们多出钱吗？那可就要了他们的老命了，对于林国强主动表态，让她一个人来伺候妈，这也不行。儿子在这里，她要管儿子。林国强当然知道小虎需要人，可是，他也要有一个态度，大哥上次替他们交了住院治疗费，而且上次陈金巧没有陪床，他现在给她造势，表现出她这次要将功折罪的形象。

陈金巧一听这话，那个二百五劲头又来了，她冲着林国强就嚷嚷，她有啥罪呀？昨儿在床上干吗不说她有罪啊！她当时要不是岔开这话，这次伺候妈不就全成她的事了吗？他那么一白话，把她给卖了。林国强说她没素质，就是没素质，没有听出他的弦外之音，他说让她来伺候妈是有个前提的，就是妈没意见。可是林母能对她没有意见吗？她想伺候妈，人家还未必同意呢！

陈金巧这才听出老公是在帮自己，可是，这话她又不爱听了，是林母对她有误会，她歧视外地人，自己有啥毛病？自己就是贱，人家不让伺候还上赶着伺候，可是大哥要回美国，大嫂能来伺候吗？林国强对她这种担心，又有些不高兴，什么事都要倒个个儿想，当初大哥出钱出力照顾妈的时候，他们可都没在妈身边。做人要厚道，现在大哥要是回去，他们都没有理由反对。

陈金巧不会反对，就是心疼钱，她又想出一个主意："把虎子送回东北我爸那儿，我一直伺候到妈出院，别人谁也别插手了。平摊医药费的时候，咱们那份不出了。"这又是一个馊主意，要是那样，请个护工不就得了吗？可是，林母最烦的就是让什么保姆、护工伺候。她要是想找护工、保姆，家里也不至于乱成这样。林国强感慨："这老人啊，都想让儿女在身边，这护工能代替儿女吗？"

5

林国栋要走，别人不会说什么，也没有理由说什么，可是，母亲这样，他能走吗？王茜实在拿他没辙，林国栋什么都好，就是有一个永远都不能面对的问题。他为谁都考虑过，为兄弟、为妈，就没有考虑过自己。他是一个男人，不单是儿子、大哥，还是丈夫。他自己有一个家，有妻子，有自己的生活，可是，这一切，随着母亲的生病，都将会烟消云散。他还不如林老三，国强物质上可能不如大哥，可他知道怎么跟金巧过日子。王茜还是希望他改变主意："你也知道你妈妈的情况，就是你寸步不离，该发生的还是要发生。我的意思是你要学会生活，你妈也不希望你过得不幸福。"

林国栋是不会改变自己主意的，他觉得王茜太冷漠。话不投机，王茜离开。林国栋感到前所未有的孤独，那种无助感像潮水一样淹没了他。也许是想找人说一说话，也许潜意识里这时候他就是想见刘雅娟，他给刘雅娟打了电话。

听说林母又吐血住院了，在钱建功看来，刘雅娟比正宗儿媳妇还要着急，立即带着刚下晚自习回家的林超，去医院看望林母。钱建功的这种冷嘲热讽，刘雅娟已经不在意，倒是林国栋让她很担心。

看起来，林国栋真的很糟糕，那是一个生活失败男人的憔悴、悲观和无助，那种眼神，让人看了心疼。雅娟建议他按原计划回美国："老太太的情况你清楚，现在你要面对现实。日子要过，老太太不是你生活的一切，家里有老二、老三。"

她了解林母，如果林母能说话，也会这样说的，她一直担心老大的日子过不好。林国栋主意已定，不愿意跟雅娟多说。

看着一直站在旁边不说话的儿子，林国栋提出一起吃饭。林超不去，他不愿意吃这个人的饭，因为他不愿意接受这个人的道歉，或者忏悔。他愿意来看老太太，老太太时日无多，他感到难受。如果说跟赵珊的生离让他感到伤心，那么这个躺在病床上同死神搏斗的老人，让他第一次接近死亡，他感到绝望。

刘雅娟对儿子的不懂事，很不高兴，跟爸爸都横着说话，怎么行。林超一句话都不说，一转身走了。刘雅娟还要让他站住，林国栋阻止了她。他没有资格要求儿子什么，不是吗？

刘雅娟母子走了，国栋孤零零地站在那儿，走廊里昏黄的灯光，斑驳在他脸上，晦暗不明。那种心痛的感觉，再一次强烈地涌上心头，刘雅娟别的做不了，只能说儿子，连句再见都不说，真不懂事。林超理直气壮，他干吗要再见他："他是我爸怎么了？他是什么不重要，他怎么对我，或者怎么对你很重要！"电梯来了，林超径自上了电梯。雅娟转头看着远处国栋的方向，林超在电梯内看着母亲。刘雅娟的脸上，浮现出和林国栋一样的深深悲哀。林超暗自深深叹了口气，他想明白了一件事。当母亲要给林国栋买点水让他送上去时，他什么也没有说，提着塑料袋就上去了。

林国栋接过水，正好他也要走，要跟儿子一起下去，被林超冷冷拒绝了。林国栋站在高高的护栏前，俯视着一层层下楼的林超，仿佛看一个可望而不可即的美好，正在离他远去。

6

林母这一住院，住院费、医药费自有三个儿子分，林国栋一个人是再也没有办法承担了。吴玉华担心的是陪床伺候的事。用吴玉华这个小人的心思来判断，林国栋这次是躲过去了，他机票订了，拍拍屁股就走了。林国梁了解大哥，妈现在要住院，他不会撒手不管的！而且他没事，就会自己伺候母亲，不会让他们哥俩上前的。

吴玉华笑他天真，有王茜在就别指着了，而且现在王茜跟老大别扭着，她都没在家住。妈能让老大一人伺候吗？吴玉华指着陈金巧，她们会计科现在人员定岗，要分流出去一些人，这时候她不能请假。彤彤手术日期就快到了，如果林国梁请假伺候妈，彤彤手术再请假，工资奖金没了不说，彤彤手术以后也就没有人照看了。彤彤马上就要手术了，心情紧张很正常，林国梁每天回家给女儿做饭，女儿心里还好受一些。但如果他要去伺候妈，彤彤看他没在家闹起来怎么办？吴玉华的办法是，让林国梁撒谎说自己要出差，不能请假。当然，这些日子下班不能回家。那边房子租出去一间，她让丈夫住那边的房子去。至于彤彤，就跟她说为了陪她去香港做手术，爸爸要替人加班，攒倒休，加班要住在单位。林国梁认定自己两个兄弟不会起疑，他要明着告诉他们。

7

这次，吴玉华又以自己之心，猜测了林国栋的孝子之腹，高估了王茜对他的影响力。林国栋把机票给退了，打算全心伺候妈。他劝慰妻子，等母亲出院了，他们一起回美国；王茜不愿意走，就把房子卖了，他跟她回上海。

王茜知道自己改变不了他，也就不再坚持。她只是要求，除了照顾婆婆，其他的时间找份工作，别这么在家耗着。上次林母住院的钱是他们掏的，也是林国栋一个人伺候的，这次他去上班，国梁、国强也会理解和支持的。这话在情在理，林国栋没有理由不同意。可是，林国梁和林国强是不是支持，就不敢说了。

前面说了，林国梁和吴玉华已经编好了瞎话不去陪床。这伺候妈的任务，真的落到了陈金巧的头上。

这次，陈金巧学乖了，她不再跟以前那样跟老太太对着干，而是说些俏皮话讨林母欢心。比如她说："这次您别把我当您儿媳妇，您就把我当护工，我说什么也要伺候您。"林母拒绝："我家可是工人阶级，不能干剥削人的事。"陈金巧就说："我是国强媳妇，您是我婆婆。我们这儿媳妇不伺候您那伺候谁啊？我来伺候您那是必须的。"这句话，成功地把林母给逗乐了。趁着林母这个高兴劲儿，吴玉华和林国强一起求林母，让她开恩，给金巧一个孝顺婆婆的机会。这下林母的面子里子都足了，就高兴地答应了。

吴玉华一向会得了便宜卖乖，眼看丈夫的谎言他们都信了，就说自己请假过来，跟着排班儿。林母赶紧拦："可别价！玉华，这有老大和金巧，你可别老来啊，你干的是算账的工作，别分心。老二出差，彤彤你也要照顾啊！"

接着，就说起了彤彤的手术。众人肯定是好话多说，为彤彤祝福。林母看着儿女们都围在自己眼前，很是高兴，却唯独缺了王茜，心中还是担心他们有矛盾，就让老大不要总过来。林国栋嘴上答应着，却不想走，被母亲硬赶出去了。

至此，陈金巧终于接下了伺候婆婆的重任。林国强高兴，那些没边的话，顺嘴就出来了："我都跟你弟妹上过课，上次她没到位，这次必须要跟歌里唱的那样'心若在，梦就在'，伺候咱们妈让她从头再来。"林国栋都不回美国了，当然不会让金巧一个人伺候，要跟金巧倒班。如果他找不到工作，他还是要每天都来医院伺候妈的。

王茜还真给他找到了工作。

8

王茜第一次到北京工作，认识的人屈指可数，她能找的人，就一个胡毕昆。

王茜来求自己，胡毕昆即使心中高兴，嘴上还是要拿一下糖的："现在全美国不景气，咱们中国牛了，连美国人都要看咱们的脸色了。过去海归吃香，现在就是美国博士回来都不好找工作。你们家林国栋，原来在美国的小印刷厂干技术，那是蓝领。"胡毕昆停下，看看王茜的脸色。看到王茜的脸色果然变了，自己的目的达到，胡毕昆也不管她，还接着说："说老实话，我这儿来应聘递简历的洋鬼子都十几个，还都是MBA出身，茜茜可给我出了难题了。"

既然这样，王茜起身就要走。胡毕昆差不多就得了，他正愁找不到机会彻底把王茜和林国栋搅黄了呢！现在王茜送上门来，他怎么能放弃？以他国际旅行集团老板的地位，安排一个人还是很容易的。他当即让林国栋到他们集团票务中心工作，而且随时来，随时安排。王茜这才满意，人情吗？反正她欠他已经不少了，也不在乎这一个了。相比较之下，王茜更着急林国栋的工作。

9

都商量好了，大家各就各位，接着过日子。

自打陈金巧改变策略之后，她和林母相处也算融洽。林母刚做完手术，只能吃流食，金巧就喂她吃。林母还是有些不习惯，陈金巧就逗她开心："您看大哥人家有个儿子，二哥是个姑娘，国强也得给咱老林家添人进口，我想再给老林家生一个，您看呢，妈？"林母面露喜色故意矜持："这是你跟老三的事，你们自己看着办。我这当老人的不要求强迫别人，什么事得落在理上。当然，你要是还能生，那肯定是喜事、好事。"金巧等的就是这句话："妈，咱肯定得生，必须生啊！"林母想笑，觉得不好意思，又忍住。

林国栋到胡毕昆公司报到，是胡毕昆的姘头、票务部的经理刘梅接收了他。林国栋并不喜欢这份工作，不仅仅是因为专业不对口，更是因为胡毕昆看他的眼光。那里面的鄙视和不屑，让他觉得自己像一个来要饭的。可这要饭的媳妇是靓丽白领，胡毕昆只能若无其事地收留。虽然被收留的林国栋看胡毕昆非常不顺眼，但他也不想辜负老婆的一片好心。

为了不照顾母亲，林国梁到他那一套不为人知的房子里去住，他既担心女儿，又要防着被家人知道，和吴玉华联系完全靠手机，真有些地下工作者的意思，只不过，他配不上这个称呼，还没有哪一位地下工作者是为了不孝顺母亲而做地下工作的。

10

金巧照顾母亲照顾得挺好，林国栋也就放心上班了。可是，被当成来要饭的，这班还能上好吗?

所谓票务，就是针对全国大中企业，联系国际机票和其他票务的预订。说白了，就是电话销售，业务员的客户都必须自己开发，每个人的业绩都跟自己的薪酬挂钩。没有任何资源和人脉的新人，开展工作非常难，大部分人都过不了试用期。林国栋虽然是海归，但他从来没有干过这个，也是两眼一抹黑。刘梅当然不会给他指导和帮助，林国栋要想拿到这份工作，只能靠自己勤奋。他让金巧先照顾母亲，自己想先拿下一点业绩在公司立足之后，再去伺候妈。他坚持在美国养成的一丝不苟、勤奋工作的态度，开始了他在国内的这份工作，却因为晚走，看到了不该看到的事情。

胡毕昆和有夫之妇刘梅关系不正常已非一日，胡毕昆把她当成自己人，他做的事，从来不在她面前掩饰。刘梅不仅知道胡毕昆在钓王茜这个美人鱼，而且还给他买到了蓝色小药片，也就是催情药。在心底，对胡毕昆这样帮助王茜，还把她丈夫弄了进来，刘梅有些吃醋。她了解胡毕昆，没好处的事他绝对不会做。而且，男人帮女人忙就一个目的，那就是为了奸情。胡毕昆被她说破，也不恼，看着刘梅高耸的胸，呵呵笑着没有说话，却把手伸到刘梅腰上，搂着她进了办公室，在办公室里就干了她刚才心中所想的事。

透过百叶窗，林国栋把两人的苟且看了一个清楚，他对胡毕昆的印象，更是恶劣到了极点。想到妻子跟他说，这个胡总是她的好朋友，林国栋就像吃了一个苍蝇，从里往外恶心。

世上事，有因就有果。林国栋对胡毕昆这样搞七搞八鬼混没有原则的人，虽然厌恶，但事不关己，还是可以高高挂起的。可是，如果这个人和王茜有关系，他就不能接受了。而他这种对胡毕昆的厌恶，直接影响了自己的判断，导致和王茜的关系走向了尽头。

11

世上本没有不透风的墙，何况林家和钱家只隔着一道墙。刘金凤和吴玉华自以为事情做得机密，滴水不漏，却不知道，天网恢恢、疏而不漏，她们的勾当，很快就大白于天下了。

事情还是刘雅娟发现的。刘金凤所工作的酒店组织去北戴河旅游，刘雅娟给她去收拾卫生。在给婆婆洗衣服之前掏口袋时，刘雅娟发现了那份委托书。她这才明白为什么吴玉华跟刘金凤在一起被自己撞见时，神态那样紧张、尴尬。刘雅娟非常气愤，刘金凤还罢了，是一个外人，可吴玉华为什么这样狠毒地欺骗自己的婆婆？

12

吴玉华做的亏心事，可不止这一件。就在刘雅娟发现房子之事的同时，陈金巧也发现了林国梁并没有出差。

陈金巧看到林国梁，是因为她有一个老乡，也在北京打工。她爸是她们屯子的老中医，知道林母住院了，就让她爸给开了一个保健的药方。这是一种保健汤，提高免疫力的，老灵了。跟林母说清楚之后，陈金巧就到这个好姐妹家中拿这个药方。这个老乡正好住在林国梁出租房子的那个小区的地下室中，陈金巧拿了方子正要往回走，就看到林国梁和一个年轻女孩有说有笑地在小区走着。陈金巧立即就把林国梁当成出轨的陈世美了。

她跟着他们上楼，看他们一起进屋。然后，她带着一副见鬼的表情，抓紧时间回了医院——医院中，林母还在等着她。

13

林母是在等着她，不过，她等得已经非常不耐烦了。而且，林国强和林国栋都来了。这几天，林母对陈金巧的态度虽然有所好转，但她还是从骨子里看不上这个东北老娘们。这不，陈金巧借口找保健汤的方子，一去没影了，林母就开始抱怨，认为这几天陈金巧对她周到的伺候，都是装的！林母一向觉得陈金巧心眼多，对林国强很不放心：“要玩你啊，她的心眼还有富余。她肯定是这几天累了、烦了，出去找老乡聊会儿、玩会儿，再吃会儿。回来准说本来可以早回来，中间出了点事。就这瞎话，没跑！”

母亲说自己的媳妇儿，林国强不高兴，金巧这几天没黑没白地伺候，而且是为母亲出去办事的，母亲还这么没完没了地说，多冤枉人呀！林母不理他，就是认定陈金巧偷懒，不定是到哪儿吃串要不就是吃麻辣烫去了。林国强差点笑出来："我们家金巧至于吗？"林母抓住了他的小辫子："听听，心声，发出的心声。"她学国强说话："我们家金巧至于吗？你就是典型的娶了媳妇忘了妈。"国强不服气："要是她去六环外找老乡，没准现在还没到那儿呢。"林母真的生气了："嗯，你就会向着媳妇说。我生了你们这仨小子，就老三，整天护着媳妇。我就从他嘴里没听到过他说媳妇一个不字！我发誓，我没听过。"

国栋也觉得母亲太唠叨了，这几天金巧挺辛苦的。林国强来劲了："就是，这天儿在外面待五分钟就一身白毛汗，金巧为您顶着太阳拿偏方。可着这城里一千多万人，哪家的媳妇肯为婆婆干这事？您不感动就算了，还说这话。这让金巧听见，心里就剩拔凉拔凉的感觉了。"

话音还没有落，陈金巧走进病房。林国强总说她这张嘴坏事，她就管住了自己的嘴，没有把自己见到的说出来。而且，她也不能确定，到底这林国梁是怎么回事。面对丈夫的追问，她只说老乡还没下班，自己等了她一会儿，然后把偏方拿了出来，林国强把方子抢过去，自己先瞜一眼，念出了方子上的药材名，故意向母亲耍宝："您看，酷暑之下，金巧不辞辛苦地给您取来保健方，我都感动了。"林母不为所动："你这话让我感动得恶心！"

陈金巧不像平时那样话多，林母也没有注意，因为她自己也是心事重重的。王茜还没有来看过她，理由是工作忙。是真的工作忙还是干别的事？林母对她的疑心越来越重。看着自己儿子上了班，也没有一丝高兴的意思，林母觉得自己必须把那件事告诉儿子了。这是她心里压着的一块石头，她这病自己知道，保不齐哪天早上睁不开眼皮就走了，不告诉儿子，她对不起他。

她把国强和金巧支出去，把一把钥匙给了老大，她这当妈的说不出口，让他自己打开抽屉去看。当林国栋打开抽屉看到那几张照片，他好像什么都明白了。他怒火中烧，立即想去找那个浑蛋算账，但是，想起妻子说起这个男人的表情，他忍了下来。

14

陈金巧跟丈夫一走到门外，就告诉他，出事了，出大事了。而且，这件事情，还不能说，需要进一步确认。所以，第二天，亲眼看着林国梁离开之后，她就化身一个发蟑螂药的社区工作人员，进了林国梁的出租屋。

进到屋里，她就像妻子对小三一样，劈头盖脸地骂："人要是不要脸鬼都怕明白不？你这臭不要脸的‘破鞋’，要是在家我非削死你不可！”女房客被气得直哆嗦，当下就要打电话报警。金巧上前一把扯住她：“你想溜啊？没门！赶快报警，让警察来，把你这个不要脸的抓起来，把你偷男人的丑事曝光。你也别报警了，我现在就跟你去派出所，你不去都不行！”

女房客这才知道，这个女人为什么骂自己了。她挡住陈金巧要抽自己的手，告诉她，她认错人了。刚才出门的是她的房东林国梁。他住另一间房子，她租他的房子。两个人虽然一起进屋子，但是一人住一间。

陈金巧还不信，林国梁哪有这套房子？她认为女房客在撒谎。女房客不跟她扯，一脸气愤地从屋子里拿出房屋租赁协议和林国梁家这套房房本的复印件，给陈金巧看。陈金巧看了这两样东西之后，傻了。

林国强这时候打电话找她，问她在哪里，她说自己在二哥的家里，他的另一个家里。林国梁根本就没有出差，林国强来看了，就知道了。

15

匆匆赶来，知道二哥龌龊事的林国强，怒气冲冲地直奔超市。他一把抓住正在超市粮油货架前巡视的林国梁，差点没有拽他个趔趄，说了一声，“走”，就头也不回地出了超市。林国梁犹豫了一下跟着走了出去。

林国强走到超市外面一个僻静点的地方，朝着林国梁开始发火。林国梁不知道老三夫妇已经掏了他的老巢，犹自嘴硬，坚持说自己住在自己家里。林国强怒火更盛，拿出租房协议和房产证，摔到他脸上：“你不愿伺候妈就算了，干吗要编这瞎话？你买房我们不眼红，可你这偷着盖着有意思吗？大哥为了咱们都什么样了？我有你这样的二哥我都感到寒碜。你也有老的时候，你老了，彤彤这么对你，你心里好受吗？上梁不正下梁歪，你别看你比我有钱、有房，可我比你踏实。你每天睡觉睡得着吗？你这辈子就这一个妈，你会让妈寒心一辈子的。你这干的还是人事儿吗？”

国强越说越激动，愤然离去，把一脸懊恼的林国梁晾在那里。

16

看到妻子“龌龊事”的林国栋，并不想像林国梁那样一拳把那个无耻浑蛋的脸打烂，他控制着自己，不断告诉自己，要信任妻子，要相信那只是一个可怕的错误。他的理智是这样告诉自己，可是，情感上他就是接受不了。胡毕昆和刘梅胡搞的情景不断在他眼前闪回，而那个女的，自动换成了王茜的脸、王茜的

身子。一想到这里，他就好像被烈火炙烤一样，浑身颤抖，想毁灭这个世界。看着妻子熟睡的面容，睡不着的林国栋，把双手放在她丰满的唇上，想象着她和胡毕昆疯狂接吻的样子，手不由自主地就往下滑，放到她细长白皙的颈部，略一用力，好像就能把她掐断。

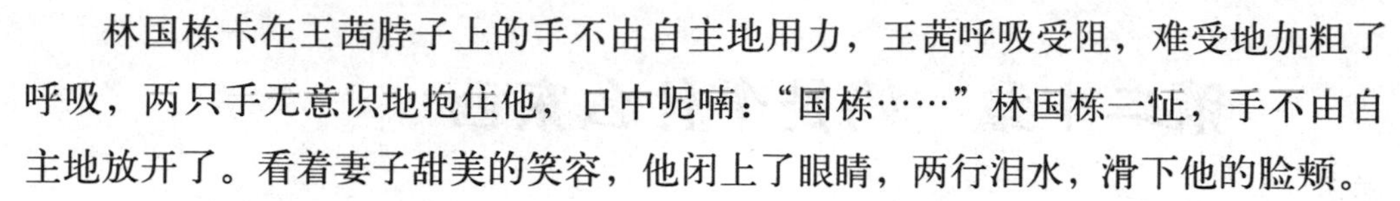

林国栋卡在王茜脖子上的手不由自主地用力，王茜呼吸受阻，难受地加粗了呼吸，两只手无意识地抱住他，口中呢喃：“国栋……”林国栋一怔，手不由自主地放开了。看着妻子甜美的笑容，他闭上了眼睛，两行泪水，滑下他的脸颊。

第二十章　妈是个什么东西

不怕母猪上树，就怕老实人发怒。兔子急了还咬人呢，林国栋这个老实人打起人来，那也是势不可当。

1

陈金巧又跑出去半天找不到人，林母是真生气了。如果上次是因为去给她拿方子路上耽搁了，可这次，都不跟她说一声，就跑出去大半天。她打定主意，见到她一定要她滚回去，她不用陈金巧伺候了。

可是，当陈金巧回到病房，把她出去的原因说出来之后，林母再也说不出话来。她坐在床上，仿佛一只被抽离了生气的标本，一动不动，脸上没有一丝表情。

陈金巧被她吓住了，刚才林母声色俱厉地问她干什么去了，她一激动，就忘了林国强的嘱咐，把实话说了出来。林母一听就愣了，就这样僵化一样地坐着，一句话不说。

陈金巧有些害怕，这要是把婆婆气出个好歹来，她也担待不起呀。她连忙又往回找补："您老千万别往心里去，二哥孩子有病，不是要做手术什么的吗？没事儿，妈我来伺候您。"

已经赶回来的林国栋也给弟弟讲话，老二可能是真有事儿，他不是那种人。林母听到这句话，突然活了过来，她的神情没变，用低低的像是自言自语而又缥缈、悠远得不像她自己的声音喃喃道："没一个好东西，都是白眼狼。"陈金巧一说，林母就明白了，老二就是为了躲差。养了他四十年，到头来就换来这么一句瞎话，她难受啊！林母抽泣起来，林国栋上前搂住母亲，给母亲擦泪，心中好像压上了一块大石头，他有些喘不过气来。

林国强直喘粗气走了进来，他跑去跟林国梁吵了一架，气还没有出："他买房可藏得真深，跟做贼似的。为了不伺候妈，编瞎话儿说自己出差了。我还真没看出来，他这脑子里藏了这么多歪心眼子。”他认为这都是吴玉华给支的招儿，二哥是老林家人，不会缺德到这种程度。想想这两口子平素的作为，真是不是一家人不进一家门啊！

还是国栋善良，觉得二弟这样做有他的苦衷，而且，买房是他自己的事儿，跟咱们打招呼是应该的，不告诉咱们也不过分。他觉得应该多体谅他一下。

林母是寒透了心，她体谅他？“他也有儿有女，上行下效，他怎么对我的，将来他的儿女就会怎么对他。我有仨儿子，哪一个让我省心？这老天爷真是的，干吗让我吐血啊？让我把心脏吐出来不就好了吗？一了百了，省得老二还到处躲我。”

正说着，林国梁进来了。

他不能承认，只要他不承认，老三他们就不能给他定罪。首先，他说自己单位加班，晚出差几天。至于房子，是他们的宿舍，他只有使用权，不是产权房。他租出去，也没有什么。而且，这次妈的住院费、治疗费都是他们出的，他不但没过，还有功呢！他表现出一副非常难受的样子，跟林母诉苦：“国强跟我这不依不饶的，好像我不伺候妈似的。我这一边准备给彤彤张罗手术的事儿，一边还得上班。我心里也惦记着妈，可国强这么说让我心里难受。”

林国强根本不信他的话，会说的不如会听的，就算晚出差，为什么要躲起来？既然房子出租了，为什么还非要住林母的房子？不要把别人都当成傻子，纸里包不住火，都被抓了个正着了，还狡辩，真是无耻之尤！

林国强信不信没有关系，林国梁只要林母相信。但林母比国强还要明白，把前后的事接起来，她算是看清了这个儿子的面目。但是，她是一个母亲，能怎么样呢？她只能希望老天爷有眼，看到这一切。他们都有儿有女，他们也有老的一天，也有让人伺候的一天。他们的儿女到时候不孝顺、不伺候时，就想想当初自己是怎么对自己老人的……

林国梁脸上一片白一片红的，他极力控制着，还要狡辩，吴玉华突然闯进病房。她追到这里，是因为彤彤出了点事。

吴玉华把丈夫拉到了病房楼道中，林母怎么想，她管不了了。医院打来电话，手术日期定的是二十八号。医院说这手术有一定的风险，如果手术失败，还要进行二次抢救性手术。如果二次抢救，手术费和重症监护费要准备好。当然，这是说如果，可他们也得准备好钱啊！不怕一万就怕万一，外国专家也没谱，他们只有大概一半的把握。这样一来，他们就还要准备二十多万呢！

还有什么办法，把那套房卖了吧！那房子留在那儿也别扭，他鬼使神差撞上老三媳妇，也许就是命中注定吧。这黄鼠狼专咬病鸭子，要是着急卖，一定会被压价。但就是被压价，房子也要卖的，人家医院还等回话呢！因此，林国梁马上去中介卖房子，而吴玉华则给医院打电话，让他们保证把手术做好。钱不是问题，他们是开煤矿的，有的是钱，让医院全力以赴。为了给自己争取更大的概率，林国梁拿出小市民买东西惯用的伎俩，跟医院说他们还认识两个有钱的小病友。如果给彤彤做好了手术，可以把他们介绍给医院，让他们挣钱。

决定之后，吴玉华匆匆走了，林国梁则走进了病房，也不看众人的脸色，直接宣告："彤彤手术日期定了，我现在全部精力都要放到彤彤身上了，我要给她救命。你们不是埋怨我买的那套房吗？我马上就卖了，我现在什么都顾不上了。妈，对不住您了。大哥、老三，妈靠你们了。"说完，国梁扭头就走了。林母眼睛发直，林国栋几个人着急，喊她："妈！"林母呆呆地转过头来，看着自己的儿女，一片茫然："妈是个什么东西！"

2

林国栋憋了几天，他反复告诉自己，不能冲动，不能丧失理智。可是，当他暗示甚至明示让王茜对自己坦白和胡毕昆的关系，王茜还在欺骗他，装得跟没事人似的时，林国栋怒了。

林国栋跟胡毕昆拳脚相见，也是因为胡毕昆在他跟前示威，他那副小人得志的中山狼嘴脸，让林国栋差点没有憋出内伤来。在胡毕昆又一次像对待一个要饭的那样跟他说话，甚至当着他的面给王茜打电话时，他终于丧失了理智。他冲上前揪住胡毕昆一拳就把他打倒，一边拳打脚踢一边骂他：知道王茜是有夫之妇，还跟她搞，给自己戴绿帽子，这不是骑在人脖子上拉屎还要他吃了吗？

不怕母猪上树，就怕老实人发怒。兔子急了还咬人呢，林国栋这个老实人打起人来，那也是势不可当。相比较而言，胡毕昆被酒色财气淘空的身子，怎么敌得过林国栋这个干体力活的蓝领？胡毕昆只有挨打的份儿。

就是再有钱，也怕挨打，被林国栋揪住脖领子的胡毕昆，哀求着脸和他想象中绿帽子一样绿的林国栋，自己跟王茜没有任何关系，而且他让他来上班，是因为他们是好朋友，他在帮他们。林国栋当然不信，谁干了坏事还主动承认？他抓住这个装出来的大尾巴狼，把照片摔到胡毕昆的脸上，问他到底怎么回事。

胡毕昆一点都不怕林国栋，知道林国栋并不能把自己怎么样。他装作很害怕的样子，挑拨林国栋和王茜的关系："其实，你在没有认识王茜之前，我们就是

那种关系了。后来我们分手，你们结婚后，我们一直没有来往。我可以发誓，王茜来北京后我们才又开始来往的。不是我找的王茜，是她知道我是这家公司的老总，主动找的我，因为我手里有她需要的客户资源。我一开始也很有顾虑，王茜一次次约我，我是男人，一个女人主动……国栋你打我吧，我错了！你打我还能好受点。对不起，不管怎么样我也有错。"

如果说那几张照片，还有可能是造假，林国栋内心还有一线希望王茜是被冤枉的话，听了胡毕昆这句话，他是真的信了。胡毕昆的这番话，真的把王茜打入了十八层地狱，让她有一千张嘴，也说不清楚。

国栋攥着拳头，脸都快扭曲了。他绰起桌上的玻璃台灯，真想朝着胡毕昆那该下地狱的脸砸下去，但想到母亲，他稍微改变了一下方向，狠狠地把台灯摔在地上，转身走了。胡毕昆收起刚才一脸恐怖的样子，冷冷地看着他渐行渐远的背影，眼中露出了一丝不屑。

3

被妒忌之火灼烧着的林国栋，果然不出胡毕昆所料，直接去找王茜算账了。他都等不到王茜下班，直接闯进了她的办公室。

当时，王茜正和几个下属开会。林国栋当着几个下属的面，就鼻子不是鼻子脸不是脸地骂起来："你干的见不得人的事儿，还有脸开会？！你出来，你要是不出来，我就把你的丑事当着大伙的面说出来。"

真相信了胡毕昆的林国栋，像一只疯狗一样，对着王茜就咬了下去。被丈夫说成下作的王茜，怎么也受不了这样的侮辱。她怎么也没有想到，林国栋会这样说她，他不知道这话有多么伤人吗？何况，她真的没有干这样的事，被人冤枉而且是被她深爱的丈夫冤枉，让王茜感到耻辱。林国栋当然不相信她，他从口袋中拿出照片，告诉王茜一句虽然很烂俗却是真理的话："若要人不知，除非己莫为。"

王茜看到国栋手里的照片，一愣。然后，她惨笑着，对他说一声"好，好，你真好"，就挣脱了国栋，低头走了，留下几近疯狂的林国栋独自站在那里。

4

王茜哪里受过这种侮辱？她又怎能忍受这种屈辱？当下，她立即请假飞回了上海。王父、王母知道这件事之后，一边大骂林国栋，一边为她感到庆幸，既然不是一路人，那就趁早分开，像女儿这样人品好、长相好、本事好的，生活归宿不应该是他！林国栋要钱没钱，要本事没本事，对老婆还不好，整天就会吼老婆，还怀疑她？跟了这个胡毕昆比跟他强一百倍！

王茜知道，这是父母的气话，他们是不希望自己受气，希望有个好男人爱自己、疼自己，两个人一起好好过日子。林国栋就是一个典型的孝子，什么事都把老妈放在最前头，他是要跟他妈、他们林家自己过日子。也不怪父母看不上他，她自己也感觉从林国栋回到北京，她好像越来越不认识他了。也许真的是离婚男人没有什么好东西，他变得很陌生，心胸狭隘，没有责任心，没有家庭观念，封建礼教观念严重！

王父觉得女儿要转过弯来了，加紧劝："这种男人离一百次婚都不多。林国栋就跟恐龙没什么区别，他满脑子想的都是什么愚孝，无原则地服从他妈妈，无原则地资助他的弟弟们，可笑死了。现在都是什么社会了，他就是封建家庭的孝子贤孙。"

虽然父亲说得上纲上线，但王茜并没有反驳，她认为父母说得没有什么错。他们的婚姻，不是光靠她一个人能够维持得了的，连起码的信任都没有，两个人还能在一起吗？

5

林国栋也意识到这个问题，当他再次联系不上王茜时，他感到非常失望；当陈金巧问他，前妻和现任妻子，他觉得哪个更好时，他自己唯有苦笑。虽然这两个女人都是他的妻子，他都是拿出百分之二百的努力跟她们过日子。他工作努力，不乱花钱，对爱情忠诚，可是，为什么这日子就过不下去呢？

在陈金巧这个外人眼中，雅娟嫂子会过日子能疼人，这茜茜小嫂子，年轻有学问还时髦。这两人长得都不赖，但这漂亮的感觉不一样，比较起来，让她选的话，她就选茜茜嫂子那样的。看人家会说英语，跟大哥有共同语言，打扮也老新潮了。可这过日子呢，看得出来雅娟嫂子踏实。还真的难以取舍，陈金巧很真诚地说，要赶上旧社会大哥合适了，俩人都放家里。可现在是新社会，新社会讲究一夫一妻，这一夫一妻还是向着男人，女人离婚是草，男人离婚是宝，她也是离婚的，可她这草，跟大哥这宝就是不一样。

林国栋对陈金巧这些乱七八糟的话，一点都听不进去。是他自己选择的吗？他伤了两个好女人的心，他自己的心更是千疮百孔，找不到一点方向了。

6

林国栋和陈金巧这番对话，是在刘雅娟来看林母、林母把她们赶出来之后进行的。

雅娟炖了鸡汤来看林母。林母看到她，就像小孩子看到亲人一样，呜呜地哭了。她恨自己，怎么就不能摊上这样的媳妇啊？刘雅娟忙上前搂着她，劝她，凡事想开点，还要往好处想，金巧一直伺候，多好啊！金巧还是一张大嘴巴，一句话就把林国梁夫妇做的龌龊事说了出来。雅娟听了并不意外，她还知道他们更多的事，要跟林母说，所以，她提出要和老太太单独待一会儿。

其实，刘雅娟知道这时候告诉老太太这事，对她的身体非常不好，可她想来想去，还是告诉她了，她怕老太太吃亏。她把那份委托书复印了一份，给林母留下复印件，自己把原件拿回去，给钱母放起来。

林母难过、感激、愧疚以及不舍兼而有之，拽着雅娟不想让她走："到我死，我都记得你是我儿媳妇，我们林家的媳妇！"雅娟也非常不舍，泪流满面。

7

没等到雅娟把原件放回去，刘金凤就回来了。她发现那份委托书不见了之后，立刻就断定是刘雅娟拿了："家贼难防！跟老林家明铺暗盖，这是干什么啊？丫能过就过，不过就让丫滚蛋。不就一二锅头吗？建功都是你惯的。吴玉华找我，我白挣几万块。我挣钱为谁？还不是给你们攒着。这事跟刘雅娟有一毛钱关系吗？"刘金凤越说越难听，钱建功脸色越来越差。"现在我那委托书没了，肯定是她为了显勤儿，跑到林家邀功去了！这主儿可真是吃里爬外。建功，别怪妈没提醒你啊，这女的可不是什么好鸟。别看她平时不言不语，整个一蔫土匪。你能看得住这一大活人吗？她那前夫在这晃着，晃着晃着还不都晃一块去了？"

钱建功已经喝得眼通红，他又把一杯酒喝干，一蹾酒杯："丫敢？我要让丫知道知道我这马王爷到底是几只眼！"

刘雅娟这时候进门，正撞到枪口上。刘金凤一看她手中的保温杯，就知道她又去看林母了，火更大了。刘雅娟叫她一声妈，她的阴阳怪气就来了："呦！我没听错，你是叫我吧？我还以为是老林家的媳妇来串门呢！我看那吴玉华都没你去病房去得勤。"

钱建功也不废话，一下子站起来，就问她是否拿了那东西。雅娟知道不能说假话，她也不愿意说假话。钱建功抬手给她一个嘴巴："真是贱货！"

雅娟头发被打乱了，她没有说话，下意识地摸了摸火辣辣疼着的脸，从口袋里掏出那份委托书，拿给钱建功。

刘金凤在旁边煽风点火："这次可真让我开眼了，把自己现在的婆婆出卖给甩了你的前夫家，您还真是大义灭亲！”她知道这件事林母已经知道，不会成了，上前夺过委托书，几下给撕了，指着刘雅娟的鼻子破口大骂：“儿子，我告诉你一句话，狠毒莫过妇人心。这离过婚的女人要加个‘更’字，还教师呢！配吗，你？！”说完，她转身出门而去。

钱建功当然不能放过这件事，他悲愤交加，咬牙切齿地发誓：“刘雅娟，我跟你说，你别给张脸不兜着！当年你被姓林的甩了，多少人都说不让我要你这离过婚的主儿。人家给我介绍了一个班的企、事业姑娘，我非你不要。现在，你行！你让我脚踩大地，头顶绿帽。你他妈的有良心没有？我跟你说，人不犯我，我不犯人，人若犯我，我就必犯人。第三者像弹簧，你软他就强。狭路相逢勇者胜！我他妈的早晚弄死林国栋。”

8

不用钱建功弄死，林国栋现在是生不如死。一直不接他电话的王茜给他打来电话，告诉他自己回上海父母这里了，要离婚。

王茜说得很真诚，很清楚明白：“国栋，你是个好人，但不适合做丈夫。如果我说的让你不舒服请原谅，至少我目前是这感觉。咱们离婚吧！如果再这样生活下去，对你对我都不好。”

犹豫再三，王茜终于提出离婚。都到如此地步，林国栋还能说什么？道歉、承诺还能挽救他们的婚姻吗？也许只有好聚好散，才能保留自己的一份尊严。他不恨王茜，要恨只恨自己，是自己一手把两个好姻缘给弄遭的，不是吗？

至于王茜和胡毕昆有没有问题已经不重要，重要的是，爱一个人就要为她付出，而且也要信任她，他已经不能再信任妻子，宁肯相信照片，宁肯相信别人的话，他还有资格挽回她的爱和信任吗？

两个人平静地办完离婚手续，平静地一起吃了面条，上马饺子下马面，即便是从此殊途陌路，也抹不掉他们曾经相爱的过去；可即便心中都有留恋，也再也不能彼此牵手了。

9

林国栋并没有告诉其他人这件事，但其他人都知道他的婚姻已经岌岌可危了。当林母请来公证员公证自己的遗嘱时，王茜没有来，除了陈金巧这个粗人问了一嘴得到老公的一记白眼之外，没有人问起。

吴玉华和林国梁心中惴惴，他们已经预测到，林母的这份遗嘱，对他们不会有利。虽然他们卖房子马上就要过户了，买主和中介在国土局等着，他们也在这里坚持着，不到最后关头，希望还是有的吧？

贪心的人，日日夜夜想着的，都是自己的付出，从来看不到别人的好。吴玉华和林国梁从来没有意识到，他们的所作所为，已经严重伤害了林母的心，就是这会儿，他们还掩耳盗铃，希望母亲看在孙女的面子上，多给他们一些。

林国梁把自己房子已卖、后天带着女儿去香港做手术的事，先告诉了母亲。林母给了吴玉华五千块钱，最近涨了退休金，这是补发的，是林母给自己孙女看病的；至于遗产，就对不起了，没有他们的份儿。她把房产的一半留给雅娟，剩下的一半老大国栋、老三国强两人平分。她是在清醒的前提下做的公证，而不是头脑一热。

林母说着，眼泪又出来了，她转过脸去，不想在儿女面前，尤其是在这些不孝的、伤透了她心的儿女面前流泪："我不想解释为什么这么分，看在我养你们这么多年的份上，各位你们给我留点老脸吧！你们有什么想法我不管，我已经决定了。你们听着，只要是我活着，这份遗嘱就一个字都不能改。这就是我今天跟你们要说的话。"

10

林国梁和吴玉华肯定是不满意，虽然他们所做的事，林母都知道了，但这个结果，他们也接受不了。不过，女儿的手术时间已定，他们没有时间和精力再找兴这事，带女儿去香港做手术要紧。可是，对林母的气，还大了去了，临走，连个招呼都没打；女儿手术的事情，更不跟母亲说。林母担心孙女，老二家里俩大人不做人事儿，可是彤彤那孩子还是她孙女啊！这到了香港，是好是孬，也好歹来个信儿啊！哪儿难受都比不上心里难受，林母放心不下彤彤，牵肠挂肚，吃不下饭，连金巧专门给她熬的大补的汤药都喝不下去，不是药苦，是心苦，吃一点下去就肚子胀、难受，周身都难受。

陈金巧硬给她喂了几口，难受也得喝啊！身体要紧。她逗老太太开心，说自己和老三的孩子都还指盼着见奶奶呢！林母没笑，说到孩子，她又想起孙女，陈金巧还想劝："您惦记孩子，人家可没把您当娘惦记。这坑人的事情他们都做尽了，做这些缺德事儿的时候当您是娘、当我们是亲人没？能坑一个是一个，连自己亲娘都坑都骗的，那是要遭天谴的。难怪他们家闺女生出来就有病，原来是报应给遭的。"林母一听这话，脸都黑了，儿子再不孝，也是她的亲儿子，恨是恨，可她打心眼里希望他们好，不希望他们出事儿。

陈金巧知道自己失言，连忙借打开水的理由出去了。出去遇到丈夫，她还有些委屈："你又不是不知道我实在，直肠子一条。你妈爱拣好听的，就像那吴玉华，哄得她高高兴兴，那最后咋样？那个叫啥来着……口蜜腹剑。对，就有这么一词儿。现在人家一脚踹了你妈，她还在那里牵肠挂肚，我们这些跟前的人算咋回事？说个实话怎么了？事实在那儿摆着呢！"

林国强听到老婆还说这样的话，真是一个头两个大，都什么时候了，全家人仰马翻的，就别再添乱了，管一下自己那张大嘴巴吧。有什么话就回家跟他埋汰，随便埋汰。在妈面前，就把那些伟大的实话全都搁在肚子里，就算他求求她了。陈金巧看着丈夫的熊样，被哄高兴了，也知道他说的更是实话，就爽快地答应了："行，我是嫁鸡随鸡、嫁狗随狗，这鸡狗都发话了，我能不听吗？"林国强一听，这老娘们儿还真当自己是鸡狗了，正想再骂她两句，医生喊他，他母亲大便拉血了。

林国强赶紧给大哥打电话，却打不通，只好自己跟着医生去处理。医生告诉他，林母的病情很严重，上次吐血，这次拉血，人一天比一天虚，病一天比一天重，连医生都没有什么好招了，她这个年龄再做手术的意义不大，况且手术后的损伤可能不亚于疾病本身。林国强心中有些难受，不想再听医生那些医疗医理的官话，直接让他估摸一下，母亲还能熬多久，让他们好有心理准备。医生也不是神仙，没法估计准确的时间，但是，一般来讲，她这样的状况，没有意外可能熬个三个月到半年，但是如果像上次那样突然大出血，这个就不好说了，说走就走了……

这就意味着，林母就得在医院里住到死为止，不能回家。她这种状况随时会有大出血的危险，如果出院回家，出现情况不能及时救治，就不是医生的责任了。医生让他们还是多准备些钱，给她多上点白蛋白、乳蛋白之类的，增强她的营养和身体抵抗力，没准儿还能多熬一些时间。

11

离婚的林国栋，感到前所未有的绝望，他谁都不想见，每日里借酒浇愁，麻醉自己，什么都不去想。

他不去想，并不代表别人不去想。听说他被媳妇带了一顶绿帽子，每个人的反应都不一样。钱建功自是幸灾乐祸，就差放鞭炮庆祝了。他眉飞色舞、兴高采烈地把林国栋跑到公司里，把那个王茜的姘头打得满地找牙、锣鼓开花的热闹事讲给刘雅娟和林超听，还为自己没有看上这场比电视剧还好看的戏而可惜。

说完，他看着母子二人的反应，林超一句话都没说，转身回了自己的屋子。钱建功不满意，这小子不是恨那个人吗？按理说他也应该高兴啊！这当初抛弃了他们、伤害了他们的人今儿得了报应，该好好庆贺一下，这小子怎么没有反应？他再看雅娟，刘雅娟也不高兴，还说他得瑟。不过，钱建功是真高兴，这下好了，不用他动手，林国栋就得到报应了，他要喝啤酒庆祝一下。

钱建功不仅喝啤酒庆祝，还把这件事当成自己的职业，扮做说书的，在整个小区都说了一遍。见人就说，逢人便讲，生怕别人不知道。刘雅娟从第N个老太太口中知道这件事之后，就去找钱建功，果然，老钱正坐在小区的树荫底下，跟围着他的一群爷们儿、妇女讲这件好玩的事。看着钱建功那个小人得志的丑样，刘雅娟气极了，骗他说钱母给他打电话，把正讲得唾沫星子横飞的钱建功给叫回了家。

进了楼道，刘雅娟变了脸色，开始教训钱建功："老钱，你积点口德行吗？人家没招你惹你，何必到处宣传人家的家事？你这不是在落井下石吗？"钱建功来气，她又帮着林家。他说怎么了？他就是要说，有本事他们家就别作出这样的事儿来啊！做了就不怕人说！

刘雅娟还真不是帮着林家，她觉得这样很不厚道，将来林家老太太出院，谁到她耳边嚼个舌根，这不活活要气死她吗？再说了，他们林家的房子在这儿，总归也是左邻右舍的，低头不见抬头见，各人相让好行路。

钱建功听她这样说，火了："行什么路？我跟他林家有什么路好行的？刘雅娟，你别以为我不知道你什么心思！你他妈的想吃回头草就直接说，臭不要脸的，我妈那事儿还没跟你算账，你敢教训我？"他高高扬起了巴掌，又要打下去。可是，这次他停住了，因为刘雅娟面无惧色地瞪着他，不知为什么，他心里有一丝害怕，手落不下去了。刘雅娟轻蔑地看着他："钱建功，你要是再这样在外面胡说八道，后果自负！"还敢威胁他，钱建功咬牙切齿地上前拽住她的胳膊："刘雅娟，你给我说清楚了，什么后果？"刘雅娟眼神里透露出一丝轻蔑："你说呢？"

12

林国强跟着医生回到病房给母亲做检查，又找不到陈金巧了。林国强就有气。幸好林国栋来了，他醉酒醒来、胃痛得要穿了时，接到林国强的电话。听说母亲大便拉血，他才从地上爬起来，赶了过来。

医生检查了一下，林母这个病不是胃肠道出血，鲜血经过胃肠道以后，到了直肠，颜色应该会变成黑色，但是这个血色是红的，证明是新鲜出血，应该是痔疮出血。

林国栋有些不敢相信："每天不吃东西，光打点滴、喝汤水，也能刺激痔疮？"

医生给他解释："病人这段时间都是卧床，下肢静脉回流受阻，会使痔疮发作，这也是长期卧床病人通常的病症。"不是内出血就好，林家老大和老三感到庆幸。

这时，陈金巧急匆匆地提着水壶进来。林国强一看见她，气就来了："你遛哪儿去了？这么半天时间，我还以为你上密云水库打水去了，妈都拉血了。"听说老太太拉血，陈金巧也呆了。林国强真是生气了，让她照顾母亲，还老往外跑，这还是个痔疮出血，刚好他也在，要是吐血呢？没人在跟前，那不是成大事儿了吗？

陈金巧委屈地咬着嘴巴不说话。林母倒替金巧说话，她现在是真正接受了这个儿媳妇，她天天都守在这儿很辛苦，再说也没出什么大事儿。林国栋也说弟弟，让他们回去休息。

林国强答应，拉着满脸不高兴的金巧出了门。

13

林国强当着婆婆和大伯子的面，朝自己耍威风，陈金巧气得直喘粗气。有什么话不能好好说？他就是成心的。

脾气发过了，老婆生气了，林国强还要哄。他拉着她，给她解释："我那也是生气。你说看见满马桶都是红艳艳的血，能不吓一跳吗？这紧要关头又找不着你，说是去打水，去水房也没见你人影儿，能不生气吗？"

陈金巧这才好受一些，说出了自己刚才干什么去了。原来，刚才她打水时，见到了林老二一家了。林国强也是一惊，老二他们做手术回来了？

陈金巧来劲了，也许是她就爱瞎跑的缘故，她的消息比别人灵通很多，她压低了声音，告诉丈夫自己看到的：彤彤手术失败转回这里来了。她刚好到楼下打水，看见了老二夫妻俩，吴玉华哭哭啼啼的，她就估计肯定出事了。她到那个心内科的护士站一打听，果然是彤彤入院了。彤彤在香港手术失败了，转回来这里还病重了，都放进特护病房了。陈金巧感慨，老二两口子可没少做缺德事，这下报应了！

林国强瞪了她一眼，嘱咐她千万不要把这事儿跟妈说。陈金巧点头，她还没狠到拿软刀子去生剜妈的心。

陈金巧要回家去看儿子，林国强却不走了，他告诉金巧，自己上去跟大哥说几句话，大哥刚离婚，他这做兄弟的要安慰一下。陈金巧还要细打听，林国强说，男人的事儿她就甭管了，让她赶紧回去。

陈金巧走了，林国强一转身上了三楼，到心内科去看彤彤，他不放心。

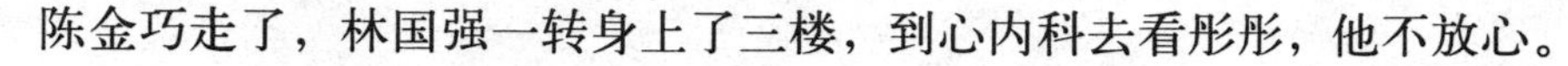

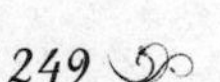

第二十一章　世上只有妈妈好

这官司我赢了也不露脸，妈赢了，儿子输了，这算什么？我生了儿子是为养老的，不是为了当被告的。

1

陈金巧说的不假，林月彤运气不好，赶上了那百分之五十的概率，手术失败了，转到国内医院，在无菌病房观察，等待第二次手术。

因为是无菌室，家属不能入内，吴玉华和林国梁看着女儿遭罪，有力气使不上，滋味非常不好受。吴玉华的眼泪就没有断过。从香港到现在，好几天两口子都没有睡个囫囵觉，这总算是到家了。林国梁怕老婆顶不住，就让吴玉华回家，好好睡一觉。吴玉华哪里睡得着？一躺下就做噩梦，还不如不睡。但她也知道，自己要是病倒了，女儿就更危险了，只能听丈夫的话，回了家。

林国强上来打探病情的时候，正遇到送吴玉华回来的老二。林国强不愿遇见他，扭头就走。老二追着他上来，要跟他解释。林国强不愿意听，也不敢听："二哥，大家各自安生吧，妈也还在楼上住着院呢！你们要还有点良心，就装作没有回来过。别去打扰妈，让她好好过几天剩下的日子。"林国梁到现在还不承认，还想为自己找借口："老三，是我们不对，但是你也看到了，彤彤这个样子，我们也是没有办法……"

一听这话，林国强更是火冒三丈："没有办法就坑妈骗妈？彤彤是你闺女，那妈还生你、养你了呢，手心是肉，手背就是皮啊？怎么对妈这么狠心呢？你们这是生生把她往鬼门关里送。"

林国梁被他骂，一声不吭，眼泪流了出来。他蹲在地上，双手抱着脑袋，一副绝望的样子，林国强要是看得下去，那就不是亲兄弟了。林国梁终于找到一个可以说话的人，边哭边说："千不该万不该带彤彤去香港做手术，现在弄得骑虎难下。在那边的重症ICU天天住着，不但带去的钱都花光了，还借了哥们儿的十几万，全部付清给医院才能转院回来。这每天就跟无底洞一样，我跟你嫂子就这么熬着，我们都快熬不住了。”

林国强强忍着自己的眼泪：“二哥，我们是恨你们，恨你们这么对我们兄弟、对咱妈，但是我们也心疼彤彤。今天妈还絮叨彤彤来着，我们都没敢在她跟前儿提你们的事儿，怕她受刺激，怕她被气着。医生也说了，妈这样的身子骨，说去就去了……你说要是让她知道彤彤现在成了这样，那还不是添堵啊？”

林国梁就算是做姿态，也没脸见家人了，他真想一头撞死，一了百了，可彤彤毕竟还有一次机会，他不能放弃，现在就还差钱了。这次手术，他们就已经欠了别人的十几万。彤彤一天躺在这儿，他们就得往里边砸钱，钱扔进去就跟小石子投进湖里一样，一滴水花都不溅。说到钱，林国强又警觉了，彤彤是他的亲侄女，但凡能帮上她，不是帮他们夫妻俩,他都义不容辞。可他自己是泥菩萨过河——自身难保的主儿，哪里有钱呀？看到林国梁三句话不离钱，他正式警告林国梁：“妈那边你可千万别动心思了，她的房子也已经立了遗嘱，跟你们一毛钱关系没有。”林国梁绝望，妈心里对他也是恩断情绝了。林国强来气，这话说反了，应该是他们对妈恩断情绝。林国强建议他把剩下的那套房子卖了，租房住，先熬过这关。可但凡能卖，他早就卖了，那是公房，他只有居住权。

林国强看不过老二一副落魄的样子，扔给他一支烟：“反正钱上我是没有什么办法了，你也甭指望还能从我们这里抠出钱来，大家都不容易，实在顾不过来。金巧在家熬汤、做饭的时候，让她偷偷多送一份到彤彤这里。”到底是亲兄弟，林国强看不下二哥洒狗血，更看不下他为了钱求爷爷告奶奶的样子。可是他又有什么办法呢？

2

林母还不知道老二家的事，她现在担心的还是老人。老大又天天来这里，她就知道，老大出事了。虽然盼着儿子日日守在自己身边，但看着儿子胡子拉碴的样子，就是心酸：“国栋，你都伺候妈这么久了，我也知足了。我这没有半身不遂，也能生活自理，你还是上班要紧，你看你都像五十岁的老头了。”林国栋用热毛巾给母亲仔细地擦手，他乐意伺候妈，而且，谁知道还能伺候多长时间呢？林母又念叨起他的工作，还有王茜，有好一阵子没有见过她了。林国栋苦笑了一声，无法对母亲说实话，只能撒谎：“忙都忙不过来，谁还有工夫闹。妈，您就甭管了，好好养您的病。”林母也不想多问，长叹了一声：“儿大不由娘，天要下雨，娘要嫁人，都是管不了的事儿了。”

管不了的事，还有很多。楼下住的她的孙女，就是她最管不了又不能不管的。林国强说到做到，每日给侄女送汤，他能做的只能是这些了。可吴玉华不这样想，她希望他拿出更多。这不，当天晚上，她就等着林国强，求他帮帮他们。她哭着说了女儿的情况：“在香港的时候，手术失败了，心肺衰竭，差点就没了，这命是从鬼门关上抢回来的——给上了一个体外膜式人工肺氧合(ECMO)……光那个仪器，一天就好几万，还不算别的进口抗生素、蛋白。”

都这样了，他们能做的只是尽力，老三转身想走，却被吴玉华拉住。她知道林母的遗嘱，他们俩做的这些事，让林母改遗嘱不太容易，可是，老三心软，她就想借他继承的那份儿，以后他们有钱了再还。老三听得目瞪口呆，他真是服了，连遗产都能这么借的。他本来不打算说，现在不说不行了：“可怜之人必有可恨之处，我没办法接受你的这个请求。妈还没死呢，我也不敢撺掇着卖她的房子，再说也不是我一个人说了算的……你们就自己再想想办法吧。”

3

但是，林国梁两口子已经没有办法可想了。

听着吴玉华绝望的哀求，林国强心中也好像被人用刀割一样，可是，钱他拿不出来，光靠同情又有什么用呢？都说一分钱难倒英雄汉，真是如此。社会上总有一些为了给亲人治病铤而走险的新闻，林国强之前还可以站在一边鄙视一下，说上几句风凉话，现在，他是真正体会到这种滋味了。这还不是他亲生女儿，林国梁那种叫天天不应叫地地不灵的绝望，都让他感到走投无路了。

走投无路之下，连着的大都是铤而走险；而铤而走险之后，几乎就是锒铛入狱了。这个道理，林国梁不是不懂，可侥幸心理害死人，如果成功了，女儿不就有救了吗？

于是，他不管不顾，主动打电话给一个食油供应商。这个供应商的仓库积压了一大批油，曾多次求林国梁处理出去。这批货一出手，他就能赚一百万，如果不是救女儿，林国梁是绝对不会答应他的，这是犯罪。可是，他女儿命在旦夕，一听说能拿到二十万，林国梁就不去想这是不是犯法了。万一这不出问题，女儿就有救了。

正好一个学校的食堂要批发一批油，林国梁就把这批油混了进去。没承想，这孙子说话不算数，看他着急用钱，只给他十万块钱。林国梁被他宰了一刀，钱就是女儿的命，林国梁不干：“你这是落井下石！以前你是怎么求着我来着？这一批油出了手你至少能挣一百万!”那个人无耻地笑:“那是以前,这回可不是我求你,是你主动打电话求我的。具体情况具体分析处理,反正你也签收了我们的入库食油了,卖得好,你的奖金也高啊,都不亏。你放心,林主任,我一拿到钱就会补回来给你,现在我也是没辙。”林国梁气急败坏,却又无可奈何,拿着钱赶紧到医院,给女儿交手续费去了。

4

可世上哪有这样侥幸的事?这批伪劣油引发了特大学生食物中毒事件,公安机关很快就查到了事情的起因,林国梁和这个食油供应商,都被依法逮捕了。

这对林家来说,是又一个致命的打击。

林国栋和林国强看完母亲出去时,就看到吴玉华疯了似的找林母。林国栋还不知道彤彤的事,林国强却知道吴玉华找母亲肯定没有好事,就拦下她。吴玉华不跟这俩兄弟说,他们见死不救,她要找婆婆。林国强也没有想到二哥会作出这样的事情。他就想着他们夫妻俩缺德缺大了,别再来拖累母亲。再说平时他们鬼点子也多,总能想到办法,谁知道想到公安局去了。林国栋呵斥弟弟,这是浑蛋干的事,早说出来,大家都会想想办法,也许就不会到这一步。

吴玉华听见林国强这么一说,更受了刺激,她大喊着:“你看你们,实话说出来了吧,就等着看我们夫妻俩怎么死呢。我不指靠你们,我找妈去。如果她说不想救国梁和彤彤,我也就认了,我也跟着去死了算了……”一边强行挣脱了林国强和林国栋的阻拦,冲出了围观的人群。刚冲出人群的吴玉华一下子愣住了,就在她面前,陈金巧扶着林母,站在围观的人群后面,目睹了这一切。

5

林母马上就到病房里面看孙女。彤彤脸白得像张纸,说话有气无力,看着奶奶,她哭了,向奶奶要爸爸。爸爸都快半个月不来看她了,打他的电话也关机。林母擦掉脸上的泪,只能哄孩子:“你爸爸出差了……彤彤病了,爸爸担心呢,但是为了给彤彤挣钱看病,去出差了,这段时间都回不来。奶奶在呢,会经常来看彤彤,好吗?”彤彤点了点头,林母透过泪眼,看着白色的墙,在琢磨着什么,又好像作了什么决定。

6

老天爷好像非在人们最需要的时候去休息,他不睁眼,看不到人们脸上的苦痛，当然也就不会去约束人们的行为。林家这些个被老天爷抛弃的孩子们，任着自己性子地干自己以为好的事，打击只能一个接一个。

林国强拿不出钱来，帮不上二哥，也帮不上彤彤，心中好像总是被一块大石头压着，喘不过气来。一听说可以赚钱，那也就不管不顾了，也不管这件事情是由谁来说的，靠不靠谱。

要说林国强这场牢狱之灾，那可真是自找，怪不得别人。事情的最深刻起因，当然是林国强财迷心窍，想钱想疯了；而最直接的原因，还是他跟钱建功的小饭馆的偶遇。

林老三遇到钱建功时，老钱已经醉了。刘雅娟为了林家的事儿跟他翻脸，这太阳从西边出来了，钱建功满脸落寞的样子，林老三看不下去："老钱，你娶了雅娟就知足吧，这样的女人你打着灯笼都难找。要不是我那大哥糊涂，这种好女人也轮不上你。"

钱建功可不这样想，他觉得自己跟刘雅娟结婚，那绝对是低就，要不是这么些年有他照顾，她带着孩子能过来吗？现在都敢威胁他，都是因为林家！他一杯接一杯地灌酒，嘴里还不停地念叨："给人当了那么多年的爸爸，也没人说一句好。我图什么呀我？就图刘雅娟徐娘半老？图她连个孩子都不能给我钱家留下？我图什么呀我……"

国强不爱听了："住得这么近，我妈都不敢上你们家去看孙子，就怕影响你们俩，还想怎么着啊？你要说雅娟的不是，那肯定是你不对在先。"

林国强和钱建功虽然不对眼，但也没有什么深仇大恨，况且还有雅娟那里，两个人这偶然碰上，喝两杯酒，也不算什么。如果不是钱建功接到那个电话，我们也就不用提这件小事了。

钱建功接到他表外甥二宝的电话，他捡到一只狗，是很贵的藏獒，如果他要就几万块给他了。钱建功一口回绝："就是白送给我都不要。现在家里老的小的就够我伺候的了，还要伺候狗，我还要不要活了？"二宝就要他帮忙给找买主。钱建功挂了电话，嘟囔道："都穷疯了，随便捡只破狗就想当宝卖，还几万块，这老家的人越来越会打算盘了。"

但是，当二宝急于出手一再打电话找钱建功，又好巧地让钱建功再次遇到林国强时，林国强的倒霉事就来了。

那天，林国梁刚出事，钱建功这个闲人又有了八卦，一向幸灾乐祸的他不肯放弃这个机会，见到林国强就上赶着看他的笑话。林国强就看不惯他这落井下石的嘴脸，说出来的话也不饶人："以前当个老师真是委屈你了，开个私家侦探所还挺合适。”钱建功也不害臊：“过奖！看来你们林家最近是风波不断哪，最好上妙峰山拜拜神，听说很灵呢。”林国强：“那你怎么不上去拜拜求子观音哪？没准儿一年抱俩呢。”钱建功也不怒：“嘿，你还别笑我，这求子观音也看着你哪！赶明儿我也带你拜拜去，咱们都求子去。”林国强不想跟他纠缠，顺嘴就说：“我就是拜，也只拜财神，让他给我发笔财还差不多。”

一听他这话，钱建功就知道他想钱想疯了，顺便就想起二宝的事，脑筋一转，就想捉住林国强这个冤大头：“别说我没告诉你路子啊，我那亲戚可捡着了一条藏獒！你要是有兴趣，自己开车去看看。要是真的，你就买回来，在这边一转手，挣个几万块钱。”

7

林国强虽然没有养过狗，但是他听过、看过，这藏獒可是跟大熊猫差不多金贵的狗。倒卖大熊猫犯法，现在捡到一只藏獒，那可是天上掉下来的馅饼，不吃白不吃。因此，他向岳父借了两万块钱，再加上自己的所有积蓄，买下了这条狗。

陈金巧吓得没跳起来，她把手中的保温瓶往地上一砸，也不管保温瓶盖骨碌碌滚到哪里去，张开大嘴就嚎，这日子没办法过了。林国强赶紧安慰她：“这狗可不是一般的狗，是藏獒，值好几十万呢。咱拾掇拾掇转手卖出去就是几十万，你说三万买值当不值当？”陈金巧一下子停止了号哭：“你听谁瞎说是藏獒来着？”

林国强：“以前包我车的一个老板就养这狗，我认得这路子。便宜的十几万，贵的一只得上百万呢。”这么金贵怎么才三万块钱？原来，这狗是二宝捡来的，急于出手，要五万，林国强砍到三万。陈金巧听说有钱赚，这才破涕为笑，按照林国强教的，给这狗收拾收拾，拾掇精神点儿，卖几十万块钱，不单妈的医药费有了着落，二哥的事儿也备上点钱。当然，还要还老泰山的钱，外加一万块钱的利息。

这如意算盘的前提是，这只狗好好的，没有死掉；还有，就是这只金贵的狗不是二宝偷来的。但不幸的是，这两个前提都不存在。狗死了，公安局的人找上门来，把林国强也带走了。

于是，关于林国强跟一只藏獒的案件，用钱建功的话说，就是“二宝偷了人家一只几十万的藏獒，国强从他手里花钱买走了。事主报案，抓住了二宝，二宝又供出了林国强。一个当贼，一个买了贼赃”。事主不是不讲理的浑人，如果这狗还好好的，他也不难为林国强，他也会替国强说说好话，那藏獒可比他儿子还亲。可是，他儿子死了，就死在林国强家中，他当然不能放过林国强了。

狗死不能复生，没别的，赔钱；没钱，就只有坐牢了。人家那狗值五六十万，老三有一半责任，要赔人家二三十万。林母知道这件事之后，当下给刘雅娟打了电话，请她过来一趟，她要跟她商量一点事。

8

刘雅娟最近事情也很多，因为钱建功被车撞了。

林国强出事后，钱建功不仅不觉得愧疚，而且更加幸灾乐祸，他咧着嘴掰着手指头数着林家的丑事："他们老林家的风水真是不好：老大戴绿帽，老二老三进班房，真是够热闹的。"至于林国强的事就是他介绍的，他更是理直气壮撇得清楚："他出事我为什么愧疚？他自己要去跟二宝买狗来着，我又没强迫他，谁让他贪来着？那是他自己活该，跟我有什么关系？"

刘雅娟再也无法忍受，下定决心要跟他离婚。要说钱建功这个人虽然是一个恶人，对刘雅娟说打就打，说骂就骂，但他知道刘雅娟是一个好人，而且这么多年夫妻，要说没有一点感情，那是冤枉他了。他知道这次刘雅娟并不是在赌气，也不是吓唬他，她是真的要跟自己离婚了。刘雅娟来真的，他不害怕那是假的，不苦闷那是骗人的，而他这样的人，除了借酒浇愁逃避之外，什么也不会干了。因此，当他喝得醉醺醺、东摇西晃地走在车行道上被车撞倒，那也就是一种必然了。

好在钱建功命大，他只是被撞断了一条腿，别的地方没事。他住院的这段时间，刘雅娟日夜伺候他，给他按摩，打热水给他敷，炖汤补钙，那叫一个细心，惹来了同屋病友的羡慕。钱建功嘴上不说，心中美死了，他以为自己因祸得福，刘雅娟打消了离婚的念头。

可是，他想错了，刘雅娟是下定决心了。即使刘金凤把自己那套房子给她，雅娟也不稀罕。刘金凤现在是打心眼里接受这个儿媳妇了："日久见人心，路遥知马力，这回建功受伤，而且以后还会有点跛脚，你也没嫌弃，照顾得无微不至。我也看出你的心思来了，我儿子和你过日子，放心。"刘雅娟也想清楚了，她低头笑了笑，把钥匙还给了刘金凤："妈，现在照顾建功是我的责任，是我应该做的。等到建功出院，我会跟他办理离婚手续。这房子，您留给您的下一任媳妇吧，我和老钱……缘尽了。"

9

林母找刘雅娟，是打算卖房子。

不卖房子，林家实在撑不住了。老三为那狗整天被叫到派出所，老二等着宣判，老大两口子也肯定出事了。老大是她儿子，虽然他不说，她也猜到他们已经离婚了。虽说家丑不可外扬，可她这当妈的实在是没路了，只能求刘雅娟。一个个都是讨债来的，她想把房子抵押给银行。但已经立了遗嘱，这房子有雅娟一半，她要跟她商量。知道雅娟善良，不会看着她遭难，可是林家一直对不住她，她一句埋怨的话都没说过，她这脸臊得慌！这些丑事到头来还要雅娟帮忙。

刘雅娟不居这个功，房子是林母的，她愿怎么处理就怎么处理。接着，她把自己这里发生的事告诉了林母，说等钱建功好了，自己就跟他离。林母好像看到了希望，虽然不能盼着儿子离婚，可她怎么看，怎么想，都觉得自己和雅娟才是一家人。这老大要是真离了，她希望……

刘雅娟拦了林母，不让她把那句话说出来，国栋也不容易，再说她自己离婚，跟林国栋没有任何关系。为了不让林母接着说这个事，刘雅娟问起了林国梁的事。

说起这个不孝的儿子，林母脸色黯然。他现在人在看守所，等着宣判呢，虽然钱已经退了，加上态度好点，可能不会判很重。但因为很多学生中毒，即便法院从宽处理，估计也要判三年。林母感慨，老二一直是家里脑子最好使也最心细的人了。收人家钱，帮助卖假油，哪像他干的啊！他经商这么多年从没有在钱上干过犯法的事。这两口子太精了，要不也不会这样，就是可怜彤彤啊！

现在，首要的事是先帮老三过了这个难关，林母要出院，去办抵押房产的事。房主是她，这些事她得自己去。她让雅娟不要担心，她问了护士了，自己现在没什么事了，只要要求出院，就能出院了。她拉着雅娟的手说："别说有抵押房子这事，就是没事，我也不想在这儿待着。要死我也想死在家里，我不愿意老糗在这儿，没病也弄出病了。"趁着儿子不在，林母让雅娟叫来自己的主管大夫，办理了出院手续。

10

不仅林母知道，他们全家都指着这套房子，吴玉华到了这份儿上，还在打这房子的主意。她到看守所去见林国梁，还非常愤怒："有这么欺负人的吗？凭什么？看病住院的时候咱们出钱出力，到分你妈这房子的时候她说不给就不给了！都是亲生儿子，干吗不一碗水端平？！"

林国梁也觉得他妈这样分有些太绝情，可能是让这病拿的。吴玉华冷哼，都是陈金巧和老大在后面捣鬼。陈金巧为什么现在上蹿下跳的？不就是因为林母那破房吗，再说老大，表面老实，可心里账算得比谁都明白，当年是他前妻拿出一间房跟林母的房换的两居，现在林母把房给雅娟一半就是给老大一半。

吴玉华仔细分析："你妈把房子给雅娟，雅娟会给谁啊？肯定将来给林超。林超是老大的儿子，那房给林超跟给老大有什么区别？雅娟根本看不上那钱建功。眼下老大和王茜还不知道怎么着哪，雅娟嘴里不说，这地球人都知道雅娟心里肯定还有老大。当年买房老大出的钱，现在房子一半是雅娟的。老大利用老三先把咱们给挤走，然后老大再把老三给处理了。"

吴玉华的结论是，房子她必须要，为了彤彤，她豁出去了，她要告林母！

11

先不说吴玉华到法院起诉林母，先说林母拿房子抵押了钱，就直奔国强家而来。林国强现在确实是火烧了屁股，那个事主天天到他家来要钱。他想私了，判了林国强对他也没有什么好处，但这钱他是一定要赔的，三十万，一个子儿都不能少。林国强一听说三十万，立刻垮了，还不如让他下地狱呢！三十万，他抢都抢不来。事主拿出自己狗儿子的凭证、照片、证书给林国强看，这是正宗的青海黑金王，成年狗六百万，主人都不卖。

国强看着资料有点傻眼，金巧开始求情。事主也不是好惹的："我跟你说句难听的啊，不是我说你们家那位，这屎好吃，钱难挣。现在说没钱了，要是我这狗没死，你把狗几十万卖到外地去，我哪儿哭去啊？我今天来是跟你们知会一声，咱都是北京的，你把我的狗钱还了，我没准就不起诉你，要不咱们就走法院吧。我这就够意思了，我要跟你要五十万，你也得出啊，要不上法院你就得折进去。"林国强现在想死的心都有了，他开始叫人家大哥，他真是赔不起这三十万，他哀求人家："要不看我家什么值钱你都搬走吧，除了我媳妇。"事主都被他逗笑了："你倒想让你媳妇折三十万哪，可能吗？"林国强还不干了，他就是去血站卖血也不当杨白劳。事主不跟他贫，他不是黄世仁，现在是林国强犯了法。

事主看着屋子里的情况后，说算了，让他凑二十五万，要是再拿不出来，就真起诉了。临走，他对林国强夫妇说："你们快去凑钱吧，有事联系我。我不想通知律师了，人家把起诉材料都整理好了。你们公母俩看着办，兄弟听我一句话，哥是过来人，人心似铁假似铁，官法如炉真如炉啊！现在是法治社会，珍惜你们的好日子，别存侥幸心理啊。"

这下，林国强和陈金巧真傻了眼，就是把自己卖了，也不如那狗值钱。让他起诉吧，打了不罚罚了不打，该怎么办怎么办吧，他进去了还省车份儿哪！

听了他这话，陈金巧张嘴就哭："你不能进去，你进去我们娘俩儿怎么办啊？都是你，不让你买这破狗，你不听……"

林国强有些烦，自己还没有去住姥姥家，让他不要哭。陈金巧听他这时候，还有心思扯这旮旯话，也止住了哭。她不哭了，林国强倒哭了，这年月借钱比借命还难。夫妻两个人相顾无言，只有泪千行。

正在这时候，门突然开了，林母和国栋走了进来。

林国强这才知道，母亲出院了。问清楚事主让赔钱，林母从口袋里拿出一个存折："这里是三十万，把钱给人家，密码是老三的生日。"说完，林母走了。回过神来的国强抓住大哥，问这钱是哪里来的，林国栋这才告诉弟弟，妈把房子抵押了，拿出三十万。他让国强赶紧把这件事了了，自己伺候妈，不要让他担心。

林国栋和林母走了，林国强拿着存折，打心眼里感动："世上只有妈妈好，这次明白了吧？"陈金巧看不得他得瑟："这辈子就给妈还债吧。"

有了钱，林国强又不着急给那个事主打电话了，他要把这钱全拽丫脸上让丫告。转念一想，又苦下了脸，他这里没事了，二哥那里怎么办呀？这也是报应，不孝顺妈就是这下场。但说这话有什么用呢？金巧想去看看二哥，林国强心中高兴，嘴上又开始贫："万水千山总是情，打完手机行不行？"

12

解决完老三的事，林母开始帮老大。可怎么问，老大都不说自己到底和王茜怎么样了。林母只好再次求助雅娟。

刘雅娟找到王茜时，王茜已经回到北京重新上班了。她实在在上海住不下去了，父母一天到晚除了唠叨她再没有别的话，她只能掩面而逃。

北京倒是没有父母的唠叨，可是有胡毕昆。想到他对自己所做的事，心中不是没有恨的。一听胡毕昆又以客户的名义要她出去吃饭，她立即就答应了，不过，这次她多带了一样东西——一支录音笔。

天涯何处无芳草，何必困在这棵不喜欢自己的硬草呢？胡毕昆真的也好，装出来的也罢，反正这次，他是正正经经跟王茜谈生意。他手里现在有一单国际会议的团，一百五十人。谁也不会跟挣钱过不去吧，没有永远的敌人，只有永远的利益！这单活他希望把这个团费用的百分之三十打到自己的私人账号上。

王茜不动声色，这属于违规操作，只说这不是一笔小数目，她需要考虑一下。胡毕昆不着急，这样一大单生意，就是返点之后，酒店的利润也是可观的。王茜偷眼看着包中闪烁的录音笔，喝了一口茶，看样子，今天她是来对了，这茶确实不错！

这些，林国栋也好，林母、刘雅娟也好，当然都不知道。刘雅娟找王茜，是想劝劝他们，希望他们珍惜姻缘，不要轻易离婚。林国栋是好人，她不想看着他再次伤心。可是，人生不如意事十之八九，王茜和林国栋已经办理了离婚手续。雅娟有些尴尬，她匆忙告辞。

两个女人的手，握在一起。喜欢同一个男人，是不是也是一种缘分？

13

林母并不知道雅娟去找王茜的事，雅娟也不好跟林母说林国栋早就离婚的事，林国栋都不说，她说出来总不好。老二到现在还没有着落，老三刚把狗的事了了，林母一点都不希望老大的家散了。她要是看自己三个儿子家不是家，日子不像日子，她就是死也闭不上眼！

林国栋实在撑不下去了，他不能再瞒着母亲了，就告诉林母，自己已经跟王茜离婚了："您别怪她，我怕您受不了，一直没说。"

林母虽然已经有预感，但她还是有些难过，儿子这次离婚，有很大一部分是因为她吧？可是，凭着她这一生看人的经验，她觉得儿子这次离了好，离了也省心。她劝慰儿子："这样对你也好，对王茜也好。你们不是一家人，过不到一起。"

接着，她告诉儿子，雅娟也要离婚了。听到这个消息，林国栋虽然惊讶，却并不想多说。林母却对这件事充满憧憬，她真的希望儿子能够和雅娟复婚，老大才四十多，还应该有自己的成家打算，趁着妈还能睁眼看着，就遂了妈的心吧。

林国栋没说话，他能说什么呢？就算是他答应了，雅娟答应吗？林超答应吗？他之前做了那么多对不起他们娘儿俩的事，还能回头吗？

正在这时候，门外有人敲门。是送传票的，吴玉华、老二把林母告了。林母仔细看着传票，好像不认识那两个名字一样，看了一遍又一遍，嘴里说着："好，好！儿子为了那房把妈给告了，真好！"

为了一破房子，亲生母子要打官司，林母感到前所未有的荒诞。她拒绝了儿子要请律师的建议："这官司我赢了也不露脸，妈赢了，儿子输了，这算什么？我生了儿子是为养老的，不是为了当被告的。"

14

听到这个消息，林国强怒发冲冠，当下就要去找吴玉华，他倒要看看，吴玉华自己那猪八戒的样儿还如何打官司。到时候要反告她不孝顺老人，不伺候老人。林国栋觉得这样说也不尽然，吴玉华、老二虽然滑头，但他们对妈在治病上出过钱出过力的。只是现在她反咬一口，这也太不孝了。没有妈，他打哪儿来的？石头缝里蹦出来的？不孝顺就得了还把妈给告了，是人吗他们？

是不是人，吴玉华都管不了了，她也是走投无路了才出此下策。林国强嗤之以鼻，他们老林家可出现了一件千古奇谈，为了房怂恿老婆告自己亲妈，见过不孝顺的，没见过这么不孝顺的。

即使他们为了女儿把命搭上，也不能成为告妈的理由。吴玉华到现在，还不服气，还把自己那点事说来说去："我们也没有虐待妈，没有对不起妈。到头来你们每人都有一份，就连外人刘雅娟都能分家产。你们哪家有我们家困难？彤彤从生下来就是先天性心脏病，为了彤彤我和国梁没过一天好日子。"

吴玉华越说越激动，一边哭一边擦眼泪："我和国梁每天都担心彤彤第二天早上能不能睁开眼睛。我们老了或不在了谁照顾彤彤？彤彤就是我们的一切。只要彤彤幸福健康，我们付出生命都在所不惜。国梁为什么被抓？他就是想给彤彤多预备点救命的钱。国梁不是为自己才出事的……你们谁体谅过他？呜呜！钱对你们是重要，但跟你们孩子的命没关系，可我们没钱彤彤就没有命了……"

林家所有人看着吴玉华的这个样子，心中的滋味都不好受。

尾声 没有结束的结束

1

林母不愿意舍了自己这张老脸跟儿子媳妇打官司，她心疼孙女，把吴玉华叫过来，给她一份新的公证遗嘱。在这份遗嘱中，她把这套房子的继承权给了林国梁。

林母看着吴玉华，说出了自己的心里话："这三个儿子都是我亲生的，上一份遗嘱是我定的，当时是我对你和老二不满，你们那样做伤了我心了。可彤彤是我孙女，我疼她，我又改了我的遗嘱。"

吴玉华没想到是这情况，她扑通一声给婆婆跪下，泣不成声地跟婆婆认错。林母让她起来，一脸沉痛："起来！老二错了，犯了法，他必须自己承担。玉华，咱们这家不能散，你是我儿媳妇，我是你婆婆。我该说说，该疼都得疼。手心手背都是肉。你明白吗，玉华？"

吴玉华点头，林国栋点头，林国强和陈金巧都点头。

2

王茜把自己录下的跟胡毕昆的谈话刻成光盘，交给自己的老板，同时也给胡毕昆所在的旅游集团总部发了一份。王茜向老板提出辞职，她要回美国，她需要调整自己的心情和状态，好好想一想自己下一步应该怎么过。

到美国后，她给林国栋写了一封信。信中，她告诉林国栋，她把他们在美国的房子卖了，给他汇去四万五千美金。她说："这钱给你妈妈把抵押款交齐，赎回你妈妈的房子，关于房子的信息是雅娟告诉我的，她是很好的女人！"

3

因为林国梁认罪态度好，并且全部退还了那笔赃款，又是初犯，法院从轻判处，判处他有期徒刑两年。

宣判那一天，林国梁站在被告席上，眼中含泪地看着苍老、憔悴的母亲，看着自己的亲人们。

彤彤已经知道爸爸的事了，在鬼门关走了一遭的她，长大了，懂事了。她让母亲给爸爸带来一封信："爱你爸爸！"因为刚做完手术，她的字还歪歪扭扭，可是却能让林国梁号啕大哭。

4

林国栋收到王茜的信时，正去跟前妻雅娟约会。

这是众望所归的一件事，在林母和吴玉华还有陈金巧的帮助下，刘雅娟终于答应和林国栋见一面。这肯定不是林国栋第一次约会，但他心中的不安、期待和紧张，却就像毛头小子第一次牵心上人的手一样。过了大半辈子，兜兜转转又从头开始，走了很多弯路的他，还能得到雅娟的原谅，重新开始吗？

林国栋很早就到了约定的地点，等来的却是儿子林超。林超第一次不跟他别扭，告诉他，他妈在后面呢。他先来，是为了问他一个问题："你是我爸，可我很奇怪，就说刘雅娟吧！你爱也爱过她了，伤害也伤害过她了，你现在是想重新开始吗？"

林国栋没想到儿子会问这个问题，一向口拙的他，不知道如何回答。刘雅娟却不要他回答，他已经回来，他们一家团聚了，这还不够吗？

后记

坐在椅子上磨叽快半小时了，还没有写出很给力的第一句话。本来想在后记中说很多很多的话，但从电视剧的剧本到小说的完成，基本上已经把要说的话给消耗完了，剩下的就只是事后烟般的状态了。

我是河北人，河北人实在，不太会忽悠，更不懂包装自己和作品。写这个戏的初衷，是因为“谁来伺候妈”是话题，是咱每家的话题，是草根的家庭故事，是接地气的！把它改成小说，也主要是想把发生在你、我身边的事，把你、我心中的感动，把你、我心中对母亲、对长辈的感谢写在书中，希望这些美好能够带给阅读这本书的人一点快乐。

来到这个世界上，一直没有对父母表示过什么，在这里，我要感谢他们对我的养育之恩。

很多朋友一直帮助我、支持我，我心怀感激。这些重要的朋友是：花箐、余淳、顾宏波、李青、李晓宁、吴曼迪、付永强、贺为、阳子、刘兵、胡小叶、姜红、吕里华、麻晓翔、毛毛姐、张帆、何亮、尹青、钱迪、陈立新、史阳、段大姐……

感谢北京东仑国际文化传媒有限公司、北京霸王龙文化传播有限公司对这部戏的倾力制作。

感谢北京银河昊星文化传媒有限责任公司。

感谢王志军工作室制片人吴曼迪。

感谢出版社和编辑付会敏对此书的巨大贡献。

祝读者朋友们家庭幸福，祝天下父母老有所养、老有所乐！

王志军

2010年12月